#시험대비
#핵심정복

# 7일 끝 중간고사 기말고사

Chunjae
Makes
Chunjae

▼

| | |
|---|---|
| **개발총괄** | 김덕유 |
| **편집개발** | 중등 사회팀 |
| **제작** | 황성진, 조규영 |

| | |
|---|---|
| **발행일** | 2021년 3월 15일 초판 2021년 3월 15일 1쇄 |
| **발행인** | (주)천재교육 |
| **주소** | 서울시 금천구 가산로9길 54 |
| **신고번호** | 제2001-000018호 |
| **고객센터** | 1577-0902 |
| **교재 내용문의** | (02)3282-1780 |


※ 정답 분실 시에는 천재교육 홈페이지에서 내려받으세요.

7일 끝으로 끝내자!

7

# 고등 생활과 윤리

BOOK 1

# 이 책의 구성과 활용

## 시험 공부 시작

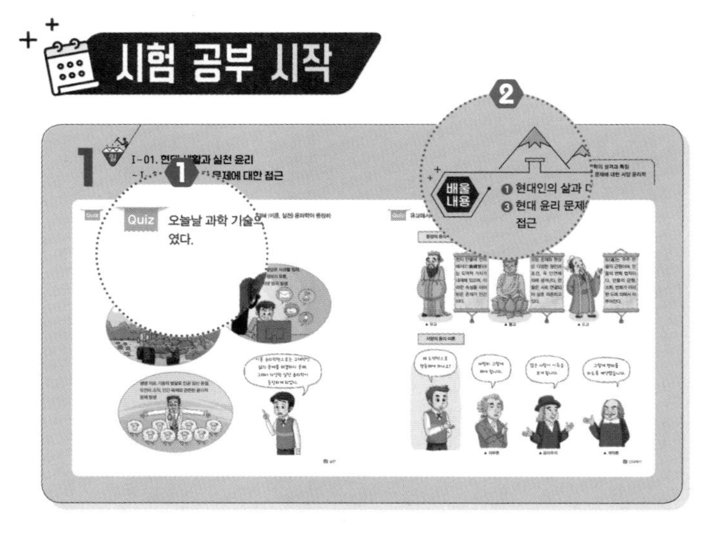


### 퀴즈로 생각 열기

공부할 내용을 만화로 가볍게 살펴보며 학습을 준비해 보세요.

❶ **생각 열기** | 만화 내용을 가볍게 보고 퀴즈를 풀면서 학습 목표를 떠올려 보세요.

❷ **배울 내용** | 공부할 내용을 살피며 핵심 학습 요소를 확인해 보세요.

## 본격 공부 중

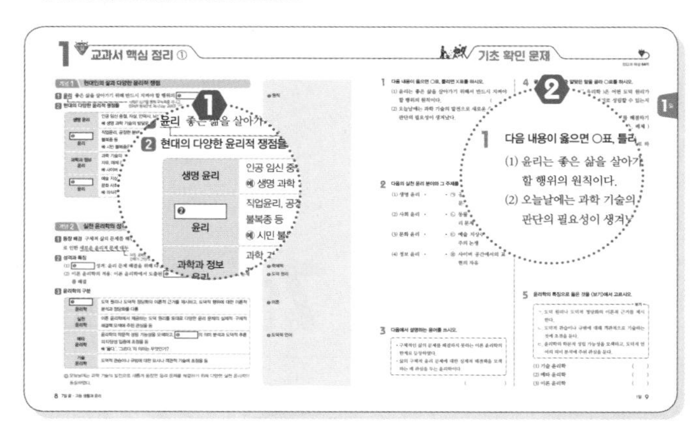


### 교과서 핵심 정리 + 기초 확인 문제

꼭 알아야 할 교과서 핵심 내용을 익히고 기초 확인 문제를 풀며 제대로 이해했는지 확인해 보세요.

❶ 빈칸 문제를 채우며 교과서 핵심 내용을 다시 한 번 체크해 보세요.

❷ 교과서 핵심과 관련된 기초 확인 문제를 풀며 공부한 내용을 확인해 보세요.

### 내신 기출 베스트

다양한 유형의 문제를 풀어 보며 공부한 내용을 점검해 보세요.

❶ 대표 예제 문제를 풀며 시험에 잘 나오는 문제를 확인해 보세요.

❷ 개념 가이드를 보며 시험에 잘 나오는 용어나 개념을 익히거나 문제 해결의 힌트를 얻어 보세요.

## 시험 공부 마무리

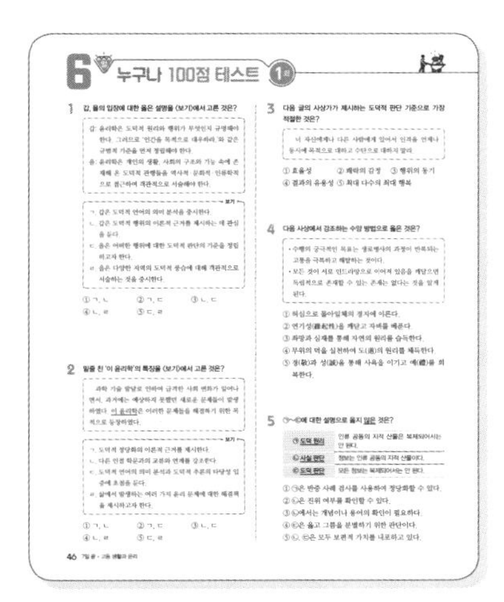

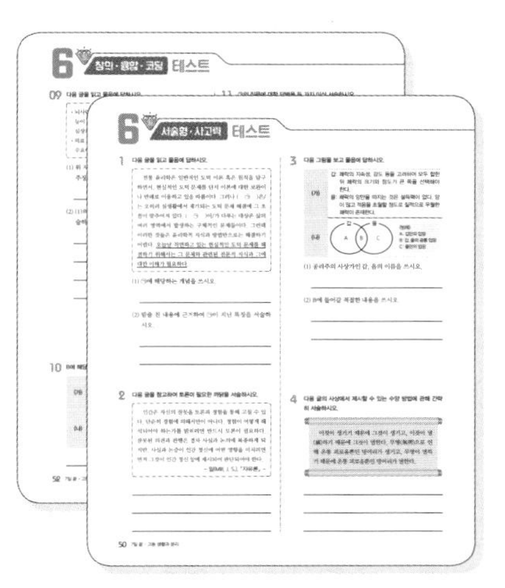

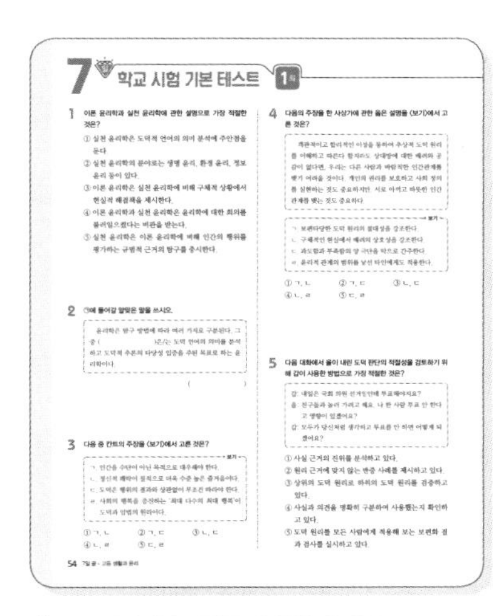

### 누구나 100점 테스트

앞에서 공부한 내용을 바탕으로 기초 이해력을 점검해 보세요.

### 서술형·사고력 테스트 / 창의·융합·코딩 테스트

서술형 문제를 집중적으로 풀며 서술형 문제 적응력을 높여 보세요. 참신하고 다양한 자료들을 활용한 문제를 풀며 사고력을 길러 보세요.

### 학교시험 기본 테스트

시험 문제에 가까운 예상 문제를 풀며 실전에 대비해 보세요.

## 틈틈이·짬짬이 공부하기

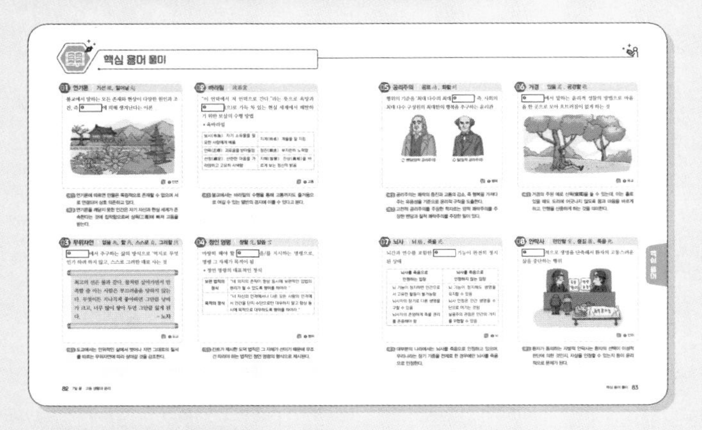

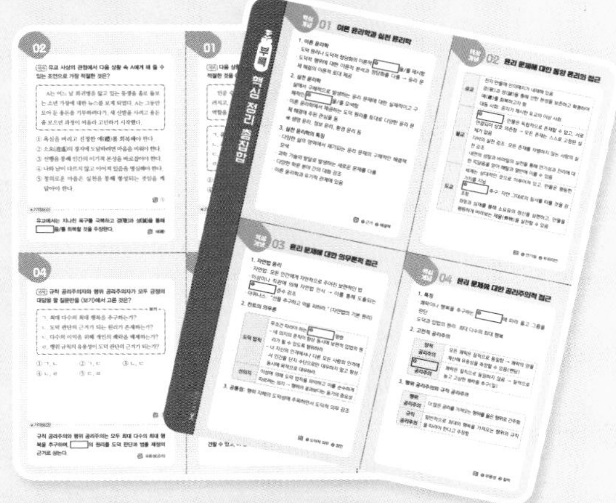

### 핵심 용어 풀이

단원별 필수 어휘를 담은 핵심 용어 풀이를 보며 어휘력을 길러 보세요.

### 핵심 정리 총집합 카드

핵심 정리 총집합 카드를 휴대하며 이동할 때나 시험 직전에 활용해 보세요.

# 이 책의 차례

## 우리 학교 시험 범위 확인

☑ 시험 범위에 해당하는 부분에 표시해 보세요.

| 교과서 단원 | | 교재 |
|---|---|---|
| Ⅰ. 현대의 삶과 실천 윤리 | 1. 현대 생활과 실천 윤리 | ☐ BOOK ❶ 1일, 6일 1회, 7일 |
| | 2. 현대 윤리 문제에 대한 접근 | ☐ BOOK ❶ 1일, 6일 1회, 7일 |
| | 3. 윤리 문제에 대한 탐구와 성찰 | ☐ BOOK ❶ 2일, 6일 1회, 7일 |
| Ⅱ. 생명과 윤리 | 1. 삶과 죽음의 윤리 | ☐ BOOK ❶ 3일, 6일 1회, 7일 |
| | 2. 생명 윤리 | ☐ BOOK ❶ 3일, 6일 2회, 7일 |
| | 3. 사랑과 성 윤리 | ☐ BOOK ❶ 4일, 6일 2회, 7일 |
| Ⅲ. 사회와 윤리 | 1. 직업과 청렴의 윤리 | ☐ BOOK ❶ 4일, 6일 2회, 7일 |
| | 2. 사회 정의와 윤리 | ☐ BOOK ❶ 5일, 6일 2회, 7일 |
| | 3. 국가와 시민의 윤리 | ☐ BOOK ❶ 5일, 6일 2회, 7일 |
| Ⅳ. 과학과 윤리 | 1. 과학 기술과 윤리 | ☐ BOOK ❷ 1일, 6일 1회, 7일 |
| | 2. 정보 사회와 윤리 | ☐ BOOK ❷ 1일, 6일 1회, 7일 |
| | 3. 자연과 윤리 | ☐ BOOK ❷ 2일, 6일 1회, 7일 |
| Ⅴ. 문화와 윤리 | 1. 예술과 대중문화 윤리 | ☐ BOOK ❷ 3일, 6일 1회, 7일 |
| | 2. 의식주 윤리와 윤리적 소비 | ☐ BOOK ❷ 3일, 6일 2회, 7일 |
| | 3. 다문화 사회의 윤리 | ☐ BOOK ❷ 4일, 6일 2회, 7일 |
| Ⅵ. 평화와 공존의 윤리 | 1. 갈등 해결과 소통의 윤리 | ☐ BOOK ❷ 5일, 6일 2회, 7일 |
| | 2. 민족 통합의 윤리 | ☐ BOOK ❷ 5일, 6일 2회, 7일 |
| | 3. 지구촌 평화의 윤리 | ☐ BOOK ❷ 5일, 6일 2회, 7일 |

# 1 일 Ⅰ-01. 현대 생활과 실천 윤리 ~Ⅰ-02. 현대 윤리 문제에 대한 접근

**Quiz** 오늘날 과학 기술의 발전으로 발생하는 다양한 윤리 문제를 해결하기 위해 (이론, 실천) 윤리학이 등장하였다.

답 실천

**배울 내용**

❶ 현대인의 삶과 다양한 윤리적 쟁점

❷ 실천 윤리학의 성격과 특징

❸ 현대 윤리 문제에 대한 동양 윤리적 접근

❹ 현대 윤리 문제에 대한 서양 윤리적 접근

**Quiz** 유교에서 말하는 천지만물에 내재된 도덕적 가치는?

**동양의 윤리 이론**

▲ 유교

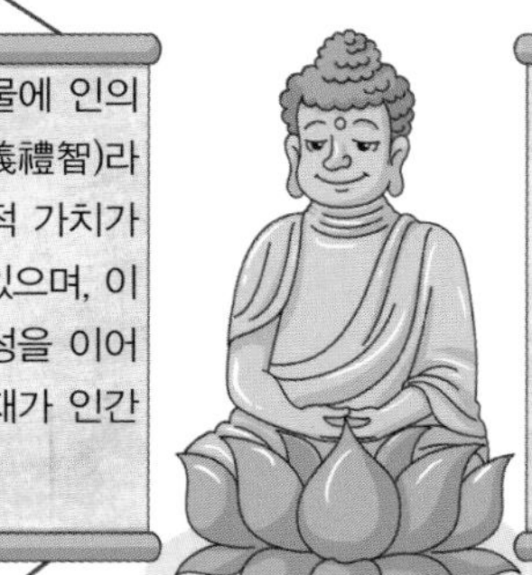


▲ 불교

▲ 도교

**서양의 윤리 이론**

▲ 의무론

▲ 공리주의

▲ 계약론

답 인의예지

# 1일 교과서 핵심 정리 ①

## 개념 1 현대인의 삶과 다양한 윤리적 쟁점

**1 윤리** 좋은 삶을 살아가기 위해 반드시 지켜야 할 행위의 ❶ [ ]

윤리: 사회의 승인을 통해 구속력을 지니고, 당위의 형식으로 제시되는 규범과 가치의 총체임

**2 현대의 다양한 윤리적 쟁점들**

| 구분 | 내용 |
|---|---|
| 생명 윤리 | 인공 임신 중절, 자살, 안락사, 뇌사, 유전자 치료, 동물 실험과 동물의 권리 문제 등<br>예) 생명 과학 기술의 발달로 발생하는 윤리적 쟁점은 무엇인가? |
| ❷ [ ] 윤리 | 직업윤리, 공정한 분배의 기준, 교정적 정의의 문제, 우대 정책과 역차별의 문제, 시민 불복종 등<br>예) 시민 불복종을 정당화할 수 있는 조건은 무엇인가? |
| 과학과 정보 윤리 | 과학 기술의 가치 중립성 논쟁, 과학 기술자의 책임 문제, 사이버 공간에서의 표현의 자유, 매체 윤리 등<br>예) 사이버 공간에서 표현의 자유는 어디까지 허용될 수 있는가? |
| ❸ [ ] 윤리 | 예술 지상주의와 도덕주의 논쟁, 대중문화의 상업화, 합리적 소비와 윤리적 소비, 다문화 사회의 윤리 등<br>예) 의식주와 윤리는 어떤 관련이 있는가? |

## 개념 2 실천 윤리학의 성격과 특징

**1 등장 배경** 구체적 삶의 문제를 해결하지 못하는 ❹ [ ] 윤리학의 한계, 과학 기술의 발달로 인한 새로운 윤리적 문제 대두

새로운 윤리적 문제 대두: 유전 공학의 발전, 인공 지능의 등장 등 지금까지 인류가 고민하지 못한 새로운 윤리 문제가 등장함

**2 성격과 특징**

(1) ❺ [ ] 성격: 윤리 문제 해결을 위해 다양한 인접 학문과 연계

(2) 이론 윤리학의 적용: 이론 윤리학에서 도출된 ❻ [ ] 을/를 토대로 구체적 삶의 문제를 해결

**3 윤리학의 구분**

| 구분 | 내용 |
|---|---|
| ❼ [ ] 윤리학 | 도덕 원리나 도덕적 정당화의 이론적 근거를 제시하고, 도덕적 행위에 대한 이론적 분석과 정당화를 다룸 |
| 실천 윤리학 | 이론 윤리학에서 제공하는 도덕 원리를 토대로 다양한 윤리 문제의 실제적·구체적 해결책 모색에 주된 관심을 둠 |
| 메타 윤리학 | 윤리학의 학문적 성립 가능성을 모색하고, ❽ [ ] 의 의미 분석과 도덕적 추론의 타당성 입증에 초점을 둠<br>예) '옳다.', '그르다.'의 의미는 무엇인가? |
| 기술 윤리학 | 도덕적 관습이나 규범에 대한 묘사나 객관적 기술에 초점을 둠 |

예) 오늘날에는 과학 기술의 발전으로 새롭게 등장한 윤리 문제를 해결하기 위해 다양한 실천 윤리학이 등장하였다.

❶ 원칙
❷ 사회
❸ 문화
❹ 이론
❺ 학제적
❻ 도덕 원리
❼ 이론
❽ 도덕적 언어

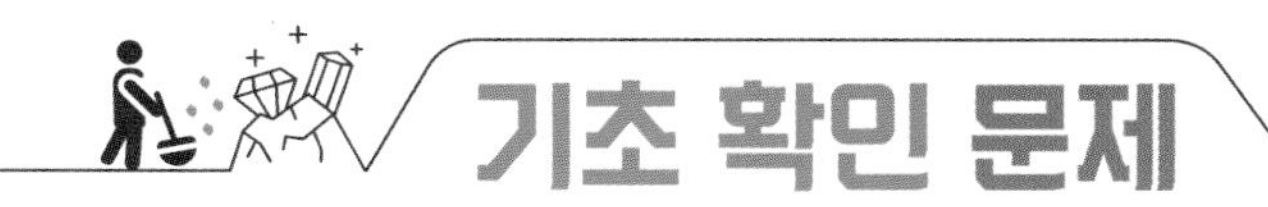

정답과 해설 64쪽



**1** 다음 내용이 옳으면 ○표, 틀리면 X표를 하시오.

(1) 윤리는 좋은 삶을 살아가기 위해서 반드시 지켜야 할 행위의 원칙이다. ( )

(2) 오늘날에는 과학 기술의 발전으로 새로운 윤리적인 판단의 필요성이 생겨났다. ( )

**2** 다음의 실천 윤리 분야와 그 주제를 바르게 연결하시오.

| | |
|---|---|
| (1) 생명 윤리 • | • ㉠ 공정한 분배의 기준 문제 |
| (2) 사회 윤리 • | • ㉡ 동물 실험과 동물의 권리 문제 |
| (3) 문화 윤리 • | • ㉢ 예술 지상주의와 도덕주의 논쟁 |
| (4) 정보 윤리 • | • ㉣ 사이버 공간에서의 표현의 자유 |

**3** 다음에서 설명하는 용어를 쓰시오.

- 구체적인 삶의 문제를 해결하지 못하는 이론 윤리학의 한계로 등장하였다.
- 삶의 구체적 윤리 문제에 대한 실제적 해결책을 모색하는 데 관심을 두는 윤리학이다.

( )

**4** 괄호 안의 내용 중 알맞은 말을 골라 ○표를 하시오.

(1) ( 이론 윤리학, 실천 윤리학 )은 어떤 도덕 원리가 윤리적 행위를 위한 근본 원리로 성립할 수 있는지를 연구하는 학문이다.

(2) 실천 윤리학은 일상생활의 윤리 문제를 해결하기 위해 이론 윤리학의 도덕 원리를 ( 활용, 배제 ) 한다.

(3) 도덕적 추론의 논리적 타당성 입증을 핵심으로 하는 윤리학은 ( 기술, 메타 ) 윤리학이다.

**5** 윤리학의 특징으로 옳은 것을 〈보기〉에서 고르시오.

보기

ㄱ. 도덕 원리나 도덕적 정당화의 이론적 근거를 제시한다.

ㄴ. 도덕적 관습이나 규범에 대해 객관적으로 기술하는 것에 초점을 둔다.

ㄷ. 윤리학의 학문적 성립 가능성을 모색하고, 도덕적 언어의 의미 분석에 주된 관심을 둔다.

(1) 기술 윤리학 ( )

(2) 메타 윤리학 ( )

(3) 이론 윤리학 ( )

# 1일 교과서 핵심 정리 ②

## 개념 3 현대 윤리 문제에 대한 동양 윤리적 접근

### 1 현대 윤리 문제에 대한 동양 윤리적 접근

| | |
|---|---|
| 유교의 윤리 | • 천지 만물에 ❶ (이)라는 도덕적 가치가 내재<br>• 인(仁): 진정한 인간다움, 타인에 대한 사랑 ─ 인간은 도덕적 존재이지만 욕구로 인해 잘못을 저지를 수 있으므로 수행이 필요함<br>• 경(敬)과 성(誠)을 통한 수행 → 선한 본성을 확충하고 예(禮)를 회복해야 함<br>• 성인(聖人): 수양을 통해 도덕성을 확충하고 실천하는 이상적 인간 |
| 불교의 윤리 | • ❷ 적 세계관: 만물은 독립적으로 존재할 수 없고 상호 의존함<br>• 자비: 자신에 얽매이지 않고 모든 생명을 차별하지 않는 사랑<br>• 보살: 위로는 진리를 구하고, 아래로는 중생을 구제하는 이상적 인간<br>• ❸ : 고통을 유발하는 집착에서 벗어나 진리에 대한 깨달음을 얻은 이상적 단계 |
| 도교의 윤리 | • 도(道): 우주의 근원, 만물의 변화 법칙<br>• 세상 만물은 평등하므로 귀천, 선악, 미추 등을 구별하지 않아야 함<br>• ❹ : 인위적인 것에서 벗어나 자연과 조화를 이루는 삶의 태도 ─ '스스로 그러함'을 의미함<br>• 지인, 진인: 도를 깨달아 인위적인 것에서 벗어나 소박함과 순수함을 가진 이상적 인간상<br>• 제물(齊物): 만물과 하나가 되는 경지 |

❶ 인예의지

❷ 연기

❸ 열반

❹ 무위자연

## 개념 4 현대 윤리 문제에 대한 서양 윤리적 접근

### 1 의무론 행위 자체의 도덕성에 주목

| | |
|---|---|
| 자연법 윤리 | 자연법에서 도출되는 도덕적 의무를 준수할 것을 강조 |
| 칸트 | 행위의 ❺ 중시 → 의무 의식과 선의지에서 나온 행동만이 도덕적 가치를 지님 |

❺ 동기

### 2 공리주의 ❻ 의 원리에 따라 윤리적 규칙 도출 ─ 쾌락과 행복을 가져다주는 행위를 도덕적 행위로 간주함

| | |
|---|---|
| 행위 공리주의 | • ❼ 공리주의(벤담): 쾌락은 질적으로 동일함<br>• 질적 공리주의(밀): 쾌락의 질적 차이 인정, 정상적인 인간은 질적으로 높고 고상한 쾌락 추구 |
| 규칙 공리주의 | 최대의 행복을 가져오는 행위의 규칙 준수 |

❻ 유용성

❼ 양적

### 3 계약론 개인들이 생존을 위해 상호 간에 맺은 사회 계약에서 도덕적 의무 도출

### 4 현대 윤리학 ❽ (행위자의 성품에 초점), 책임 윤리(다양한 유형의 책임 강조), 배려 윤리(사랑, 모성적 배려, 공동체적 관계에 주목), 담론 윤리(자유로운 의견 주장, 상호 존중과 이해가 바탕이 된 대화와 합의 강조), 도덕 과학적 접근(도덕성과 관련된 다양한 현상을 과학적인 방법으로 설명)

예 현대 윤리 문제에 대한 서양 윤리적 접근 방식으로는 의무론, 공리주의, 계약론, 현대 윤리학적 접근 방식이 있다.

❽ 덕 윤리

정답과 해설 64쪽

**6** 괄호 안의 내용 중 알맞은 말을 골라 ○표를 하시오.

(1) 유교에서 말하는 수양을 통해 도덕성을 확충하고 실천하는 이상적 인간은 ( 성인, 보살 )이다.

(2) 불교에서는 자신에 얽매이지 않고 모든 생명을 차별하지 않는 사랑인 ( 자비, 도 )를 강조한다.

(3) 밀은 쾌락의 ( 양적, 질적 ) 차이를 인정하고, 정상적인 인간이라면 고상한 쾌락을 추구할 것이라고 본다.

(4) ( 배려 , 담론 ) 윤리학자들은 자유로운 의견 주장, 상호 존중과 이해가 바탕이 된 대화와 합의를 강조한다.

**7** 윤리 사상의 특징으로 옳은 것을 〈보기〉에서 고르시오.

보기

ㄱ. 사랑, 모성적 배려, 공동체적 관계에 주목한다.
ㄴ. 인간의 도덕성을 중시하며 인(仁)의 실천을 강조한다.
ㄷ. 인위적인 것에서 벗어나 자연과 조화를 이루는 삶을 추구한다.
ㄹ. 쾌락이나 행복을 추구하는 유용성에 따라 옳고 그름을 판단한다.

(1) 공리주의 ( )
(2) 도교 윤리 ( )
(3) 배려 윤리 ( )
(4) 유교 윤리 ( )

**8** 다음 내용이 옳으면 ○표, 틀리면 X표를 하시오.

(1) 불교에서는 인간을 다른 존재와 구별된 독립된 존재로 본다. ( )

(2) 공리주의는 유용성을 행위의 기준으로 삼으며, 행위의 결과보다는 동기를 중시한다. ( )

(3) 덕 윤리는 행위보다는 행위자의 성품을 중시하는 행위자 중심의 윤리이다. ( )

**9** 빈칸에 들어갈 알맞은 말을 쓰시오.

(1) 불교의 이상적인 인간상은 위로는 진리를 구하고 아래로는 중생을 구제하는 ( )이다.

(2) 자연법 윤리에 따르면 인간은 자연법에서 도출되는 ( )을/를 준수해야 한다.

(3) 계약론에 따르면 개인들이 생존을 위해 상호 간에 맺은 ( )에서 도덕적 의무가 도출된다.

**10** 각 윤리 사상이 강조하는 것을 바르게 연결하시오.

(1) 도교 윤리 • • ㉠ 자비의 실천
(2) 불교 윤리 • • ㉡ 제물의 경지
(3) 칸트의 의무론 • • ㉢ 선의지 존중

# 1일 내신 기출 베스트

## 대표 예제 1 인간의 삶과 윤리 문제

**인간의 삶과 윤리 문제에 관한 설명으로 옳지 않은 것은?**

① 사형 제도의 존폐 여부도 윤리 문제에 속한다.
② 윤리 문제는 선과 악처럼 분명히 알 수 있는 것들이 대부분이다.
③ 윤리는 인간이 좋은 삶을 살아가기 위해 반드시 지켜야 할 행위의 원칙이다.
④ 윤리 문제를 해결하려면 상황의 유형, 각 입장의 차이점 등을 분석해야 한다.
⑤ 사회 구성원들의 다양한 욕구와 도덕 원리들이 충돌하기 때문에 도덕적 갈등이 발생한다.

개념 가이드

❶ ______ 은/는 인간이 좋은 삶을 살기 위해 반드시 지켜야 할 행위의 원칙이다.

답 ❶ 윤리

## 대표 예제 2 다양한 실천 윤리 분야

**(가)~(다)에 해당하는 것을 〈보기〉에서 골라 바르게 연결한 것은?**

| | |
|---|---|
| (가) | 인터넷에서 표현의 자유를 어디까지 허용해야 하는가? |
| (나) | 다수의 성적 취향과 다른 성 소수자의 인권을 어떻게 보아야 하는가? |
| (다) | 문화의 다양성을 존중하는 것과 보편 윤리를 인정하는 것은 양립 가능한가? |

보기

ㄱ. 성 윤리 ㄴ. 정보 윤리
ㄷ. 문화 윤리 ㄹ. 생명 윤리

| | (가) | (나) | (다) |
|---|---|---|---|
| ① | ㄱ | ㄴ | ㄷ |
| ② | ㄱ | ㄷ | ㄹ |
| ③ | ㄴ | ㄱ | ㄷ |
| ④ | ㄹ | ㄴ | ㄱ |
| ⑤ | ㄹ | ㄴ | ㄷ |

개념 가이드

❷ ______ 윤리의 종류로는 성 윤리, 정보 윤리, 문화 윤리, 생명 윤리 등이 있다.

답 ❷ 실천

## 대표 예제 3 실천 윤리의 필요성

**다음 학습 주제 A에 들어갈 말로 가장 적절한 것은?**

[학습 주제] ______ A ______
(1) 정보 통신 기술의 발달로 사이버 공간에서의 명예 훼손 문제가 발생하였다.
(2) 생명 공학의 발달로 인간의 생명은 연장되었지만, 인간 존엄성을 훼손할 것이라는 우려를 낳았다.

① 규범 윤리와 실천 윤리의 관계
② 전통 윤리와 현대 윤리의 차이
③ 현대 사회에서 실천 윤리의 필요성
④ 메타 윤리의 퇴조와 윤리학의 부활
⑤ 현대 사회에서 윤리학이 나아가야 할 방향

개념 가이드

❸ ______ 기술의 발달로 생겨난 새로운 윤리 문제를 해결하기 위해 실천 윤리의 필요성이 나타나고 있다.

답 ❸ 과학

## 대표 예제 4 이론 윤리학과 실천 윤리학

**㉠, ㉡에 대한 설명으로 옳은 것만을 〈보기〉에서 있는 대로 고른 것은?**

윤리학은 그 대상에 따라 ㉠ 이론 윤리학과 ㉡ 실천 윤리학으로 구분된다.

보기

ㄱ. ㉠은 ㉡의 이론적 토대로 작용한다.
ㄴ. ㉠은 도덕적 언어의 의미 분석에 주된 관심이 있다.
ㄷ. ㉡은 생명 복제 허용 여부, 환경 보전과 개발의 문제 등에 관심을 갖는다.
ㄹ. ㉡은 ㉠에 비해 삶의 구체적인 상황에서 발생하는 문제의 해결책을 찾고자 한다.

① ㄱ, ㄷ ② ㄱ, ㄹ ③ ㄴ, ㄷ
④ ㄱ, ㄷ, ㄹ ⑤ ㄴ, ㄷ, ㄹ

개념 가이드

❹ ______ 윤리학은 도덕 원리나 도덕적 정당화의 이론적 근거를 제시한다.

답 ❹ 이론

## 대표 예제 5 유교 윤리의 특징

**유교의 이론으로 옳지 않은 것은?**

① 인간은 하늘로부터 도덕성을 부여받은 존재이다.
② 내 마음을 미루어 남을 배려하며 인을 실천해야 한다.
③ 자기 수양을 통해서 도덕성을 확충하고 실천해야 한다.
④ 인간은 항상 욕구를 이기고 도덕적으로 살아가는 존재이다.
⑤ 경(敬)과 성(誠)을 통한 수행으로 선한 본성을 확충하고 예(禮)를 회복할 수 있다.

**개념 가이드**

❺ [　　] 윤리는 인의예지, 경(敬)과 성(誠)을 통한 수행 등을 강조한다.

답 ❺ 유교

## 대표 예제 6 불교 사상

**(1), (2)에 해당하는 불교 사상의 개념을 바르게 짝지은 것은?**

(1) 모든 것이 상호 관계 속에서 존재한다는 것을 깨달으며 생기는 만물을 사랑하는 마음
(2) 대승 불교의 이상적 인간상으로, 위로는 깨달음을 구하고 아래로는 중생을 구제하는 사람

| | (1) | (2) | | (1) | (2) |
|---|---|---|---|---|---|
| ① | 보살 | 자비 | ② | 자비 | 보살 |
| ③ | 자비 | 진인 | ④ | 연기 | 보살 |
| ⑤ | 연기 | 성인 | | | |

**개념 가이드**

불교에서는 모든 존재는 서로 연결되어 상호 의존하고 있다는 ❻ [　　] 을/를 주장한다.

답 ❻ 연기설

## 대표 예제 7 칸트의 의무론

**다음과 같은 주장을 한 사상가의 진술로 가장 적절한 것은?**

> 인간은 도덕 법칙을 순수하게 따르려는 선의지에 따라 어떤 상황에서도 무조건 따라야 하는 정언 명령을 지켜야 한다.

① 사회 전체의 행복을 가져오는 행위를 하라.
② 행위의 동기보다 바람직한 결과를 중시하라.
③ 상황과 관계없이 보편적 도덕 법칙을 준수하라.
④ 도덕 법칙을 다른 목적을 위한 수단으로 삼아라.
⑤ 좋은 결과를 가져오는 행위의 도덕적 가치를 인정하라.

**개념 가이드**

칸트의 의무론에서는 인간이 무조건 따라야 하는 ❼ [　　] 명령을 강조한다.

답 ❼ 정언

## 대표 예제 8 양적 공리주의와 질적 공리주의

**공리주의 사상가 벤담의 입장으로 옳은 것을 〈보기〉에서 고른 것은?**

보기

ㄱ. 선한 행위는 쾌락을 산출하고 고통을 줄이는 것이다.
ㄴ. 모든 종류의 쾌락에는 질적 차이가 존재하지 않는다.
ㄷ. 쾌락의 양적 차이뿐만 아니라 질적 차이를 고려해야 한다.
ㄹ. 행위의 결과보다 동기를 우선적으로 고려하여 행위해야 한다.

① ㄱ, ㄴ　② ㄱ, ㄷ　③ ㄴ, ㄷ
④ ㄴ, ㄹ　⑤ ㄷ, ㄹ

**개념 가이드**

벤담은 ❽ [　　] 공리주의를 주장하였고, 밀은 ❾ [　　] 공리주의를 주장하였다.

답 ❽ 양적 ❾ 질적

2일

# Ⅰ-03. 윤리 문제에 대한 탐구와 성찰

**Quiz** 도덕적 추론 과정은 크게 도덕 원리, ( 사실 판단, 원리 판단 ), 도덕 판단의 순서로 이루어진다.

**도덕적 추론**
- 이유나 근거를 제시하여 도덕 판단을 이끌어 내는 과정

**올바른 도덕 판단을 내리려면?**

답 사실 판단

배울 내용

❶ 도덕적 탐구의 의미와 방법
❷ 도덕적 추론과 도덕 판단
❸ 비판적 사고
❹ 윤리적 성찰
❺ 토론을 통한 성찰과 윤리적 실천

**Quiz** "반성하지 않는 삶은 가치가 없다."라고 말한 서양의 사상가는?

답 소크라테스

# 2일 교과서 핵심 정리 ①

## 개념 1 도덕적 탐구의 의미와 방법

**1 의미** 도덕 문제의 해결 방안을 찾기 위해 도덕 원리와 사실 판단을 분석, 평가하여 타당한 결론을 내리는 과정

**2 방법** 윤리적 쟁점 확인 → 문제 해결에 필요한 ❶ [ ] 수집·분석 → 자신의 입장 채택 후 대안 설정 및 정당화 근거 제시 → 최종 입장 확정

❶ 자료

## 개념 2 도덕적 추론과 도덕 판단

**1 도덕적 추론의 의미** 이유나 근거를 제시하면서 ❷ [ ] 판단을 이끌어 내는 과정

**2 도덕적 추론의 과정** 도덕 원리 → 사실 판단 → 도덕 판단 — 도덕적 추론 과정은 대전제(도덕 원리), 소전제(사실 판단), 결론(도덕 판단)으로 이루어지는 삼단 논법과 유사함

| | |
|---|---|
| ❸ [ ] | 옳고 그름을 판단하는 원리<br>예 무고한 인간을 죽이는 것은 도덕적으로 그르다. |
| ❹ [ ] | 참과 거짓을 구분하는 판단<br>예 태아는 무고한 인간이다. |
| 도덕 판단 | 다양한 윤리 문제에 대한 바람직한 판단<br>예 태아를 죽이는 인공 임신 중절은 도덕적으로 그르다. |

예 윤리 문제를 해결하기 위해서는 도덕 원리를 바탕으로 사실 판단을 거쳐 도덕 판단을 내리는 도덕적 추론의 과정이 필요하다.

❷ 도덕
❸ 도덕 원리
❹ 사실 판단

## 개념 3 비판적 사고

**1 사실 판단의 진위 검토** 경험적 탐구 방법 활용

**2 도덕 원리에 대한 검토**

| | |
|---|---|
| ❺ [ ] 검사 | 도덕 원리를 자신에게 적용했을 때도 받아들일 수 있는지 확인하는 방법 |
| ❻ [ ] 검사 | 도덕 원리가 적용되지 않는 사례는 없는지 확인하는 방법 |
| ❼ [ ] 검사 | 도덕 원리를 모든 사람에게 적용했을 때 나타나는 결과에 문제가 없는지 확인하는 방법 |

**3 도덕적 상상력과 배려적 사고** (도덕 문제를 해결하기 위해서는 비판적 사고와 배려적 사고가 모두 필요함) 딜레마 상황에서 그것이 윤리 문제인지 지각하고, 문제 상황이 어떻게 전개될 것인지 고려하는 능력인 ❽ [ ], 도덕적 민감성과 공감 능력을 근거로 타인의 욕구나 필요에 관심을 두는 ❾ [ ] 사고가 필요함

예 올바른 도덕 판단을 하기 위해서는 사실 판단의 진위와 도덕 원리를 검토하는 비판적 사고 과정이 필요하다.

❺ 역할 교환
❻ 반증 사례
❼ 보편화 결과
❽ 도덕적 상상력
❾ 배려적

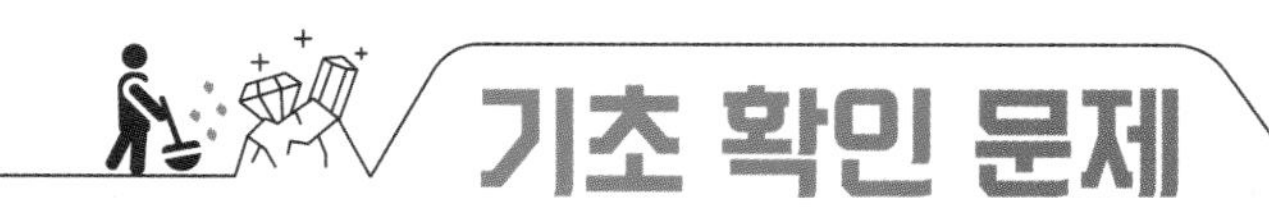

# 기초 확인 문제

정답과 해설 65쪽

**1** 빈칸에 들어갈 알맞은 말을 쓰시오.

(1) 도덕 문제의 해결 방안을 찾기 위해 도덕 원리와 사실 판단을 분석, 평가하여 타당한 결론을 내리는 과정을 (　　　　　　)(이)라고 한다.

(2) (　　　　　　)은/는 이유나 근거를 제시하면서 도덕 판단을 이끌어 내는 과정이다.

**2** 다음은 도덕적 추론 과정을 나타낸다. ㉠, ㉡에 들어갈 알맞은 말을 쓰시오.

| 도덕 원리 | 다른 사람을 돕는 행위는 옳다. |
|---|---|
| ㉠ | 세계 빈민에게 원조하는 것은 다른 사람을 돕는 행위이다. |
| ㉡ | 세계 빈민에게 원조하는 것은 옳다. |

㉠ (　　　　　　) ㉡ (　　　　　　)

**3** 다음에서 설명하는 용어를 쓰시오.

> 이것은 올바른 도덕 판단을 위해 필요한 사고 과정이다. 이를 위해서는 먼저 사실 판단의 진위를 검토해야 한다. 도덕 판단의 과정에서 사실 판단의 참과 거짓은 경험적 탐구 방법을 통해 비교적 쉽게 확인할 수 있다. 다음으로 도덕 원리에 대한 검토가 필요하다. 도덕 원리는 가치의 문제에 속하며 개인 간에 차이가 있을 수 있으므로 문제의 도덕 원리가 정당화될 수 있는지 비판적으로 검토해 보아야 한다.

(　　　　　　)

**4** 도덕 원리의 타당성을 검토하는 방법과 의미를 바르게 연결하시오.

(1) 반증 사례 검사 •　　• ㉠ 도덕 원리가 적용되지 않는 사례는 없는지 확인하는 방법

(2) 역할 교환 검사 •　　• ㉡ 도덕 원리를 자신에게 적용했을 때도 받아들일 수 있는지 확인하는 방법

(3) 보편화 결과 검사 •　　• ㉢ 도덕 원리를 모든 사람에게 적용했을 때 나타나는 결과에 문제가 없는지 확인하는 방법

**5** 괄호 안의 내용 중 알맞은 말을 골라 ○표를 하시오.

(1) ( 도덕적 상상력, 배려적 사고 )은/는 각종 딜레마 상황에서 그것이 윤리 문제인지를 지각하고, 그 문제 상황이 어떻게 전개될 것인지 고려하는 능력을 말한다.

(2) 윤리 문제에 대한 해결 방안을 찾기 위해서는 도덕적 민감성과 공감 능력에 근거하여 타인의 욕구나 필요에 관심을 두는 ( 배려적 사고, 비판적 사고 )가 필요하다.

# 교과서 핵심 정리 ②

## 개념 4 윘리적 성찰

윤리적 성찰 — 윤리적 성찰과 도덕적 탐구는 모두 도덕적 행위의 실천을 추구한다는 점에서 지향점이 같음

**1 의미** 자신의 도덕적 경험을 바탕으로 반성적 사고를 하고, 도덕적 삶의 실천 방향을 결정하는 행동

**2 중요성** 도덕적 주체로서 어떻게 살아야 하는지의 문제를 해명하므로 개인의 도덕성과 도덕적 정체성 형성을 위해 반드시 필요함

**3 윤리적 성찰의 방법**

일일삼성 — '남을 돕는 데 정성스럽게 하였는가?', '친구와 교제를 하는 데 신의를 다하였는가?', '스승에게 배운 것을 잘 익혔는가?'의 세 가지 물음임

| | |
|---|---|
| 유교 | • ❶ ☐(居敬): 마음을 한 곳으로 모아 흐트러짐이 없게 하는 것<br>• 일일삼성(一日三省): 하루에 세 번 반성하는 것 |
| 불교 | 참선: 인간의 참된 삶과 맑은 본성을 깨닫기 위한 수행법 |
| ❷ ☐ | • 성찰하는 삶의 중요성 강조<br>• "반성하지 않는 삶은 가치가 없다."<br>• 산파술: 끊임없는 질문을 통해 자신의 무지를 자각하게 돕는 방법 |
| 아리스토텔레스 | • 행위와 태도를 성찰하는 방법 제시 → ❸ ☐<br>• '마땅한 때에, 마땅한 일에 대하여, 마땅한 사람에게, 마땅한 동기로' 느끼거나 행동해야 함 |

예 윤리적 성찰의 방법으로는 유교에서 말하는 거경과 일일삼성, 소크라테스의 성찰, 아리스토텔레스의 중용 등이 있다.

## 개념 5 토론을 통한 성찰과 윤리적 실천

**1 토론** 상대방을 설득하거나 이해하고, 이를 바탕으로 문제에 대한 최선의 해결책을 모색하는 활동

(1) 토론의 과정

| 주장하기 | ❹ ☐하기 | 재반론하기 | 정리하기 |
|---|---|---|---|
| 근거를 들어 자신의 주장 제시 | 상대방 주장의 오류나 부당성 제시 | 자신의 주장을 뒷받침할 근거 제시 | 상대방 반론을 참고하여 최종 입장 발표 |

(2) 토론의 필요성

• 인식과 판단에서의 ❺ ☐ 가능성을 줄임
• 당면한 윤리 문제에 대해 바람직한 해결 방안을 찾을 수 있음 → 원만한 갈등 해결
• 주관적인 의견이 토론을 통해 보편적인 앎의 형태로 나아갈 수 있음

**2 윤리적 실천** 올바른 도덕 판단이 반드시 ❻ ☐(으)로 연결되는 것은 아니므로, 선한 의지를 토대로 옳은 행동을 지속적으로 실천하여 옳은 행위를 습관화해야 함

❶ 거경
❷ 소크라테스
❸ 중용
❹ 반론
❺ 오류
❻ 실천

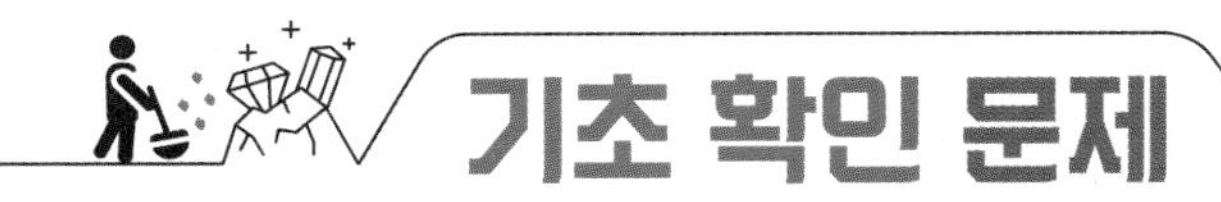

# 기초 확인 문제

정답과 해설 65쪽

**6** 다음 내용이 옳으면 ○표, 틀리면 X표를 하시오.

(1) 윤리적 성찰을 하는 사람은 잘못을 고칠 수 있고, 도덕적 삶을 살아갈 수 있다. (  )

(2) 도덕적 탐구와 윤리적 성찰은 상호 무관하다. (  )

(3) 윤리적 성찰은 개인의 도덕성과 도덕적 정체성을 형성하기 위해 반드시 필요하다. (  )

**7** 빈칸에 들어갈 알맞은 말을 쓰시오.

> [    ]은/는 유교에서 말하는 윤리적 성찰의 방법 가운데 하나로, 하루의 삶을 성찰하는 세 가지 물음이다. 이 세 가지 물음은 '남을 돕는 데 정성스럽게 하였는가?', '친구와 교제를 하는 데 신의를 다하였는가?', '스승에게 배운 것을 잘 익혔는가?'이다.

(          )

**8** 괄호 안의 내용 중 알맞은 말을 골라 ○표를 하시오.

(1) 동양의 유교에서는 윤리적 성찰의 방법으로 마음을 한 곳으로 모아 흐트러짐이 없게 하는 ( 거경, 참선 )의 수양 방법을 중시한다.

(2) "반성하지 않는 삶은 살 가치가 없다."라며 성찰하는 삶을 강조한 서양의 사상가는 ( 소크라테스, 아리스토텔레스 )이다.

**9** 빈칸에 들어갈 서양 사상가의 이름을 쓰시오.

> [    ]은/는 행위와 태도를 성찰하는 방법으로 '마땅한 때에, 마땅한 일에 대하여, 마땅한 사람에게, 마땅한 동기로' 느끼거나 행하는 중용을 강조하였다.

(          )

**10** 밑줄 친 '이것'에 해당하는 말을 〈보기〉에서 골라 기호로 쓰시오.

> 이것은 상대방을 설득하거나 이해하고, 이를 바탕으로 문제의 해결책을 모색하는 활동이다. 이것은 우리의 인식과 판단에서의 오류 가능성을 줄이고 갈등을 원만하게 해결하는 중요한 역할을 한다. 이것을 통해 우리의 주관적인 의견은 보편적인 앎의 형태로 나아갈 수 있으며, 당면한 윤리 문제에 대해서도 바람직한 해결 방안을 찾을 수 있다.

보기

ㄱ. 거경　　ㄴ. 참선
ㄷ. 토론　　ㄹ. 일일삼성

(  )

# 내신 기출 베스트

## 대표 예제 1 도덕적 탐구의 과정

도덕적 탐구의 과정과 특징을 바르게 설명한 것은?

| | | |
|---|---|---|
| ① | 윤리적 쟁점 확인 | 관련된 자료를 풍부하게 수집하여 검토한다. |
| ② | 자료 수집 및 분석 | 타인의 의견을 구하거나 토론의 과정을 거친다. |
| ③ | 입장 채택 | 윤리 문제가 발생하게 된 이유를 확인한다. |
| ④ | 정당화 근거 제시 | 도덕 원리와 사실 판단을 들어 자신의 주장을 지지한다. |
| ⑤ | 최선의 대안 도출 | 윤리적 쟁점에 대한 타인의 주장을 분석한다. |

개념 가이드

도덕적 탐구의 과정은 '윤리적 쟁점 확인, ❶ ______, 입장 채택, 정당화 근거 제시, 최선의 대안 도출'의 순으로 이루어진다.

답 ❶ 자료 수집 및 분석

## 대표 예제 2 도덕적 추론 과정

다음은 도덕적 추론의 과정이다. ㉠에 들어갈 말로 옳은 것은?

- 도덕 원리: 무고한 인간을 죽이는 것은 옳지 않다.
- [ ㉠ ]: 태아를 죽이는 임신 중절은 무고한 인간을 죽이는 것이다.
- 도덕 판단: 태아를 죽이는 임신 중절은 옳지 않다.

① 가치 선택　② 대안 도출
③ 사실 판단　④ 자료 수집
⑤ 타당성 탐색

개념 가이드

도덕적 추론은 이유나 근거를 제시하면서 ❷ ______ 판단을 이끌어 내는 과정이다.

답 ❷ 도덕

## 대표 예제 3 삼단 논법

㉠에 들어갈 내용으로 가장 적절한 것은?

- 대전제: 사회적 유용성을 낳는 행위는 바람직하다.
- 소전제: [ ㉠ ]
- 결론: 뇌사 판정은 바람직하다.

① 뇌사를 죽음으로 인정해서는 안 된다.
② 뇌사 판정은 사회적 유용성을 가져온다.
③ 뇌사 판정은 누군가의 생명을 해치는 일이다.
④ 뇌사 판정은 인간의 존엄성을 훼손하는 일이다.
⑤ 수혈과 장기 이식은 사회적 유용성과 무관한 행위이다.

개념 가이드

삼단 논법의 소전제는 도덕적 추론 과정의 ❸ ______에 해당한다.

답 ❸ 사실 판단

## 대표 예제 4 반증 사례 검사

㉠에 대한 설명으로 가장 적절한 것은?

도덕 원리를 검토할 때는 ㉠ 반증 사례 검사법, 역할 교환 검사법, 보편화 결과 검사법 등을 활용할 수 있다.

① 도덕 원리의 사회적 영향력을 확인하는 것이다.
② 보다 상위의 도덕 원리에 포함시켜 보는 것이다.
③ 도덕 원리를 모든 사람에게 적용해 보는 것이다.
④ 도덕 원리를 자기 스스로에게 적용해 보는 것이다.
⑤ 도덕 원리가 적용되지 않는 사례는 없는지 검사하는 것이다.

개념 가이드

도덕 판단을 뒷받침하는 도덕 원리를 검토하는 방법으로는 ❹ ______ 사례 검사법, 역할 교환 검사법, 보편화 결과 검사법 등이 있다.

답 ❹ 반증

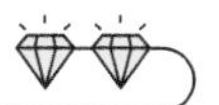



## 대표 예제 5 보편화 결과 검사

갑의 주장에 대해 을이 보편화 결과 검사로 타당성 검토를 했을 때 ㉠에 들어갈 내용으로 가장 적절한 것은?

> 갑: 편의점 아저씨가 거스름돈을 더 주셨는데, 마침 차비가 부족한 터라 말하지 않았어.
> 을: ( ㉠ )

① 네가 만약 아저씨였다고 해도 그렇게 했을까?
② 누군가 너의 돈을 그렇게 한다면 너는 괜찮겠니?
③ 너에게 이익이 된다면 다른 사람을 해칠 수도 있니?
④ 더 받은 돈을 돌려주는 것은 반드시 손해만 가져올까?
⑤ 모든 사람이 더 받은 돈을 돌려주지 않는다면 어떻게 될까?

개념 가이드

보편화 결과 검사는 ❺ ( ) 을/를 모든 사람에게 적용했을 때 나타나는 결과에 문제가 없는지 검사하는 방법이다. 답 ❺ 도덕 원리

## 대표 예제 6 소크라테스의 사상

다음 서양 사상가가 강조하는 입장으로 가장 적절한 것은?

> 여러분은 지혜와 힘이 가장 뛰어난 아테네 시민입니다. 그런데 여러분은 재물과 명성과 명예에 대해서는 최대한 마음을 쓰지만 정신의 훌륭함에 대해서는 생각도 하지 않고 염려하지도 않습니다. 이 점이 부끄럽지 않습니까?

① 반성하는 삶의 자세가 필요하다.
② 재물과 명예는 삶의 가장 소중한 가치이다.
③ 타인의 삶에 대해 간섭하는 태도가 필요하다.
④ 재물과 정신의 훌륭함을 동시에 추구해야 한다.
⑤ 나라의 통치자만 정신의 훌륭함을 갖출 수 있다.

개념 가이드

소크라테스는 재물과 명예보다는 ❻ ( ) 의 훌륭함에 힘써야 한다고 주장하였다. 답 ❻ 정신

## 대표 예제 7 유교의 윤리적 성찰 방법

윤리적 성찰과 관련하여 유교에서 제시한 (1), (2)의 개념을 바르게 짝지은 것은?

> (1) 마음을 한 곳으로 모아 흐트러짐이 없게 하는 것
> (2) 매일 자신에게 던지는 세 가지의 물음을 통해 하루의 삶을 성찰하는 지침

| | (1) | (2) |
|---|---|---|
| ① | 거경 | 일일삼성 |
| ② | 거경 | 역지사지 |
| ③ | 자비 | 일일삼성 |
| ④ | 일일삼성 | 중용 |
| ⑤ | 일일삼성 | 역지사지 |

개념 가이드

유교에서 제시하는 윤리적 ❼ ( ) 의 자세로는 거경, 일일삼성 등이 있다. 답 ❼ 성찰

## 대표 예제 8 공동체적 성찰 방식으로서의 토론

다음 사상가가 지지할 주장을 〈보기〉에서 고른 것은?

> 인간의 지식은 항상 오류 가능성이 있기 때문에 합리적 비판이 필요하며, 모든 지식은 추측과 반박을 통해 발전한다.

보기

ㄱ. 사회적 관습과 규칙은 오류가 있을 수 없다.
ㄴ. 토론을 통해 자신의 의견을 다시 검증할 수 있다.
ㄷ. 집단 내 권위 있는 사람의 의견은 언제나 정당하다.
ㄹ. 토론에 의해 윤리 문제를 객관적으로 바라볼 수 있다.

① ㄱ, ㄴ ② ㄱ, ㄷ ③ ㄴ, ㄷ
④ ㄴ, ㄹ ⑤ ㄷ, ㄹ

개념 가이드

인간은 불완전한 존재이므로 인식과 판단에서 오류를 범할 가능성이 있으므로 공동체적 성찰 방법인 ❽ ( ) 이/가 필요하다. 답 ❽ 토론

# 3일 Ⅱ-01. 삶과 죽음의 윤리 ~Ⅱ-02. 생명 윤리

**Quiz** 죽음은 영혼이 육체에서 분리되어 이데아의 세계로 들어가는 것이라고 주장한 서양 사상가는?

### 죽음에 대한 동양 윤리 이론

▲ 공자 ▲ 장자 ▲ 불교

### 죽음에 대한 서양 윤리 이론

죽음은 육체에 갇혀 있던 영혼이 해방되어 이데아의 세계로 들어가는 것이다.

▲ 플라톤

살아 있으면 죽음은 없고, 죽으면 느끼는 내가 없으므로 죽음을 의식하거나 두려워할 필요가 없다.

▲ 에피쿠로스

자신이 죽는다는 것을 자각하는 것은 단순한 삶의 종말이 아니라 삶이 시작되는 사건이다.

▲ 하이데거

답 플라톤

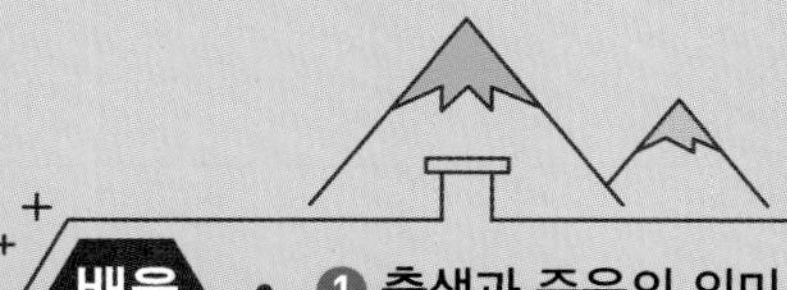

배울 내용

❶ 출생과 죽음의 의미
❷ 출생과 죽음에 관한 윤리적 쟁점
❸ 생명 복제와 유전자 치료 문제
❹ 동물 실험과 동물 권리의 문제

**Quiz** 인간 개체 복제에 반대하는 입장에서는 인간 개체 복제로 인간 생명이 ( 수단화, 목적화 )되어 인간 존엄성을 훼손할 수 있다고 본다.

**인간 개체 복제에 찬성하는 입장**

- 복제 기술이 안정화되어 부작용이 거의 없어질 것이고, 불임 부부가 유전적 연관이 있는 자녀를 가질 수 있다.
- 복제 인간도 서로 다른 선택과 경험, 환경 아래에서 자란 일란성 쌍둥이처럼 독자적인 삶을 살아갈 것이다.

**인간 개체 복제에 반대하는 입장**

- 복제 기술이 불완전하기 때문에 부작용이 나타날 수 있다.
- 특정한 의도와 목적에 따라 태어난 복제 인간은 정체성의 혼란을 느낄 수 있다.
- 인간의 생명이 수단화되어 인간의 존엄성을 훼손할 수 있다.

답 수단화

# 3일 교과서 핵심 정리 ①

## 개념 1 출생과 죽음의 의미

**1 출생의 윤리적 의미** 출생은 도덕적 [❶ ] (으)로서의 삶의 출발점이자, 사회 구성원으로서 삶의 시작을 의미함

**2 죽음에 대한 철학적 견해**

(1) 동양의 죽음관

| 구분 | 내용 |
|---|---|
| 공자 | 죽음보다는 현실의 [❷ ] 삶에 충실할 것을 강조 |
| 장자 | 삶과 죽음은 사계절의 운행처럼 자연스러운 현상 |
| 불교 | • 삶과 죽음은 하나이며, 죽음은 생(生)·노(老)·병(病)과 더불어 고통임<br>• 죽음은 [❸ ] 의 과정으로, 현세의 업보가 죽은 이후의 삶을 결정 |

장자는 "삶은 기(氣)가 모이는 것이고, 죽음은 기가 흩어지는 것이다."라며, 죽음을 걱정할 필요가 없다고 주장함

(2) 서양의 죽음관

| 구분 | 내용 |
|---|---|
| 플라톤 | 죽음은 영혼이 분리되어 [❹ ] 의 세계로 들어가는 것 |
| 에피쿠로스 | 죽음은 경험할 수 없으므로 두려워할 필요가 없음 |
| 하이데거 | 죽음은 [❺ ] 이/가 삶의 의미와 자아를 성찰하는 계기 |

예 죽음에 대한 철학적 견해로는 동양의 공자·장자·불교의 입장이 있고, 서양의 플라톤·에피쿠로스·하이데거의 입장이 있다.

"살아 있으면 죽음은 없고, 죽으면 느끼는 내가 없으므로 죽음을 의식하거나 두려워할 필요가 없다."

❶ 주체
❷ 도덕적
❸ 윤회(輪廻)
❹ 이데아
❺ 현존재

## 개념 2 출생과 죽음에 관한 윤리적 쟁점

**1 인공 임신 중절의 윤리적 쟁점**

| 구분 | 내용 |
|---|---|
| 허용론 | • 태아는 여성 몸의 일부로 여성에게 [❻ ] 이/가 있음<br>• 여성은 자기 신체에 대해 자율적으로 [❼ ] 할 권리가 있음<br>• 인간에게는 자기방어와 정당방위의 권리가 있음 |
| 반대론 | • 태아는 인간으로 성장할 [❽ ] 이/가 있음<br>• 태아는 인간이므로 태아의 생명도 존엄함<br>• 태아는 무고한 인간이므로 해쳐서는 안 됨 |

**2 뇌사의 윤리적 쟁점**

| 구분 | 내용 |
|---|---|
| 찬성론 | • 인간의 고유한 활동은 심장이 아닌 [❾ ] 에서 비롯됨<br>• 장기 이식을 통해 다른 생명을 살릴 수 있음<br>• 뇌사 상태에서의 생명 연장은 무의미함 |
| 반대론 | • 실용주의적 관점은 인간의 가치를 위협할 수 있고, 사회적으로 악용될 수 있음<br>• 뇌사를 죽음으로 인정하는 것은 인간의 생명을 [❿ ] (으)로 여기는 것임<br>• 뇌사 판정은 오진·오판의 가능성이 있음 |

❻ 소유권
❼ 선택
❽ 잠재성
❾ 뇌
❿ 수단

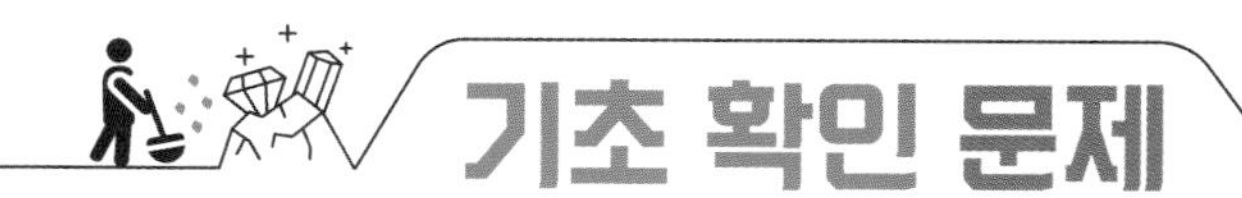

정답과 해설 66쪽

**1** 빈칸에 들어갈 알맞은 말을 쓰시오.

(1) 한 인간의 (                    )은/는 도덕적 주체로서 삶의 출발점이며, 가족과 사회 구성원으로 삶을 시작한다는 윤리적 의미가 있다.

(2) "살아 있으면 죽음은 없고, 죽으면 느끼는 내가 없으므로 죽음을 의식하거나 두려워할 필요가 없다."라고 말한 서양 사상가는 (                    )이다.

**2** 사상가와 죽음에 대한 철학적 견해를 바르게 연결하시오.

(1) 공자 •

(2) 장자 •

(3) 하이데거 •

(4) 에피쿠로스 •

• ㉠ 삶과 죽음은 사계절의 운행처럼 자연스러운 현상임

• ㉡ 죽음은 경험할 수 없으므로 두려워할 필요가 없음

• ㉢ 죽음은 현존재가 삶의 의미와 자아를 성찰하는 계기임

• ㉣ 죽음에 관심을 가지기보다 현실의 도덕적 삶에 충실해야 함

**3** 빈칸에 들어갈 알맞은 말을 쓰시오.

> 불교에서는 죽음을 (          )의 과정으로 설명한다. 즉 한 생명이 죽으면 혼이 몸에서 벗어나 이 세상에 일정 시간을 머무르다가 다음 세상에 태어난다고 본다. 이때 어떤 세상에 태어나는지는 이전 세상에서 어떤 행위를 했는가에 따른 업보[業]에 의해서 결정된다.

(                    )

**4** 괄호 안의 내용 중 알맞은 말을 골라 ○표를 하시오.

(1) 죽음은 영혼이 분리되어 이데아의 세계로 들어가는 것이라고 말한 서양 사상가는 ( 플라톤, 에피쿠로스 )이다.

(2) 인공 임신 중절에 ( 찬성, 반대 )하는 입장에서는 태아는 여성 몸의 일부로 여성에게 소유권이 있다고 본다.

(3) 뇌사에 찬성하는 사람들은 인간의 고유한 활동이 ( 뇌, 심장 )에서 비롯된다고 본다.

**5** 다음 글은 인공 임신 중절에 관한 '찬성론'과 '반대론' 가운데 어느 것에 해당하는지 쓰시오.

> • 태아는 인간으로 성장할 잠재성이 있다.
> • 태아는 인간이므로 태아의 생명도 존엄하다.
> • 태아는 무고한 인간이므로 해쳐서는 안 된다.

(                    )

# 3일 교과서 핵심 정리 ②

## 개념 3 생명 복제와 유전자 치료 문제

### 1 인간 배아 복제의 윤리적 쟁점

(1) 의미: 배아 줄기세포를 얻기 위해 복제 후 배아 단계까지만 발생을 진행시키는 것

(2) 인간 배아 복제의 찬반 논거

| | |
|---|---|
| 찬성론 | • 복제 배아는 인간으로 볼 수 없음<br>• 인간 배아 복제는 난치병 치료에 도움을 줄 수 있음 |
| 반대론 | • 복제 배아는 인간으로서의 잠재 가능성을 가진 존엄한 존재임<br>• 배아 연구를 위해 복제 배아를 파괴하는 것은 인간을 수단화하는 것이고 살인과 같음 |

### 2 유전자 치료의 윤리적 쟁점

유전자 치료: 원하는 유전자를 세포 안에 넣어 새로운 형질을 발현하게 하여 이상 유전자를 대신하거나 유전자를 바꾸어 유전적 질병을 치료하는 것

| | |
|---|---|
| 찬성론 | • 다음 세대의 유전적 질병 예방<br>• 의학적 효용 가치가 높아 사회적 ❶ [ ] 증진 |
| 반대론 | • 유전자 치료로 인한 부작용이 생길 수 있음<br>• 인간 성향을 개선하려는 우생학으로 확대될 가능성이 있음<br>• 인간의 유전적 ❷ [ ] 이/가 상실될 수 있음 |

❶ 유용성
❷ 다양성

## 개념 4 동물 실험과 동물 권리의 문제

### 1 동물 실험의 윤리적 쟁점

(1) 의미: 의학 및 생명 과학 연구 과정에서 살아 있는 동물을 대상으로 수행하는 실험

(2) 동물 실험 논쟁

동물 실험 찬성론에 따르면 인간과 동물은 근본적으로 존재 지위가 다름

| | |
|---|---|
| 찬성론 | • 동물 실험의 결과는 ❸ [ ] 에게도 유효함<br>• 인체 실험으로 인한 ❹ [ ] 제거 |
| 반대론 | • 인간과 동물이 공유하는 질병이 적으며, 동물 실험 결과가 인간에게 적용되지 않을 수 있음<br>• 동물 실험은 동물을 인간을 위한 ❺ [ ] (으)로만 사용하는 것 |

❸ 인간
❹ 위험성
❺ 수단

### 2 동물 권리에 대한 다양한 입장

| | |
|---|---|
| ❻ [ ] | 동물은 고통과 쾌락을 느낄 수 없으므로 인간의 필요에 의해 사용될 수 있음 |
| 칸트 | 동물을 대하는 감정과 행동이 인간을 대하는 데에도 영향을 줌 → 동물을 함부로 대하면 안 됨 |
| 싱어 | 동물도 쾌락과 고통을 느낌 → 동물의 ❼ [ ] 도 동등하게 고려해야 함 |
| 레건 | 삶의 ❽ [ ] 이/가 되는 동물은 목적으로 대해야 함 |

❻ 데카르트
❼ 이익
❽ 주체

예 동물 권리에 대한 입장을 지닌 대표적인 사상가로는 데카르트, 칸트, 싱어, 레건이 있다.

# 기초 확인 문제

정답과 해설 66쪽

**6** 다음 내용이 옳으면 ○표, 틀리면 X표를 하시오.

(1) 인간 배아 복제 찬성론의 근거는 배아 복제를 통해 인간의 난치병을 치료할 수 있다는 점이다. (　　)

(2) 인간 배아 복제 찬성론에 따르면 복제 배아는 인간으로서의 잠재 가능성을 가진 존엄한 존재이다. (　　)

(3) 유전자 치료 찬성론에 따르면 유전자 치료를 통해 후세대가 가지게 될 유전적 질병으로 인한 고통을 없앨 수 있다. (　　)

**7** 빈칸에 들어갈 알맞은 말을 쓰시오.

> 유전자 치료를 반대하는 입장에서는 치료가 일반화될 경우 인간의 유전적 다양성이 상실될 수 있다고 우려한다. 또한 유전자 치료는 후세대를 유전적으로 개량하려는 욕망과 결합하여 새로운 [　　　] 적 시도로 변형될 수 있다고 주장한다.

(　　　　　)

**8** 괄호 안의 내용 중 알맞은 말을 골라 ○표를 하시오.

(1) 동물 실험에 찬성하는 사람들은 동물 실험이 인체 실험으로 인한 위험성을 ( 제거, 확장 )할 수 있다고 본다.

(2) 동물은 고통과 쾌락을 느낄 수 없으므로 인간의 필요에 의해 사용될 수 있다고 주장한 사상가는 ( 데카르트, 아리스토텔레스 )이다.

**9** 동물 실험에 대한 입장의 논거로 옳은 것을 〈보기〉에서 고르시오.

> **보기**
> ㄱ. 동물 실험의 결과는 인간에게도 유효하다.
> ㄴ. 동물 실험의 결과가 인간에게 적용되지 않을 수도 있다.
> ㄷ. 동물 실험은 동물을 인간을 위한 수단으로만 사용하는 것이다.
> ㄹ. 동물 실험을 통해 인체 실험으로 인한 위험성을 제거할 수 있다.

(1) 동물 실험 찬성 (　　　　　)

(2) 동물 실험 반대 (　　　　　)

**10** 빈칸에 들어갈 알맞은 말을 쓰시오.

(1) 칸트의 주장에 따르면 동물을 대하는 감정과 행동이 (　　　　　)을/를 대하는 데에도 영향을 주므로 동물을 함부로 대하면 안 된다.

(2) 싱어는 동물도 쾌락과 (　　　　　)을/를 느끼는 존재이므로 동물의 이익도 동등하게 고려해야 한다고 주장하였다.

(3) 레건의 주장에 따르면 삶의 주체가 되는 동물은 그 자체로 (　　　　　)(으)로 대우해야 한다.

# 내신 기출 베스트

## 대표 예제 1 도교와 유교의 죽음관

**(가), (나)의 입장에 대한 설명으로 가장 적절한 것은?**

> (가) 사람의 삶은 기(氣)가 모이는 것이니, 모이면 삶이 되고 흩어지면 죽음이 된다.
> (나) 삶도 잘 모르는데 어찌 죽음을 알겠는가. 어진 사람은 생명을 보존하기 위해서 인(仁)을 해치지 않으며, 몸을 죽여서라도 인을 이룬다.

① (가)는 삶과 죽음을 구별하며 삶의 가치를 중시한다.
② (가)는 죽음을 인간이 겪는 가장 큰 행복이라고 본다.
③ (나)는 현실의 도덕적 삶보다 사후의 세계를 중시한다.
④ (나)는 죽음보다 도덕성이 더 중요한 가치라고 인식한다.
⑤ (가), (나)는 죽음이 또 다른 세계로 윤회하는 계기라고 본다.

개념 가이드

유교에서는 죽음보다 ❶ [ ] 의 도덕적 삶을 중시한다.

답 ❶ 현실

## 대표 예제 2 동서양의 죽음관

**죽음에 대한 사상가의 견해로 옳지 않은 것은?**

① 공자: 죽음보다 현실의 도덕적 삶이 더 중요하다.
② 장자: 죽음은 인간이 피해야 할 가장 큰 고통이다.
③ 하이데거: 죽음은 삶의 의미와 가치를 성찰하는 계기가 된다.
④ 에피쿠로스: 죽음은 경험할 수 없으므로 두려움의 대상이 아니다.
⑤ 플라톤: 죽음은 영혼이 육체에서 분리되어 이데아의 세계로 들어가는 것이다.

개념 가이드

❷ [ ] 은/는 삶은 기(氣)의 모임이고 죽음은 기의 흩어짐이라고 정의한다.

답 ❷ 장자

## 대표 예제 3 인공 임신 중절에 관한 윤리적 쟁점

**㉠, ㉡의 입장으로 옳은 것은?**

> 인공 임신 중절은 분만 전에 산모의 신체에서 태아를 인공적으로 분리하는 것으로, 이에 대한 ㉠ 찬성론과 ㉡ 반대론이 존재한다.

① ㉠: 무고한 인간인 태아를 해쳐서는 안 된다.
② ㉠: 여성에게는 자기방어와 정당방위의 권리가 있다.
③ ㉡: 태아의 생명권보다 여성의 선택권이 우선한다.
④ ㉡: 여성은 태아를 생산하므로 태아에 대한 권리가 있다.
⑤ ㉠, ㉡: 태아는 미성숙할 뿐, 성인과 다르지 않은 존재이다.

개념 가이드

인공 임신 중절에 대한 논쟁은 여성의 권리를 옹호해야 한다는 입장과 태아의 ❸ [ ] 을/를 옹호해야 한다는 입장으로 나누어진다.

답 ❸ 생명권

## 대표 예제 4 뇌사에 관한 윤리적 쟁점

**갑, 을의 입장으로 적절하지 않은 것은?**

> 갑: 뇌 기능이 정지하면 인간 고유의 기능을 수행할 수 없으므로 뇌사를 죽음으로 인정해야 한다.
> 을: 뇌 기능이 정지했더라도 호흡과 심장이 멈춘 것은 아니므로 심폐사를 죽음으로 인정해야 한다.

① 갑: 뇌사 인정은 의료 자원의 분배에 기여한다.
② 갑: 뇌사 상태에서 생명을 연장하는 것은 무의미하다.
③ 을: 심폐사는 장기 이식을 활성화할 수 있다.
④ 을: 심폐사를 지지하는 것은 인간 존엄성을 존중하는 것이다.
⑤ 갑, 을: 죽음의 기준을 세우는 일은 중요하다.

개념 가이드

"무엇을 죽음의 판단 기준으로 볼 것인가?"라는 문제에 관해서는 죽음의 기준으로 ❹ [ ] 을/를 지지하는 입장과 심폐사를 지지하는 입장이 있다.

답 ❹ 뇌사

3일

## 대표 예제 5 인간 배아 복제에 관한 윤리적 쟁점

**갑의 입장에서 을에게 제시할 비판으로 가장 적절한 것은?**

> 갑: 배아와 인간의 지위는 다르지 않다. 따라서 배아 복제는 허용되어서는 안 된다.
> 을: 배아는 세포 덩어리에 불과하므로 인간의 질병 치료를 위해 배아 복제는 허용되어야 한다.

① 배아는 인간이 될 가능성이 확정되지 않은 존재이다.
② 배아의 가치는 사회적 유용성의 측면에서 찾아야 한다.
③ 인간의 행복 추구권보다 배아의 생명권이 더 중요하다.
④ 배아는 완성된 생명체가 아니므로 생명권을 갖지 않는다.
⑤ 인간의 고통을 줄이기 위해 배아를 수단으로 활용할 수 있다.

생명 복제의 대표적인 윤리적 쟁점으로는 인간 ❺ ______ 복제와 인간 개체 복제에 관한 윤리적 쟁점이 있다.

답 ❺ 배아

## 대표 예제 6 유전자 치료에 관한 윤리적 쟁점

**다음의 입장으로 옳은 내용만을 〈보기〉에서 있는 대로 고른 것은?**

> 유전자 치료 연구는 생명을 위협하거나 심각한 장애를 불러일으키는 질병을 치료하기 위한 연구여야 한다. 그리고 현재 이용 가능한 치료법이 없거나 유전자 치료의 효과가 다른 치료법보다 현저히 우수할 것으로 예측되는 치료를 위한 연구여야 한다.

보기

ㄱ. 유전자 치료는 불가피한 경우에만 허용해야 한다.
ㄴ. 인간 성향 개선을 위한 유전자 치료를 허용해야 한다.
ㄷ. 치료법이 없는 질병에 대한 유전자 치료는 가능하다.
ㄹ. 유전자 치료 연구는 질병 치료 분야로만 한정해야 한다.

① ㄱ, ㄴ ② ㄱ, ㄷ ③ ㄴ, ㄷ
④ ㄱ, ㄷ, ㄹ ⑤ ㄴ, ㄷ, ㄹ

개념 가이드

원하는 유전자를 세포 안에 넣어 유전적 질병을 치료하는 ❻ ______ 에 관한 다양한 윤리적 쟁점이 있다.

답 ❻ 유전자 치료

## 대표 예제 7 동물 실험에 관한 찬반 논란

**다음 글의 주장을 지지하는 입장으로 적절한 것은?**

> 동물 실험은 인간의 작은 이익을 위해 동물에게 큰 고통을 주는 행위이다. 동물 실험을 통해 인간은 건강 증진과 안전을 얻을 수 있지만, 동물은 인간을 위해 목숨을 잃거나 질병을 얻게 된다.

① 동물 실험의 결과는 인간에게도 유효하다.
② 동물은 인간 삶의 질 향상을 위해 존재한다.
③ 고통을 느끼는 동물을 도덕적으로 고려해야 한다.
④ 동물 실험을 통해 인체 실험으로 인한 위험을 줄일 수 있다.
⑤ 동물과 인간의 지위는 다르므로 동물을 인간을 위한 수단으로 활용할 수 있다.

개념 가이드

인간의 생명 및 건강 증진을 위해 동물을 고통과 죽음에 이르게 하는 ❼ ______ 을/를 옹호하는 입장과 반대하는 입장이 있다.

답 ❼ 동물 실험

## 대표 예제 8 동물의 권리에 관한 공리주의의 관점

**다음 사상가의 입장에서 지지할 주장을 〈보기〉에서 있는 대로 고른 것은?**

> 고통과 즐거움을 느낄 수 있는 능력은 어떤 존재가 이익 관심을 갖는다고 말할 수 있기 위한 필요조건일 뿐만 아니라 충분조건이기도 하다.

보기

ㄱ. 쾌고 감수 능력을 지닌 동물을 존중해야 한다.
ㄴ. 인간뿐 아니라 동물도 도덕적 고려의 대상이 된다.
ㄷ. 인간과 동물의 이익 관심을 평등하게 고려해야 한다.
ㄹ. 의무론적 관점에서 동물의 권리를 침해해서는 안 된다.

① ㄱ, ㄴ ② ㄱ, ㄷ ③ ㄴ, ㄷ
④ ㄱ, ㄴ, ㄷ ⑤ ㄴ, ㄷ, ㄹ

개념 가이드

싱어는 공리주의적 관점에서 ❽ ______ 능력을 지닌 동물의 이익을 인간과 평등하게 고려해야 한다고 주장하였다.

답 ❽ 쾌고 감수

# Ⅱ-03. 사랑과 성 윤리 ~Ⅲ-01. 직업과 청렴의 윤리

**Quiz** 결혼이라는 합법적 제도 내에서 출산과 양육의 책임을 질 수 있는 성만이 도덕적으로 정당하다고 보는 관점은 ( 보수주의, 자유주의 ) 관점이다.

사랑과 성을 바라보는 다양한 관점

**보수주의**
- 사랑하는 남녀가 결혼이라는 합법적 테두리 내에서 출산과 양육에 대한 책임을 질 수 있는 성만이 도덕적으로 정당함
- 성은 자유로운 개인적 영역일 뿐만 아니라 사회의 안정과 질서 유지와도 관련이 있음

**온전한 자유주의(중도주의)**
- '사랑이 없는 성'은 동물과 인간의 구분을 모호하게 하며, 성이 지니는 인격적 가치를 떨어뜨릴 수 있음
- 사랑과 결합한 성만이 인간의 고유한 품격을 유지할 수 있으므로 '사랑이 있는 성'을 추구해야 함

**자유주의**
- 성은 그 자체로 쾌락을 가져다주고 쾌락은 그 자체로 추구할 만한 목적을 지님
- 성숙한 사람들이 상호 동의하에 타인에게 해를 끼치지 않는다면 성적 호감과 관심만으로도 성이 가능함

답 보수주의

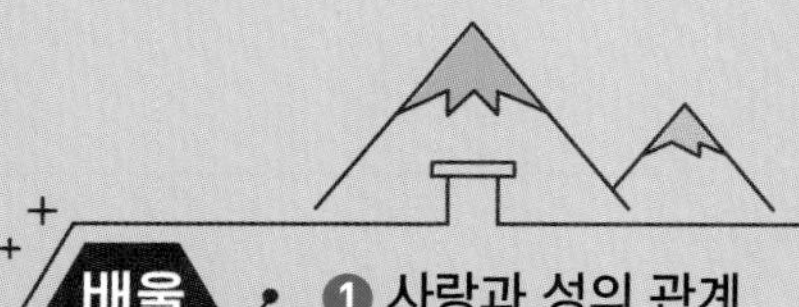

배울 내용

❶ 사랑과 성의 관계
❷ 결혼과 가족의 윤리
❸ 직업 생활과 행복한 삶
❹ 직업윤리와 청렴

Quiz 서양 사상가 칼뱅은 직업이 신이 부여한 ( 소명, 징벌 )이라고 주장하였다.

| 동양 사상가들의 직업관 | 서양 사상가들의 직업관 |
|---|---|

**맹자**

"대인이 할 일이 있고 소인이 할 일이 따로 있으며, 어떤 사람은 마음을 수고롭게 하고, 어떤 사람은 몸을 수고롭게 한다."

**순자**

"각 분야에 능한 사람을 가려 그 분야를 이끌어 가도록 해야 국부가 넉넉해진다."

**정약용**

"신분 질서에서 벗어나 공동체의 필요에 따라 능력을 기준으로 관직을 부여해야 한다."

**플라톤**

"직업을 통해 각자의 고유한 기능을 탁월하게 발휘하여 덕을 실현할 수 있다."

**칼뱅**

"직업은 신이 부여한 소명이며, 직업적 성공을 거두고 부를 축적하는 것은 구원의 징표이다."

**마르크스**

"인간은 노동을 통해 자기 본질을 실현해야 한다. 자본주의적 분업 방식은 노동의 소외 문제를 낳는다."

답 소명

# 4일 교과서 핵심 정리 ①

## 개념 1 사랑과 성의 관계

### 1 사랑과 성의 의미

(1) 사랑: 어떤 사람이나 존재를 아끼고 소중히 여기는 마음

(2) 성의 가치: 성은 종족을 보전하는 ❶ [    ] 가치, 감각적 욕구를 충족하는 ❷ [    ] 가치, 성을 통해 상호 존중과 배려를 실현하는 인격적 가치를 지님

### 2 사랑과 성의 관계

| ❸ [    ] | 결혼이라는 합법적 제도 안에서 출산, 양육에 대한 책임을 질 수 있는 성을 추구 → 부부 간의 신뢰와 사랑이 전제된 성(性)만이 정당함 |
|---|---|
| 중도주의 | 사랑과 결합된 성을 추구 → 결혼과 결부되지 않아도 ❹ [    ]을/를 동반한 성적 관계는 허용 |
| 자유주의 | 상호 동의를 전제로 타인에게 해를 끼치지 않는 성을 추구 → 결혼, 사랑과 결부되지 않아도 성적 관계는 정당화될 수 있음 |

자유주의 — 성이 가진 쾌락적 가치 강조

### 3 성과 관련된 윤리적 문제
여성 혹은 남성이라는 이유로 부당한 대우를 하는 ❺ [    ], 자신의 성적 행동을 스스로 결정할 권리인 ❻ [    ], 성을 상품처럼 사고팔거나, 다른 상품을 팔기 위해 성을 수단으로 이용하는 성 상품화 등

㉠ 사랑과 성의 관계에 관한 관점으로는 보수주의, 중도주의, 자유주의가 있다.

❶ 생식적
❷ 쾌락적
❸ 보수주의
❹ 사랑
❺ 성차별
❻ 성적 자기 결정권

## 개념 2 결혼과 가족의 윤리

### 1 결혼의 윤리적 의미
개인의 행복 증진, 사회의 유지·발전과 같은 윤리적 의미를 지님

결혼 — 결혼은 남녀가 정식으로 부부가 되는 것을 사회적으로 인정하는 제도를 말함

### 2 부부간의 윤리

| 음양론 | 부부는 음(陰)과 양(陽)의 관계처럼 상호 보완적이고 대등한 관계 |
|---|---|
| 부부유별, 부부상경 | • 부부유별(夫婦有別): 부부간에는 해야 할 역할이 구분되어 있으므로 부부는 서로를 존중해야 함<br>• 부부상경(夫婦相敬): 부부는 서로 ❼ [    ]하기를 손님같이 해야 함 |
| 보부아르 | 남성뿐만 아니라 여성도 한 주체로서 존중해야 하며, 부부는 각 주체로서 평등한 관계를 유지해야 함 |
| 길리건 | 배려의 관계는 나와 다른 사람의 상호 의존성을 존중하면서 성립 → 부부도 서로 배려와 보살핌을 주고받는 관계를 유지해야 함 |

### 3 가족 해체의 문제점과 가족 윤리

가족 — 개인을 안정되게 양육하는 토대가 되며, 사회의 규범과 예절을 습득하고 바람직한 인격을 형성하는 기반을 제공함

(1) 가족: 혼인, 혈연, 입양 등으로 이루어지는 공동체

(2) ❽ [    ]의 원인: 사회 구조의 변화와 의학 기술의 발전 등으로 혼인율과 출산율 감소, 홀로 사는 노인층과 젊은 층의 1인 가구 증가

(3) 가족 해체 극복 방안으로서의 가족 윤리: 부자유친(父子有親), 부자자효(父子慈孝), 형우제공(兄友弟恭) 등

❼ 공경
❽ 가족 해체

# 기초 확인 문제

정답과 해설 67쪽

**1** 빈칸에 들어갈 알맞은 말을 쓰시오.

(1) 성에 대한 (          )적 관점에서는 결혼이라는 합법적 제도 안에서 출산, 양육에 대한 책임을 질 수 있는 성을 추구해야 한다고 본다.

(2) 중도주의적 관점에서는 (          )과/와 결부되지 않아도 사랑을 동반한 성적 관계는 허용된다고 본다.

(3) 자유주의적 관점에서는 성의 (          ) 가치를 중시한다.

**2** 개념의 의미를 바르게 연결하시오.

(1) 가족 •          • ㉠ 혼인, 혈연, 입양 등으로 이루어지는 공동체

(2) 결혼 •          • ㉡ 어떤 사람이나 존재를 아끼고 소중히 여기는 마음

(3) 사랑 •          • ㉢ 여성 혹은 남성이라는 이유로 부당한 대우를 하는 것

(4) 성차별 •          • ㉣ 남녀가 정식으로 부부가 되는 것을 사회적으로 인정하는 제도

**3** 다음 내용이 옳으면 ○표, 틀리면 X표를 하시오.

(1) 성에 대한 자유주의적 관점에서는 결혼이나 사랑과 결부되지 않아도 성적 관계는 정당화될 수 있다고 본다. (    )

(2) 오늘날에는 사회 구조의 변화와 의학 기술의 발전 등으로 혼인율과 출산율이 증가하면서 가족 해체 현상이 줄어들고 있다. (    )

**4** 괄호 안의 내용 중 알맞은 말을 골라 ○표를 하시오.

(1) 남성 혹은 여성이라는 이유로 사회적·문화적·경제적으로 부당한 대우를 하는 것은 ( 성 역할, 성차별 )이다.

(2) 성적 자기 결정권은 ( 자율적, 타율적 )으로 자신의 성적 행위를 결정할 권리를 말한다.

(3) ( 성폭행, 성 상품화 )은/는 성을 상품처럼 사고팔거나, 다른 상품을 팔기 위해 성을 수단으로 이용하는 것을 말한다.

**5** 빈칸에 들어갈 알맞은 말을 쓰시오.

> 보부아르는 남성뿐만 아니라 여성도 한 주체로서 존중해야 하며, 부부는 각 주체로서 [          ]한 관계를 유지해야 한다고 주장하였다.

(          )

# 4일 교과서 핵심 정리 ②

## 개념 3 직업 생활과 행복한 삶

### 1 직업의 의미와 기능

(1) 의미: 생계유지를 위해 자신의 적성과 능력에 따라 일정 기간 계속하여 종사하는 일

(2) 기능

| | |
|---|---|
| 개인적 | • 경제적으로 안정된 삶을 영위하게 함<br>• 잠재력을 발휘함으로써 자아를 실현하게 함 |
| 사회적 | 사회생활에 참여함으로써 사회 발전에 기여함 |

### 2 동서양의 직업관

| | |
|---|---|
| 동양 | • 맹자: 일정한 생업이 있어야 바른 마음을 지닐 수 있음<br>• ❶ [　　]: 각자의 적성과 능력에 따라 직업을 맡아야 한다는 역할 분담론 주장<br>• 실학자: 신분적 질서에서 벗어나 직업을 사회 분업에 따라 직능적으로 파악 |
| 서양 | • 플라톤: 각 계층이 고유한 덕(德)을 발휘하여 직분에 충실해야 함<br>• 칼뱅: 직업은 신이 부여한 ❷ [　　]이며, 직업적 성공을 거두고 부를 축적하는 것은 구원의 징표임 └ 중세 그리스도교에서는 노동을 원죄에 대한 벌로 여김<br>• 마르크스: 인간은 노동을 통해 자기 본질을 실현해야 함 → ❸ [　　] 체제에서는 분업화된 노동으로 노동자가 노동으로부터 소외됨 |

❶ 순자
❷ 소명
❸ 자본주의

## 개념 4 직업윤리와 청렴

### 1 직업윤리의 의미

직업인으로서 자신이 맡은 일에서 지켜야 할 마땅한 도리로, 부정부패를 막고 개인의 ❹ [　　] 과/와 공동체 발전에 기여

### 2 다양한 직업윤리

| | |
|---|---|
| ❺ [　　] 윤리 | 전문직은 고도의 전문적 교육을 거쳐서 일정한 자격 또는 면허를 취득해야 종사할 수 있음 → 직업적 양심과 수준 높은 책임 의식이 요구됨 |
| 공직자 윤리 | 공직자는 국가 기관이나 정부의 예산에 의해 운영되는 공공 단체의 일을 맡아 보는 사람 → 청렴, 봉공, 봉사의 자세를 지녀야 함 |
| 기업가 윤리 | ❻ [　　]의 권리를 존중하고 합법적인 이윤 추구와 동시에 기업의 사회적 책임을 다해야 함 |
| 근로자 윤리 | 자신의 분야에서 최대의 잠재력을 발휘하고, ❼ [　　]과/와 협력해야 함 |

### 3 부패 방지와 청렴 문화

(1) 부패의 문제: 시민 의식 발달 저하, 개인 권리의 부당한 침해, 사회적 비용의 낭비 등

(2) 청렴의 자세: 견리사의(見利思義), 멸사봉공(滅私奉公), 청백리 정신 등
└ 청렴한 사회를 만들기 위해서는 개인의 자세와 더불어 투명성이 담보되는 절차를 마련하기 위한 제도적 노력도 뒷받침되어야 함

예 직업윤리의 종류로는 전문직 윤리, 공직자 윤리, 기업가 윤리, 근로자 윤리 등이 있다.

❹ 자아실현
❺ 전문직
❻ 근로자
❼ 기업가

정답과 해설 67쪽

**6** 다음 내용이 옳으면 ○표, 틀리면 X표를 하시오.

(1) 맹자는 일정한 생업이 있어야 바른 마음을 지닐 수 있다고 보았다. ( )

(2) 칼뱅은 직업을 신이 부여한 소명이라고 보았다. ( )

(3) 플라톤은 자본주의 체제에서는 분업화된 노동으로 노동자가 소외된다고 주장하였다. ( )

**7** 빈칸에 들어갈 알맞은 말을 쓰시오.

(1) 정약용을 비롯한 실학자들은 신분적 질서에서 벗어나 직업을 ( )에 따라 직능적으로 파악해야 한다고 주장하였다.

(2) 칼뱅은 직업적 성공을 거두고 부를 축적하는 것이 ( )의 징표라고 주장하였다.

**8** 빈칸에 들어갈 사상가를 쓰시오.

> [ ] 은/는 자본주의적 분업 방식이 생산 과정에서 노동력 착취와 노동의 소외 문제를 낳았다고 보았다. 그는 인간이 노동을 통해 자기 본질을 실현해야 한다고 주장하였다.

( )

**9** 직업윤리에 관한 설명으로 옳은 것을 〈보기〉에서 고르시오.

> 보기
>
> ㄱ. 전문직 윤리는 공직자가 지켜야 할 직업윤리를 말한다.
>
> ㄴ. 직업윤리는 부정부패를 막고 개인의 자아실현에 기여한다.
>
> ㄷ. 직업윤리는 직업인으로서 개인이 맡은 일을 잘 수행한 것에 대한 보상이다.
>
> ㄹ. 기업가는 근로자의 권리를 존중하고 합법적인 이윤을 추구함으로써 직업윤리를 실천할 수 있다.

( )

**10** 직업윤리와 관련된 내용을 바르게 연결하시오.

| | | |
|---|---|---|
| (1) 공직자 윤리 • | | • ㉠ 근로자의 권리 존중, 합법적인 이윤 추구 |
| (2) 근로자 윤리 • | | • ㉡ 공익 실현을 위한 노력, 국민에게 봉사하는 자세 |
| (3) 기업가 윤리 • | | • ㉢ 자신의 분야에서 잠재력 최대 발휘, 기업가와 협력 |
| (4) 전문직 윤리 • | | • ㉣ 고도의 전문적 지식 이용에 걸맞은 직업적 양심과 수준 높은 책임 의식 |

# 4일 내신 기출 베스트

## 대표 예제 1 사랑의 의미

**다음의 사상가가 긍정의 대답을 할 질문으로 옳은 것은?**

> 사랑의 능동적 성격은 준다는 요소 외에도, 언제나 모든 사랑의 형태에 공통된 어떤 기본적 요소들을 내포하고 있다는 사실에서 분명해진다. 이러한 요소들은 보호, 책임, 존경, 이해 등이다. 책임은 다른 존재의 요구에 대한 나의 반응이며, 존경은 어떤 사람을 있는 그대로 보고 그의 독특한 개성을 아는 능력이다.

① 존경은 상대가 성장하기를 바라는 마음인가?
② 사랑은 상대적이므로 사랑의 공통된 요소는 없는가?
③ 사랑은 상대에게 무엇인가를 받는 수동적 행위인가?
④ 책임은 타인과는 무관하게 나타나는 사랑의 요소인가?
⑤ 존경은 잘 알지 못하는 사람들 사이에서만 나타나는가?

**개념 가이드**

독일의 사상가 프롬이 주장한 ❶ [　　　] 의 구성 요소로는 보호, 책임, 존경, 이해 등이 있다.

답 ❶ 사랑

## 대표 예제 2 사랑과 성에 관한 다양한 관점

**다음 글에 제시된 입장으로 적절한 것만을 〈보기〉에서 있는 대로 고른 것은?**

> 성(性)은 부부간의 신뢰와 사랑을 전제로 할 때만 도덕적이므로 결혼을 통해 이루어지는 성적 관계만이 정당하다.

**보기**

ㄱ. 결혼과 출산을 중심으로 하는 성만이 정당하다.
ㄴ. 자발적 동의에 따른 모든 형태의 성은 정당하다.
ㄷ. 성의 쾌락적 가치를 통해 인간 존엄성이 실현된다.
ㄹ. 성은 상호 간의 사랑을 전제로 하여 이루어져야 한다.

① ㄱ, ㄴ　② ㄱ, ㄹ　③ ㄴ, ㄷ
④ ㄱ, ㄷ, ㄹ　⑤ ㄴ, ㄷ, ㄹ

**개념 가이드**

사랑과 ❷ [　　　] 의 관계에 관한 입장으로는 보수주의, 중도주의, 자유주의의 입장이 있다.

답 ❷ 성

## 대표 예제 3 부부간의 윤리

**다음 글에서 설명하는 전통 윤리의 이론으로 옳은 것은?**

> 음양은 서로 다르지만 서로 없어서는 안 될 존재이듯, 부부는 상호 보완적이며 대등한 관계이다. 음양이 서로 합일하여 만물이 화육되고 번영되며, 남녀의 정기가 결합되어 만물이 화생한다.

① 음양론(陰陽論)　② 부부상경(夫婦相敬)
③ 부부유별(夫婦有別)　④ 부자유친(父子有親)
⑤ 형우제공(兄友弟恭)

**개념 가이드**

우리 조상의 전통 윤리 가운데 ❸ [　　　] 간에 지켜야 할 윤리로는 음양론, 부부상경, 부부유별 등이 있다.

답 ❸ 부부

## 대표 예제 4 가족 해체 현상을 극복하려는 노력

**㉠의 사례로 적절한 것을 〈보기〉에서 고른 것은?**

> 가족 해체 현상을 극복하기 위해서는 개인적인 노력뿐만 아니라 ㉠ 사회와 국가의 노력이 필요하다.

**보기**

ㄱ. 이웃과 가정에 대한 관심과 사랑을 가진다.
ㄴ. 소외 가정에 대한 다양한 복지 혜택을 제공한다.
ㄷ. 맞벌이 가정을 위해 아이 돌봄 서비스를 시행한다.
ㄹ. 가족을 모욕하지 말고, 가족 간에 신뢰를 회복한다.

① ㄱ, ㄴ　② ㄱ, ㄹ　③ ㄴ, ㄷ
④ ㄴ, ㄹ　⑤ ㄷ, ㄹ

**개념 가이드**

오늘날에는 가족의 형태가 점점 축소되고 가족의 기능이 약화되는 ❹ [　　　] 현상을 해결하기 위해 개인적·사회적 노력이 필요하다.

답 ❹ 가족 해체

4일

## 대표 예제 5 동양의 직업관

**다음 사상가의 입장으로 가장 적절한 것은?**

> 대인이 할 일과 소인이 할 일이 따로 있으며, 어떤 사람은 마음을 수고롭게 하고, 어떤 사람은 몸을 수고롭게 한다. 한 사람이 모든 일을 하게 하는 것은 모두를 지치게 만든다.

① 정신노동과 육체노동을 구분할 필요가 없다.
② 육체노동보다 정신노동의 가치가 더 중요하다.
③ 선택의 자유가 보장될 때 직업의 사회적 의미가 실현된다.
④ 사회 구성원 각자가 역할을 충실히 수행할 때 사회가 안정적으로 유지된다.
⑤ 직업을 통한 사회적 역할 분담은 국가가 아닌 개인이 자유롭게 결정해야 한다.

개념 가이드

성선설을 주장한 동양 사상가인 ❺ ______ 은/는 정신노동과 육체노동을 구별해야 한다고 주장하였다.

답 ❺ 맹자

## 대표 예제 6 서양의 직업관

**다음 사상가의 입장으로 옳은 내용만을 〈보기〉에서 고른 것은?**

> 노동자는 그가 부(富)를 더 많이 생산할수록, 또 그의 생산의 힘과 범위가 증대될수록 그만큼 더 가난해진다. 노동자는 그가 더 많은 산물을 만들면 만들수록 그만큼 더 저렴한 상품이 되어 버린다.

보기

ㄱ. 노동은 인간의 본질을 실현하는 주체적인 활동이다.
ㄴ. 노동의 소외 극복을 위해 자본가에게 예속되어야 한다.
ㄷ. 분업화된 노동으로 소외 문제와 노동력 착취가 발생한다.
ㄹ. 자본의 지휘와 규율의 강화는 노동자의 자아실현에 도움이 된다.

① ㄱ, ㄴ　② ㄱ, ㄷ　③ ㄱ, ㄹ
④ ㄴ, ㄹ　⑤ ㄷ, ㄹ

개념 가이드

❻ ______ 은/는 자본주의적 분업 방식이 노동력 착취와 노동의 소외 문제를 낳았다고 주장하였다.

답 ❻ 마르크스

## 대표 예제 7 전문직 윤리의 필요성

**전문직에게 더 높은 윤리적 자세가 요청되는 까닭을 〈보기〉에서 고른 것은?**

보기

ㄱ. 전문직은 업무의 효율성만을 중시하기 때문이다.
ㄴ. 전문적인 기술을 통해 부를 더 많이 축적해야 하기 때문이다.
ㄷ. 전문직은 사회적 영향력이 크며, 그에 따른 책임 의식이 요구되기 때문이다.
ㄹ. 일반인이 모르는 지식이나 정보를 이용하여 쉽게 부당한 이익을 얻을 수 있기 때문이다.

① ㄱ, ㄴ　② ㄱ, ㄷ　③ ㄱ, ㄹ
④ ㄴ, ㄹ　⑤ ㄷ, ㄹ

개념 가이드

❼ ______ 은/는 고도의 전문적 교육과 훈련을 거쳐서 일정한 자격을 취득한 전문직 종사자에게 요구되는 직업윤리이다.

답 ❼ 전문직 윤리

## 대표 예제 8 청렴 사상

**다음 한국 사상가가 강조하는 내용으로 적절하지 않은 것은?**

> 목민관은 왕을 대신해 백성의 삶을 직접 보고 들을 뿐만 아니라 왕의 뜻을 백성에게 직접 전하기 때문에 다른 관직보다 그 임무가 중요하다. 그러므로 목민관은 청렴으로 자신을 다스리고, 백성을 받들고, 백성을 사랑하는 것을 기본 덕목으로 삼아야 한다.

① 목민관은 백성을 사랑으로 보살펴야 한다.
② 목민관은 나라와 백성의 이익을 위해 일해야 한다.
③ 목민관은 사치하지 않고 청렴한 삶을 살아야 한다.
④ 목민관은 권한을 남용하지 않고 공익을 추구해야 한다.
⑤ 목민관은 정치를 할 때 백성들의 이익보다 사사로운 이익을 추구해야 한다.

개념 가이드

❽ ______ 은/는 『목민심서』를 통해 관리가 백성을 다스리는 바른 도리와 청렴함을 강조하였다.

답 ❽ 정약용

# 5일 Ⅲ-02. 사회 정의와 윤리 ~Ⅲ-03. 국가와 시민의 윤리

**Quiz** 응보주의의 관점에서 사형 집행이 범죄자의 인격을 존중하는 것이라고 주장한 사상가는 ( 칸트, 베카리아 ) 이다.

사형 제도에 관한 다양한 입장

누군가를 살해하는 것은 자신을 살해하는 것과 동등하므로 사형을 규정한 형벌의 법칙은 일종의 정언 명령이며, 사형을 집행하는 것은 범죄자의 인격을 존중하는 것이다.

사회 계약은 계약자의 생명 보존을 목적으로 한다. 그러므로 타인의 희생으로 자기의 생명을 보존하려고 하는 사람은 타인을 위해 자신의 생명을 희생하는 데 동의한 것이다.

사형은 공익에 이바지하는 바가 극히 적고, 비효율적이므로 부당하다. 종신 노역형도 사형만큼 사회 방위의 목적을 잘 수행할 수 있다.

▲ 칸트

▲ 루소

▲ 베카리아

답 칸트

배울 내용

❶ 분배적 정의와 윤리적 쟁점
❷ 교정적 정의와 윤리적 쟁점
❸ 국가의 권위와 시민에 대한 의무
❹ 민주 시민의 참여와 시민 불복종

**Quiz** 개인에 대한 국가의 간섭이나 개입을 최소화해야 한다고 보는 서양의 국가관은 ( 소극적, 적극적 ) 국가관이다.

시민에 대한 국가의 의무

**동양의 유교**

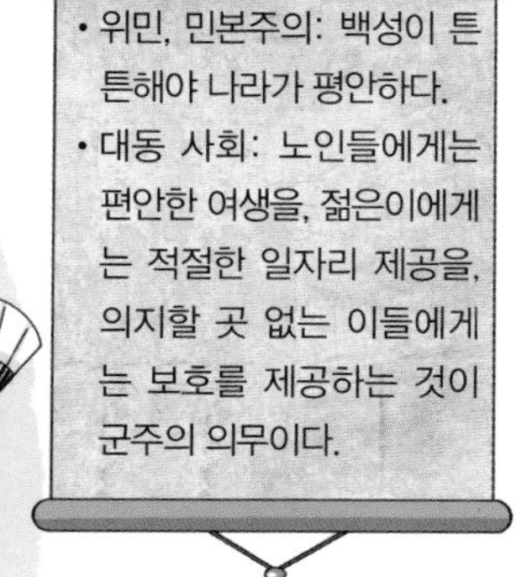

- 위민, 민본주의: 백성이 튼튼해야 나라가 평안하다.
- 대동 사회: 노인들에게는 편안한 여생을, 젊은이에게는 적절한 일자리 제공을, 의지할 곳 없는 이들에게는 보호를 제공하는 것이 군주의 의무이다.

**서양**

**소극적 국가관**

개인의 자유와 권리를 보장하기 위해 국가의 간섭이나 개입을 최소화해야 한다.

**적극적 국가관**

시민의 기본 욕구를 충족시키고 의료, 주택, 교육 등의 영역에서 복지를 제공해야 한다.

답 소극적

# 5일 교과서 핵심 정리 ①

## 개념 1 분배적 정의와 윤리적 쟁점

### 1 분배적 정의

(1) 분배적 정의의 의미: '각자에게 자신의 정당한 몫'을 돌려주는 것

(2) 분배의 다양한 기준: 절대적 평등, 필요, 능력, 업적 등

### 2 분배적 정의에 관한 다양한 입장

| | |
|---|---|
| ❶ [빈칸] | • 공정으로서의 정의(공정한 절차를 통해 합의한 것을 정의롭다고 봄)<br>• 무지의 베일을 쓴 원초적 입장에서 도출된 정의의 두 원칙을 따라야 함 → 제1원칙은 평등한 자유의 원칙, 제2원칙은 차등의 원칙과 공정한 기회균등의 원칙<br>(제1원칙은 '자유의 우선성'을 추구하는 것으로 제2원칙보다 선행한다.) |
| 노직 | • ❷ [빈칸](으)로서의 정의<br>• 재화의 취득, 양도, 이전의 절차가 정당하면 그로부터 얻은 소유물은 개인이 절대적 소유 원리를 지님<br>• 개인의 권리를 보호하는 역할을 하는 ❸ [빈칸] 국가가 정당함 |
| 왈처 | 다원적 평등으로서의 정의(다양한 분배 영역에서 상이한 기준에 따라 상이한 사회적 가치가 분배되어야 함) |

### 3 분배적 정의와 관련된 윤리적 쟁점 소수자 우대 정책, 부유세 등

예 분배적 정의에 관한 대표적인 입장으로는 롤스, 노직, 왈처의 주장이 있다.

- 소수자 우대 정책: 차별을 받아 온 사회적 약자에게 대학 입학이나 취업 등에서 가산점을 주거나 혜택을 주는 사회 정책
- 부유세: 부유한 사람의 자산에 과세하는 재산세의 하나로, 부의 편재를 바로잡기 위한 세제

## 개념 2 교정적 정의와 윤리적 쟁점

### 1 교정적 정의의 의미 사람 사이의 동등하지 않는 관계를 바로잡거나 위반 혹은 침해를 일으킨 사람에 대해 형벌을 가함으로써 공정함을 확보하는 것

### 2 교정적 정의와 공정한 처벌

| | |
|---|---|
| ❹ [빈칸] | • 처벌의 목적은 범죄 행위의 심각성에 비례한 응분의 처벌<br>• 처벌을 통해 도덕적 형평성 회복 |
| 공리주의 | 처벌은 범죄자를 교화하고 범죄를 예방하는 것으로, 사회적 ❺ [빈칸] 증진을 목적으로 함 |

### 3 사형 제도에 관한 다양한 입장

| | |
|---|---|
| 칸트 | 응보주의의 관점에서 사형제에 찬성 → 사형은 동등성의 원리에 근거한 것이며, 살인한 범죄자의 인격을 존중하는 것임 |
| ❻ [빈칸] | 사회 계약설의 관점에서 사형제에 찬성 → 사회 계약에 따르면 계약자는 자신의 생명 보존을 위해 살인자의 사형에 동의한 것임 |
| ❼ [빈칸] | 사형제에 반대 → 사형은 공익에 이바지하는 바가 적으며, 사형보다 종신 노역형이 사회 이익에 부합함 |

❶ 롤스
❷ 소유 권리
❸ 최소
❹ 응보주의
❺ 이익
❻ 루소
❼ 베카리아

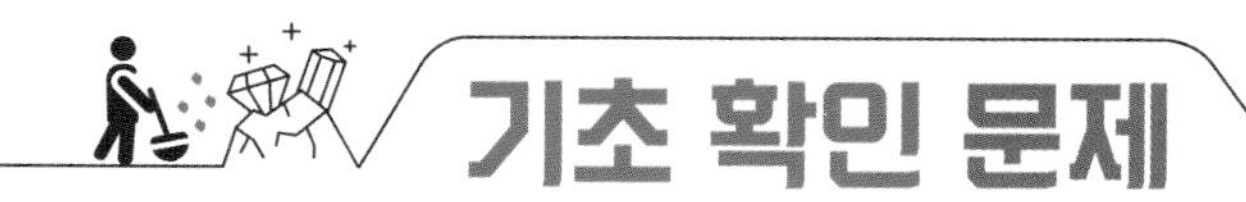

# 기초 확인 문제

정답과 해설 69쪽

**1** 빈칸에 들어갈 알맞은 말을 쓰시오.

(1) (                    )의 다양한 기준으로는 필요, 능력, 업적 등이 있다.

(2) 롤스는 공정한 (                    )을/를 통해 합의한 것을 정의롭다고 보는 '공정으로서의 정의'를 주장하였다.

(3) 사람 사이의 동등하지 않은 관계를 바로잡거나 잘못을 저지른 사람에게 처벌을 가함으로써 공정함을 확보하는 것을 (                    ) 정의라고 말한다.

**2** 괄호 안의 내용 중 알맞은 말을 골라 ○표를 하시오.

(1) 롤스가 말한 정의의 제1원칙은 평등한 자유의 원칙이며, 제2원칙은 ( 차등, 평등 )의 원칙과 공정한 기회균등의 원칙이다.

(2) 노직은 개인의 권리를 보호하는 역할을 하는 ( 최대, 최소 ) 국가가 정당하다고 주장하였다.

(3) 칸트에 따르면 사형은 ( 동등성, 차별성 )의 원리에 근거한 것이며, 살인한 범죄자의 인격을 존중하는 것이다.

**3** 다음과 같은 주장을 한 사상가의 이름을 쓰시오.

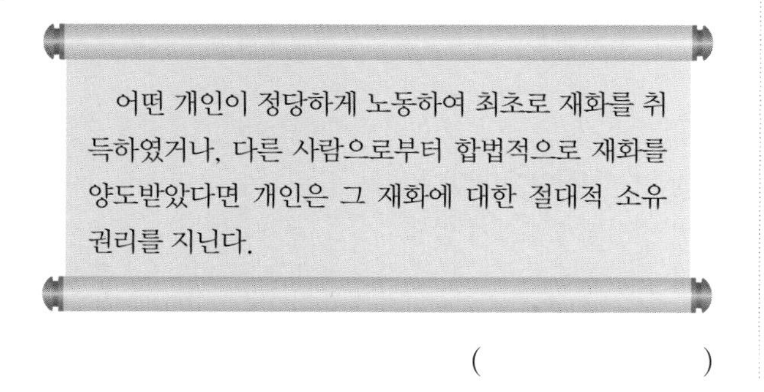

어떤 개인이 정당하게 노동하여 최초로 재화를 취득하였거나, 다른 사람으로부터 합법적으로 재화를 양도받았다면 개인은 그 재화에 대한 절대적 소유 권리를 지닌다.

(                    )

**4** 다음 내용이 옳으면 ○표, 틀리면 X표를 하시오.

(1) 응보주의적 관점에 따르면 처벌은 범죄 행위의 심각성에 비례하여야 하며, 도덕적 형평성 회복을 목적으로 해야 한다. (    )

(2) 공리주의적 관점에서 처벌은 범죄자를 교화하고 범죄를 예방하는 것으로, 사회적 이익 증진을 목적으로 한다. (    )

(3) 베카리아는 사형이 살인을 예방하기 위한 가장 효과적인 수단이라고 본다. (    )

**5** 사상가와 그 입장을 바르게 연결하시오.

| | | |
|---|---|---|
| (1) 루소 • | | • ㉠ 응보주의의 관점에서 사형 제도에 찬성 |
| (2) 칸트 • | | • ㉡ 사회 계약설의 관점에서 사형 제도에 찬성 |
| (3) 베카리아 • | | • ㉢ 공익에 이바지하는 바가 적고 비효율적이라는 이유로 사형 제도에 반대 |

5일

# 5일 교과서 핵심 정리 ②

## 개념 3 국가의 권위와 시민에 대한 의무

### 1 국가 권위의 정당화 근거

| | |
|---|---|
| 동의론 | 시민의 ❶ [ ] 이/가 국가에 대한 복종의 근거 |
| ❷ [ ] | 국가가 시민에게 주는 혜택이 국가에 대한 복종의 근거 |

### 2 시민에 대한 국가의 의무

(1) 동양의 관점

| | |
|---|---|
| 맹자 | 백성은 나라의 근본이니 백성이 튼튼해야 나라가 평안함 → 위민, 민본주의 강조 |
| 묵자 | 무차별적 ❸ [ ] 과/와 상호 이익이라는 하늘의 뜻에 따라야 함 |
| 한비자 | 군주는 백성을 법에 따른 상벌로 통제하여 질서를 유지해야 함 |

(2) 서양의 관점

| | |
|---|---|
| ❹ [ ] 국가관 | 개인의 권리와 자유를 최대한 보장하기 위해 국가의 개입을 최소화해야 함 → 극심한 빈부 격차와 시민이 최소한의 인간다운 삶을 보장받지 못하는 문제 발생 |
| ❺ [ ] 국가관 | 국가의 개입을 확대하여 시민의 기본 욕구를 충족시키고 복지를 제공해야 함 |

예 국가의 역할과 의무에 관한 서양의 대표적 관점으로는 소극적 국가관과 적극적 국가관이 있다.

## 개념 4 민주 시민의 참여와 시민 불복종

**1 민주 시민의 권리와 의무** 시민은 국가의 ❻ [ ] (으)로서 자유권, 평등권, 행복 추구권, 생존권 등의 권리와 납세, 국방, 교육, 근로 등의 의무를 지님

**2 정치 참여** 시민은 정치 참여를 통해 공공 문제에 영향력을 행사하고, 사회 구성원으로서 정체성을 획득하며, 국가 권력이 개인의 권리를 침해하는 것을 방지할 수 있음

정치 참여의 방법으로는 투표, 주민 소환제, 주민 참여 예산제, 여론 형성, 시민 단체 활동, 국민 참여 재판 등이 있다.

### 3 시민 불복종

(1) 의미: 부당한 법이나 정부 정책을 변화시키려는 목적으로 행하는 의도적인 위법 행위

(2) 시민 불복종에 대한 관점

| | |
|---|---|
| 드워킨 | 헌법 정신에 위배된 법률에 대해서 시민은 저항할 수 있음 |
| ❼ [ ] | 헌법을 넘어선 개인의 양심이 저항의 최종 판단 근거임 |
| 롤스 | 사회적 다수의 정의관이 저항의 기준이 되어야 함 |

(3) 롤스의 시민 불복종 정당화 조건: 특정 집단의 이익이 아닌 사회 정의를 실현하기 위한 목적일 것, 공개적이며 ❽ [ ] 적인 방법일 것, 개선을 위한 합법적 시도가 효과가 없을 때 최후의 수단으로 시행할 것, 위법 행위에 대한 처벌을 감수할 것

예 시민 불복종의 근거로 드워킨은 헌법 정신을, 소로는 개인의 양심을, 롤스는 사회적 다수의 정의관을 주장하였다.

❶ 동의
❷ 혜택론
❸ 사랑
❹ 소극적
❺ 적극적
❻ 주권자
❼ 소로
❽ 비폭력

정답과 해설 69쪽



**6** 다음 내용이 옳으면 ○표, 틀리면 X표를 하시오.

(1) 맹자는 백성이 나라의 근본이라 주장하며 백성을 법에 따른 상벌로 통제하여 질서를 유지해야 한다고 주장하였다. ( )

(2) 묵자는 타인을 사랑하며 자신과 타인의 이익을 높여야 한다고 주장하였다. ( )

**7** ㉠, ㉡에 들어갈 알맞은 말을 쓰시오.

> 시민은 왜 국가에 복종해야 할까? 국가의 권위를 정당화하는 관점을 통해 그 근거를 찾을 수 있다. 우선, [ ㉠ ]에서는 시민이 국가에 복종하기로 동의하였기 때문에 국가에 마땅히 복종해야 한다고 본다. 반면 [ ㉡ ]에서는 국가가 제공하는 여러 가지 혜택 때문에 국가에 복종해야 한다고 본다.

㉠ ( ) ㉡ ( )

**8** 시민에 대한 국가의 의무와 관련된 서양의 관점을 〈보기〉에서 고르시오.

> **보기**
>
> ㄱ. 개인의 권리와 자유를 최대한 보장하기 위해 국가의 간섭이나 개입을 최소화해야 한다.
>
> ㄴ. 국가의 개입을 확대함으로써 시민의 기본 욕구를 충족하고 다양한 영역에서 복지를 제공해야 한다.

(1) 소극적 국가관 ( )

(2) 적극적 국가관 ( )

**9** 사상가와 시민 불복종에 대한 관점을 바르게 연결하시오.

(1) 롤스 •

(2) 소로 •

(3) 드워킨 •

• ㉠ 사회적 다수의 정의관이 저항의 기준이 되어야 함

• ㉡ 헌법을 넘어선 개인의 양심이 저항의 최종 판단 근거임

• ㉢ 헌법 정신에 위배된 법률에 대해서 시민은 저항할 수 있음

**10** 롤스의 시민 불복종 정당화 조건에 대한 설명이다. 빈칸에 들어갈 알맞은 말을 쓰시오.

(1) 시민 불복종은 ( )적이어야 하며, 비폭력적인 방법으로 행해져야 한다.

(2) 시민 불복종을 실행할 때는 위법 행위에 대한 ( )을/를 감수해야 한다.

(3) 시민 불복종은 개선을 위한 합법적 시도가 더는 효과가 없을 때 실시되는 ( ) 수단이어야 한다.

(4) 시민 불복종은 특정한 집단의 이익이 아니라 ( )을/를 실현하기 위한 목적으로 이루어져야 한다.

# 내신 기출 베스트

## 대표 예제 1 롤스의 정의론

**롤스가 지지할 입장을 〈보기〉에서 있는 대로 고른 것은?**

보기

ㄱ. 개인의 자유가 복지를 위해 제한되면 안 된다.
ㄴ. 분배의 결과에 따라 공정성을 판단하면 안 된다.
ㄷ. 사회 전체의 효용이 증대될 때 불평등이 정당화된다.
ㄹ. 사회 구조는 사회적 약자의 협력을 이끌 수 있게 구성되어야 한다.

① ㄱ, ㄴ ② ㄱ, ㄹ ③ ㄴ, ㄷ
④ ㄱ, ㄴ, ㄹ ⑤ ㄴ, ㄷ, ㄹ

개념 가이드

❶ [ ]은/는 공정한 절차를 통해 합의된 것이라면 정의롭다고 보는 '공정으로서의 정의'를 주장하였다.

답 ❶ 롤스

## 대표 예제 2 우대 정책에 관한 찬반 이론

**다음 글을 쓴 사람의 입장으로 가장 적절한 것은?**

고용의 기회는 모두에게 형식적으로 동등해야 한다. 고용에 있어 성별의 차이는 고려할 필요가 없으며, 능력을 바탕으로 채용 여부를 결정해야 한다. 따라서 일정 비율을 여성으로 채우는 여성 고용 할당제는 부당하다.

① 여성 고용 할당제는 사회 정의 실현에 기여한다.
② 과거의 여성 차별에 대한 현재의 보상은 정당하다.
③ 사회적 약자인 여성에게 유리한 기회를 부여해야 한다.
④ 여성을 우대하는 정책으로 또 다른 차별이 발생할 수 있다.
⑤ 사회적 약자인 여성에 대한 배려를 통해 사회 행복을 증진할 수 있다.

개념 가이드

소수자 ❷ [ ] 정책은 차별을 받아 온 사회적 약자에게 입학이나 취업 등에서 혜택을 주는 제도이다.

답 ❷ 우대

## 대표 예제 3 분배적 정의에 관한 다양한 입장

**롤스, 노직의 입장에 대한 설명으로 옳은 것은?**

① 롤스: 최소 국가에 의해서만 경제적 정의가 실현된다.
② 롤스: 소득 재분배는 공리의 원칙에 따라 이루어져야 한다.
③ 노직: 개인의 천부적 자질을 사회적 자산으로 여겨야 한다.
④ 노직: 국가는 개인의 권리를 보호하는 최소한의 역할만 해야 한다.
⑤ 롤스, 노직: 사회적 약자의 삶의 질 개선을 기본적 자유 보장보다 우선해야 한다.

개념 가이드

'소유 권리'로서의 정의를 주장한 ❸ [ ]은/는 개인의 권리를 보호하고 존중하는 것이 정의라고 보았다.

답 ❸ 노직

## 대표 예제 4 사형에 관한 칸트의 입장

**사형에 대한 다음 사상가의 입장으로 가장 적절한 것은?**

공적인 정의는 어떠한 종류의 처벌을 원리와 기준으로 삼는가? 그것은 분동을 사용하는 접시저울에서와 같은 등가성의 원리이다. 그러므로 만일 네가 다른 사람에게 아무런 이유 없이 악한 행위를 했을 경우 너는 너 자신에게도 같은 짓을 한 셈이 된다.

① 사형은 범죄자의 생명권을 침해하는 것이다.
② 사형보다 종신 노역형이 사회 이익에 더 부합한다.
③ 사형은 공공의 이익을 증가시킬 때에만 시행되어야 한다.
④ 사형은 살인범의 인간성을 훼손할 가혹으로부터 살인범의 인격을 존중하는 것이다.
⑤ 사형은 범죄자가 살아 있는 것이 국가 전체를 위험에 처하게 할 경우에나 적합한 형벌이다.

개념 가이드

❹ [ ]은/는 응보론의 입장에서 사형 제도에 찬성하였다.

답 ❹ 칸트

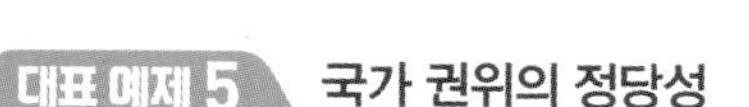

## 대표 예제 5 국가 권위의 정당성

**다음 사상가의 입장을 〈보기〉에서 있는 대로 고른 것은?**

> 인간은 자연스럽게 가족과 마을을 형성하고, 마지막으로 완전한 결사체에 도달하게 되는데, 그것이 바로 국가이다. 따라서 인간은 본성적으로 국가에 속하도록 되어 있다.

보기

ㄱ. 국가는 인간의 본성에 따라 자연스럽게 형성된다.
ㄴ. 인간은 국가 안에서만 행복한 삶을 실현할 수 있다.
ㄷ. 인간은 국가로부터 혜택을 누릴 때에만 복종해야 한다.
ㄹ. 국가는 자연의 창조물이며 자족적인 최고의 공동체이다.

① ㄱ, ㄴ ② ㄱ, ㄷ ③ ㄴ, ㄷ
④ ㄱ, ㄴ, ㄹ ⑤ ㄱ, ㄷ, ㄹ

개념 가이드

❺ ______ 은/는 국가가 인간 본성에 따라 성립되는 최고선으로서의 권위를 누린다고 보았다.

답 ❺ 아리스토텔레스

## 대표 예제 6 아리스토텔레스와 흄의 국가론

**갑, 을 사상가의 입장으로 옳지 않은 것은?**

> 갑: 선을 추구하는 모든 공동체들 중에서도 최고이며 다른 모든 공동체를 포괄하면서 최고선을 추구하는 공동체가 다름 아닌 국가 또는 정치 공동체이다.
> 을: 정부 수립의 동기이자 우리가 정부에 복종하는 원천은 안전과 보호라는 이익이다. 이익은 정부 수립의 근본 동기이므로 이익이 없는 곳에서는 정부도 있을 수 없다.

① 갑: 국가는 시민이 선한 생활을 할 규범을 전달한다.
② 갑: 공동체의 규모가 클수록 더 고귀한 선을 추구한다.
③ 을: 정부의 혜택이 존재할 때만 정치적 의무가 성립한다.
④ 을: 정부의 역할은 시민의 안전한 삶을 보장하는 것이다.
⑤ 갑, 을: 국가에 대해 충성을 다해야 하는 것은 무조건적 의무이다.

개념 가이드

흄은 국가로부터 제공받는 ❻ ______ 이/가 존재할 때만 정치적 의무가 존재한다고 주장하였다.

답 ❻ 혜택

## 대표 예제 7 롤스의 시민 불복종

**다음은 롤스의 입장을 정리한 필기 노트이다. ㉠~㉤ 중 옳지 않은 것은?**

> ※ 주제: 시민 불복종
> 1. 의미: 정의롭지 못한 법이나 정부 정책을 변화시키려는 목적으로 행해지는 의도적인 위법 행위
> 2. 정당화 조건
> ㉠ 공개적으로 이루어져야 한다.
> ㉡ 최후의 수단으로 시행되어야 한다.
> ㉢ 비폭력적인 방법으로 전개해야 한다.
> ㉣ 위법 행위에 대한 처벌을 감수해야 한다.
> ㉤ 특정 집단의 이익을 실현하고자 시행되어야 한다.

① ㉠ ② ㉡ ③ ㉢ ④ ㉣ ⑤ ㉤

개념 가이드

❼ ______ 은/는 부당한 법이나 정부 정책을 변화시키려는 목적에서 시행되는 법에 반하는 정치적 행위이다.

답 ❼ 시민 불복종

## 대표 예제 8 소로의 시민 불복종

**다음 사상가의 입장만을 〈보기〉에서 있는 대로 고른 것은?**

> 시민은 한순간이라도 자신의 양심을 입법자에게 맡겨야 하는가? 우리는 먼저 인간이어야 하고 그다음에 국민이어야 한다. 단 한 명의 사람이라도 부당하게 가두는 정부 밑에서 의로운 사람이 진정 있을 곳은 감옥이다.

보기

ㄱ. 시민 불복종은 공개적으로 이루어져야 한다.
ㄴ. 부정의한 법과 정책에 대해 불복종해야 한다.
ㄷ. 불의한 법은 법이 개정될 때까지는 준수되어야 한다.
ㄹ. 개인은 법에 우선하여 양심과 정의에 따라 행동해야 한다.

① ㄱ, ㄴ ② ㄱ, ㄷ ③ ㄴ, ㄷ
④ ㄱ, ㄴ, ㄹ ⑤ ㄱ, ㄷ, ㄹ

개념 가이드

소로는 헌법을 넘어선 개인의 ❽ ______ 이/가 시민 불복종의 판단 근거라고 주장하였다.

답 ❽ 양심

# 누구나 100점 테스트 1회

**1** 갑, 을의 입장에 대한 옳은 설명을 〈보기〉에서 고른 것은?

> 갑: 윤리학은 도덕적 원리와 행위가 무엇인지 규명해야 한다. 그러므로 '인간을 목적으로 대우하라.'와 같은 규범적 기준을 먼저 정립해야 한다.
> 을: 윤리학은 개인의 생활, 사회의 구조와 기능 속에 존재해 온 도덕적 관행들을 역사적·문화적·인류학적으로 접근하여 객관적으로 서술해야 한다.

보기

ㄱ. 갑은 도덕적 언어의 의미 분석을 중시한다.
ㄴ. 갑은 도덕적 행위의 이론적 근거를 제시하는 데 관심을 둔다.
ㄷ. 을은 어떠한 행위에 대한 도덕적 판단의 기준을 정립하고자 한다.
ㄹ. 을은 다양한 지역의 도덕적 풍습에 대해 객관적으로 서술하는 것을 중시한다.

① ㄱ, ㄴ ② ㄱ, ㄷ ③ ㄴ, ㄷ
④ ㄴ, ㄹ ⑤ ㄷ, ㄹ

**2** 밑줄 친 '이 윤리학'의 특징을 〈보기〉에서 고른 것은?

> 과학 기술 발달로 인하여 급격한 사회 변화가 일어나면서, 과거에는 예상하지 못했던 새로운 문제들이 발생하였다. 이 윤리학은 이러한 문제들을 해결하기 위한 목적으로 등장하였다.

보기

ㄱ. 도덕적 정당화의 이론적 근거를 제시한다.
ㄴ. 다른 인접 학문과의 교류와 연계를 강조한다.
ㄷ. 도덕적 언어의 의미 분석과 도덕적 추론의 타당성 입증에 초점을 둔다.
ㄹ. 삶에서 발생하는 여러 가지 윤리 문제에 대한 해결책을 제시하고자 한다.

① ㄱ, ㄴ ② ㄱ, ㄷ ③ ㄴ, ㄷ
④ ㄴ, ㄹ ⑤ ㄷ, ㄹ

**3** 다음 글의 사상가가 제시하는 도덕적 판단 기준으로 가장 적절한 것은?

> 너 자신에게나 다른 사람에게 있어서 인격을 언제나 동시에 목적으로 대하고 수단으로 대하지 말라.

① 효율성 ② 쾌락의 감정 ③ 행위의 동기
④ 결과의 유용성 ⑤ 최대 다수의 최대 행복

**4** 다음 사상에서 강조하는 수양 방법으로 옳은 것은?

> • 수행의 궁극적인 목표는 생로병사의 과정이 반복되는 고통을 극복하고 해탈하는 것이다.
> • 모든 것이 서로 인드라망으로 이어져 있음을 깨달으면 독립적으로 존재할 수 있는 존재는 없다는 것을 알게 된다.

① 허심으로 몰아일체의 경지에 이른다.
② 연기성(緣起性)을 깨닫고 자비를 베푼다.
③ 좌망과 심재를 통해 자연의 원리를 습득한다.
④ 무위의 덕을 실천하여 도(道)의 원리를 체득한다.
⑤ 경(敬)과 성(誠)을 통해 사욕을 이기고 예(禮)를 회복한다.

**5** ㉠~㉢에 대한 설명으로 옳지 않은 것은?

| | |
|---|---|
| ㉠ 도덕 원리 | 인류 공동의 지적 산물은 복제되어서는 안 된다. |
| ㉡ 사실 판단 | 정보는 인류 공동의 지적 산물이다. |
| ㉢ 도덕 판단 | 모든 정보는 복제되어서는 안 된다. |

① ㉠은 반증 사례 검사를 사용하여 정당화할 수 있다.
② ㉡은 진위 여부를 확인할 수 있다.
③ ㉡에서는 개념이나 용어의 확인이 필요하다.
④ ㉢은 옳고 그름을 분별하기 위한 판단이다.
⑤ ㉡, ㉢은 모두 보편적 가치를 내포하고 있다.

**6** 배려 윤리 사상과 관련된 내용으로 옳은 것은?

① 대표적인 사상가로는 요나스가 있다.
② 타인과의 공감, 배려, 관계성 등을 중시한다.
③ 자연법사상을 바탕으로 자율적 선의지를 강조한다.
④ 이성, 정의, 공정성만이 도덕성의 근거라고 판단한다.
⑤ 시대적 맥락에 따라 자신의 덕을 발휘할 것을 가장 중시한다.

**7** 다음 삼단 논법에 대한 설명으로 적절하지 않은 것은?

- 대전제: 인간 존재를 죽이는 것은 옳지 않다.
- 소전제: [ ㉠ ]
- 결론: 낙태는 옳지 않다.

① 결론에서는 당위적 판단이 도출된다.
② 대전제에는 도덕적 가치 판단이 개입되어 있다.
③ 대전제는 보편적이고 일반적인 도덕 원리로 구성된다.
④ ㉠에 대한 반론의 근거는 '태아는 완전한 인간 존재이다.'이다.
⑤ 소전제는 개별적이고 구체적인 사실을 대전제에 대입시키는 것이다.

**8** 다음은 어느 학생의 서술형 평가지이다. 답안의 ㉠~㉤ 중 그 내용이 옳지 않은 것은?

[문제] 뇌사에 대한 찬성과 반대 입장의 근거를 각각 서술하시오.
[답안] 뇌사에 찬성하는 입장에서는 ㉠ 인간의 고유한 활동은 뇌에서 비롯된다고 주장한다. 또한 ㉡ 뇌사자의 장기를 이식하여 많은 생명을 살릴 수 있다고 본다. 반면 뇌사에 반대하는 입장에서는 ㉢ 뇌사 판정에 오류가 발생할 수 있고, ㉣ 환자와 가족의 경제적 고통을 줄여 주어야 한다고 주장한다. 또한 ㉤ 장기 이식과 같은 실용적 관점으로 죽음을 바라보는 것은 잘못되었다고 본다.

① ㉠ ② ㉡ ③ ㉢ ④ ㉣ ⑤ ㉤

**9** 다음 사상과 관련된 윤리적 성찰의 방법을 〈보기〉에서 고른 것은?

새벽에 잠에서 깨면 마음을 고요히 하여 정돈한다. 마음이 세워졌으면 일어나 세수하고 단정히 앉아 몸을 단속한다. 이와 같은 수양으로 덕을 닦아 인의(仁義)를 지켜 나가야 한다.

보기
ㄱ. 참선을 통해 불변의 자아를 인식한다.
ㄴ. 마음을 한 곳에 모아 흐트러짐이 없게 한다.
ㄷ. 일일삼성(一日三省)을 통해 매일 하루의 삶을 성찰한다.
ㄹ. 인위적인 것에서 벗어나 자연과 조화를 이루는 삶의 태도를 지닌다.

① ㄱ, ㄴ ② ㄱ, ㄷ ③ ㄴ, ㄷ
④ ㄴ, ㄹ ⑤ ㄷ, ㄹ

**10** 다음 사상가의 입장으로 가장 적절한 것은?

죽음은 현존재에게 던져진 끝으로서, 현존재의 가장 자기적이고 다른 사람이 대신할 수 없는 것이다. 그리고 결코 넘어설 수 없는 확실한 것이며, 언제 있을지 모르는 불안한 것이다. 이와 같은 죽음의 불안에 의해서 현존재는 비본래적이고 퇴폐적이고 속된 삶으로부터 벗어나 참된 자신을 자각하고 본래의 자신으로 귀환할 수 있다.

① 죽음은 사후 세계로 윤회하는 출발점이다.
② 현존재는 죽음을 정복할 수 있는 무한한 존재이다.
③ 인간은 죽음을 통해 이데아의 세계로 돌아갈 수 있다.
④ 죽음에 대한 자각은 삶의 가치를 깊이 성찰할 수 있게 한다.
⑤ 죽음 이후에는 아무것도 경험할 수 없으므로 죽음을 두려워할 필요가 없다.

# 누구나 100점 테스트 2회

**1** 칸트가 과학자 A에게 제시할 조언으로 가장 적절한 것은?

> 과학자인 A는 배아 복제를 연구하던 중 우연히 인간 개체를 복제할 수 있는 기술을 얻었다. A는 복제 인간을 만드는 것이 옳은 일인가에 대해 고민하고 있다.

① 법을 위반하는 행위를 해서는 안 된다.
② 사회적 관습에 어긋나는 행위를 해서는 안 된다.
③ 복제 기술이 사회에 유용한 결과를 가져다줄 수 있는지 따져 보아야 한다.
④ 생명은 그 자체로 존엄한 것이므로 생명을 조작하는 행위를 해서는 안 된다.
⑤ 복제 기술이 사람들에게 얼마만큼의 행복을 가져다 줄 수 있는지 따져 보아야 한다.

**2** 유교에서 강조하는 가족 간의 도리로 가장 적절한 것은?

① 형은 부모와 같은 마음으로 동생을 보살펴야 한다.
② 가족과 이웃을 구별하지 말고 똑같이 사랑해야 한다.
③ 부모와 자식은 수평적 관계에서 서로 사랑해야 한다.
④ 부부는 음양의 관계처럼 수직적 질서를 유지해야 한다.
⑤ 출세하여 유명해지는 것을 효의 시작으로 여겨야 한다.

**3** ㉠, ㉡에 대한 설명으로 옳지 <u>않은</u> 것은?

> 직업윤리에는 ㉠ <u>인간으로서 지녀야 할 기본 윤리를 포함하는 직업윤리의 일반성</u>과 ㉡ <u>직종의 전문화에 따른 직업윤리의 특수성</u>이 있다.

① ㉠은 직업을 가진 모든 사람들에게 적용된다.
② ㉠에는 정직, 성실, 책임 등의 보편 윤리가 포함된다.
③ ㉡은 서로 다른 직업에서 요구되는 구체적인 윤리이다.
④ ㉡은 ㉠의 토대 위에서 정립되는 것이 바람직하다.
⑤ ㉠, ㉡은 독립된 성격을 지니므로 상호 배타적 관계에 있다.

**4** 다음 사상가의 입장으로 가장 적절한 것은?

> 지각, 욕구, 기억과 미래에 대한 생각 그리고 목표를 추구하기 위해 행동할 수 있는 능력 등을 가진 존재들은 삶의 주체로서 내재적 가치를 지닌다.

① 동물을 단지 인간의 목적을 위한 수단으로 이용하는 것은 옳지 않다.
② 동물이 쾌고를 느낀다는 사실은 도덕적 고려를 받을 수 있는 필요충분조건이다.
③ 생명이 있는 모든 존재는 내재적 가치를 지니기 때문에 도덕적으로 배려해야 한다.
④ 동물이 도덕적으로 고려받을 권리를 지니지는 않지만 동물을 함부로 다루어서는 안 된다.
⑤ 동물을 잔인하게 대하지 말아야 할 유일한 이유는 그것이 인간을 대하는 데에도 영향을 주기 때문이다.

**5** 사랑과 성에 대한 보수주의적 입장에서 지지할 내용으로 가장 적절한 것은?

① 상호 동의에 의한 성적 활동은 허용되어야 한다.
② 결혼은 성의 사회적 책임을 위한 제도적 장치이다.
③ 성의 본질적 가치는 쾌락적 가치에서 찾아야 한다.
④ 사랑이 동반된 모든 성적 관계는 도덕적으로 정당하다.
⑤ 결혼과 결부되지 않아도 상호 동의하에 성적 쾌락을 추구하는 것은 도덕적으로 정당하다.

**6** 다음과 같은 주장을 한 서양 사상가의 이름을 쓰시오.

> 각 계층은 타고난 성향에 따른 고유한 역할을 수행해야 한다. 국가를 수호하는 계층은 사유 재산을 갖지 않도록 해야 한다. 이들은 공동생활을 해야 하며, 자신의 영혼이 공동체만을 위해 쓰이도록 해야 한다.

(　　　　　　　)

**7** 갑, 을 모두 긍정의 대답을 할 질문으로 옳은 것은?

> 갑: 임금에 대해 과세를 하는 것은 당사자의 노동 결과에 대해 점유를 하는 행위이다.
> 을: 재능이나 지위 같은 도덕적으로 임의적인 요소들의 작용으로 최대 수혜자가 된 사람은 그렇지 못한 최소 수혜자의 처지를 개선하기 위해 일정한 희생을 감내해야 한다.

① 복지를 위한 재분배 정책 시행은 정의로운가?
② 절차의 공정성은 결과의 공정성을 보장하는가?
③ 정당한 최초의 소유 과정은 이후의 모든 소유 방식을 정의롭게 하는가?
④ 각자에게 분포된 천부적 재능을 각자의 소유물로 보는 것은 정의로운가?
⑤ 공정한 기회균등의 실현을 위해 사회적 약자를 우선 배려하는 것은 정의로운가?

**8** 다음 사상가의 입장으로 옳은 것만을 〈보기〉에서 고른 것은?

> 국가에 의한 소득 재분배는 개인의 권리를 심각하게 위협하는 문제이다. 한 노동자로부터 N시간 분의 소득을 세금으로 취하는 것은 노동자로부터 N시간을 빼앗는 것과 같다.

보기

ㄱ. 근로 소득에 대한 과세는 강제 노동의 부과와 같은 의미이다.
ㄴ. 공동체 전체의 선은 개인의 절대적 소유권보다 중시되어야 한다.
ㄷ. 사회적 약자의 처지 개선을 위한 과세는 소유권에 대한 침해이다.
ㄹ. 개인의 노력에 의해 취득한 모든 재화의 소유권은 그 개인에게 있다.

① ㄱ, ㄴ ② ㄱ, ㄷ ③ ㄴ, ㄷ
④ ㄴ, ㄹ ⑤ ㄷ, ㄹ

**9** 아리스토텔레스의 입장에서 긍정의 대답을 할 질문만을 〈보기〉에서 있는 대로 고른 것은?

보기

ㄱ. 국가는 인간의 자연적 본성으로부터 발생하는가?
ㄴ. 국가는 자연의 창조물이며 자족적인 공동체인가?
ㄷ. 인간은 국가 안에서 행복한 삶을 실현할 수 있는가?
ㄹ. 인간은 국가로부터 얻는 혜택과 이익이 있을 때에만 복종해야 하는가?

① ㄱ, ㄴ ② ㄱ, ㄷ ③ ㄴ, ㄷ
④ ㄱ, ㄴ, ㄷ ⑤ ㄴ, ㄷ, ㄹ

**10** 다음 글의 입장에 대한 설명으로 가장 적절한 것은?

> 기본 소득 법안은 기본 생존권을 보장해 소득 불평등을 완화하고, 행정의 효율성을 향상하며, 복지 사각지대를 해소할 수 있다는 취지를 가진다. '관대하지만 유토피아적인 방안'이라 불리는 이 법안은 국가가 시민을 위해 어떤 역할을 해야 하는지를 일깨운다.

① 국가는 시장에 최소한으로 개입해야 한다.
② 국가는 개인의 자유와 권리를 최대한 보장해야 한다.
③ 국가의 역할은 개인의 재산권 보호에 한정되어야 한다.
④ 국가는 다양한 영역에서 시민들에게 복지를 제공해야 한다.
⑤ 국가는 국방이나 치안 등의 질서 유지 역할만을 해야 한다.

# 6일 서술형·사고력 테스트

**1** **다음 글을 읽고 물음에 답하시오.**

> 전통 윤리학은 일반적인 도덕 이론 혹은 원칙을 탐구하면서, 현실적인 도덕 문제를 단지 이론에 대한 보완이나 반례로 이용하고 있을 따름이다. 그러나 ( ㉠ )은/는 오히려 실생활에서 제기되는 도덕 문제 해결에 그 초점이 맞추어져 있다. ( ㉠ )이/가 다루는 대상은 삶의 여러 영역에서 발생하는 구체적인 문제들이다. 그런데 이러한 것들은 윤리학적 지식과 방법만으로는 해결하기 어렵다. <u>오늘날 직면하고 있는 현실적인 도덕 문제를 해결하기 위해서는 그 문제와 관련된 전문적 지식과 그에 대한 이해가 필요하다</u>.

(1) ㉠에 해당하는 개념을 쓰시오.

(2) 밑줄 친 내용에 근거하여 ㉠이 지닌 특징을 서술하시오.

**2** **다음 글을 참고하여 토론이 필요한 까닭을 서술하시오.**

> 인간은 자신의 잘못을 토론과 경험을 통해 고칠 수 있다. 단순히 경험에 의해서만이 아니다. 경험이 어떻게 해석되어야 하는가를 밝히려면 반드시 토론이 필요하다. 잘못된 의견과 관행은 점차 사실과 논의에 복종하게 되지만, 사실과 논증이 인간 정신에 어떤 영향을 미치려면 먼저 그것이 인간 정신 앞에 제시되어 판단되어야 한다.
>
> – 밀(Mill, J. S.), 『자유론』 –

**3** **다음 그림을 보고 물음에 답하시오.**

| | |
|---|---|
| (가) | 갑: 쾌락의 지속성, 강도 등을 고려하여 모두 합한 뒤 쾌락의 크기와 정도가 큰 쪽을 선택해야 한다.<br>을: 쾌락의 양만을 따지는 것은 설득력이 없다. 양이 많고 적음을 초월할 정도로 질적으로 우월한 쾌락이 존재한다. |
| (나) | 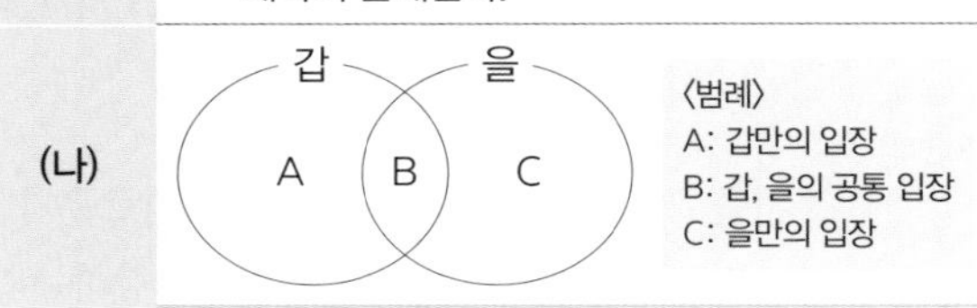 |



(1) 공리주의 사상가인 갑, 을의 이름을 쓰시오.

(2) B에 들어갈 적절한 내용을 쓰시오.

**4** **다음 글의 사상에서 제시할 수 있는 수양 방법에 관해 간략히 서술하시오.**

> 이것이 생기기 때문에 그것이 생기고, 이것이 멸(滅)하기 때문에 그것이 멸한다. 무명(無明)으로 인해 온통 괴로움뿐인 덩어리가 생기고, 무명이 멸하기 때문에 온통 괴로움뿐인 덩어리가 멸한다.

## 5 다음 단어 퍼즐을 보고 물음에 답하시오.

|  |  |  |  |  |  |  |
|---|---|---|---|---|---|---|
|  |  |  |  |  |  |  |
|  | (A) |  |  | (B) |  |  |
|  |  |  |  | (C) |  |  |
|  |  |  |  |  |  |  |

**가로 열쇠**

(A): 노자의 가르침 중 하나로, 으뜸이 되는 선(善)은 물과 같다는 의미

(C): 인(仁)의 실천 방법으로, 홀로 있을 때에도 스스로 행동을 삼가고 조심하는 태도

**세로 열쇠**

(B): ______________________

(1) 가로 낱말 (A)와 (C)가 무엇인지 쓰시오.

(2) 세로 낱말 (B)의 의미를 서술하시오.

## 6 다음 표를 보고 물음에 답하시오.

| 도덕 원리 | ㉠ |
|---|---|
| 사실 판단 | 집단 괴롭힘을 방관하는 행위는 불의를 조장한다. |
| 도덕 판단 | 집단 괴롭힘을 방관하는 행위는 옳지 않다. |

(1) ㉠에 들어갈 알맞은 도덕 원리를 쓰시오.

(2) 밑줄 친 '도덕 원리'를 검사하는 방법 중 '보편화 결과 검사'의 의미를 서술하시오.

[7~8] 가로 열쇠와 세로 열쇠 설명을 읽고 퍼즐을 완성해 보시오.

| ❶ |  |  | ❹ |  |  |  |  |
|---|---|---|---|---|---|---|---|
|  |  | ❺ |  |  |  |  |  |
|  |  |  |  |  |  |  | ❾ |
| ❷ | ❸ |  |  | ❻ | ❼ |  |  |
|  |  |  |  |  |  |  |  |
|  |  |  | ❽ |  |  |  |  |
| ❿ |  |  |  |  |  |  |  |

## 7 가로 퍼즐을 완성해 보시오.

❷ 죽음보다 현세의 도덕적 삶에 충실할 것을 강조한 중국 춘추 시대의 유교 사상가 (                )

❺ 부부는 가장 친밀한 사이지만 늘 서로 공경하기를 마치 손님을 대하듯 해야 한다는 뜻의 사자성어 (                )

❻ 처벌의 목적은 범죄 행위의 심각성에 비례해야 하며, 도덕적 형평성 회복을 목적으로 해야 한다는 관점 (                )

❽ 쾌락과 행복을 가져다주는 행위는 옳은 행위이며, 고통과 불행을 가져다주는 행위는 그릇된 행위라고 보는 관점 (                )

❿ 유교 사상에서 수양을 통해 도덕성을 확충하고 실천하는 이상적인 인간상 (                )

## 8 세로 퍼즐을 완성해 보시오.

❶ 형은 아우를 사랑하고 동생은 형을 공경한다는 뜻의 사자성어 (                )

❸ 불교에서 말하는 자신에 얽매이지 않고 세상 모든 생명을 차별하지 않는 사랑 (                )

❹ 유교에서 말하는 마음을 한 곳으로 모아 흐트러짐이 없게 하는 성찰 방법 (                )

❼ 결혼 제도 안에서 이루어지는 성만을 정당하다고 보는 관점 (                )

❾ 시민이 국가에 복종하기로 동의하였기 때문에 국가에 마땅히 복종해야 한다는 이론 (                )

6일

## 09 다음 글을 읽고 물음에 답하시오.

- 뇌사란 임상적으로 뇌 활동이 회복할 수 없게 뇌의 기능이 정지된 상태를 의미한다. 뇌 기능이 정지하면 곧 심장과 폐의 기능도 정지한다.
- 의료 기술의 발달로 장기 이식이 가능해졌지만, 장기의 수요에 비해 공급이 절대적으로 부족하다.

(1) 위 자료를 근거로 뇌사 판정에 한하여 내릴 수 있는 주장은 무엇인지 쓰시오.

(2) (1)의 윤리적 판단에 대한 반대 근거를 두 가지 서술하시오.

## 10 B에 해당하는 알맞은 내용을 서술하시오.

| | |
|---|---|
| (가) | 갑: 동물도 쾌고 감수 능력을 지니고 있으므로 동물의 이익도 동등하게 고려해야 한다.<br>을: 어떤 동물은 삶의 주체가 될 수 있고, 이러한 동물은 그 자체로 목적으로 대우해야 한다. |
| (나) | 갑 을 A B C<br>〈범례〉<br>A: 갑만의 입장<br>B: 갑, 을의 공통 입장<br>C: 을만의 입장 |

## 11 ㉠의 질문에 대한 답변을 두 가지 이상 서술하시오.

성은 생물학적 신체 구조와 기능에 의해 결정되는 생물학적 성을 의미하기도 하고, 사회적·문화적으로 구성되는 남자다움과 여자다움을 나타내는 의미이기도 하다. 또한, 성은 성적 욕망과 관련된 심리나 행위 등을 포괄적으로 의미하기도 한다. 이중 윤리와 관련 깊은 것은 주로 욕망으로서의 성이다. 그렇다면 ㉠ 성은 우리 삶에서 어떤 가치가 있을까?

## 12 다음 마인드맵을 보고 물음에 답하시오.

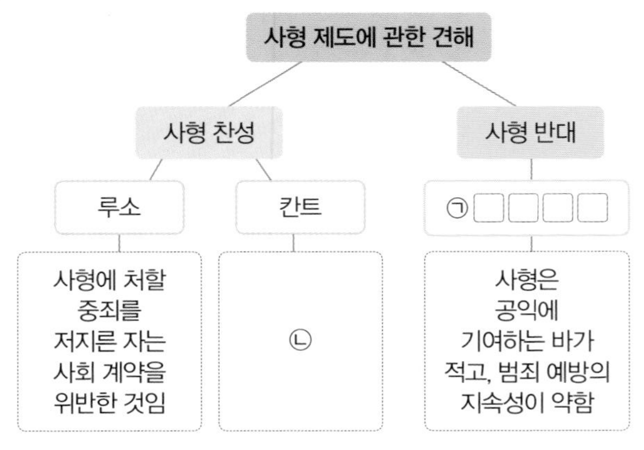


(1) ㉠에 들어갈 사상가의 이름을 쓰시오.

(2) ㉡에 들어갈 사형에 대한 칸트의 관점을 간략히 서술하시오.

**13** 다음 글을 읽고 물음에 답하시오.

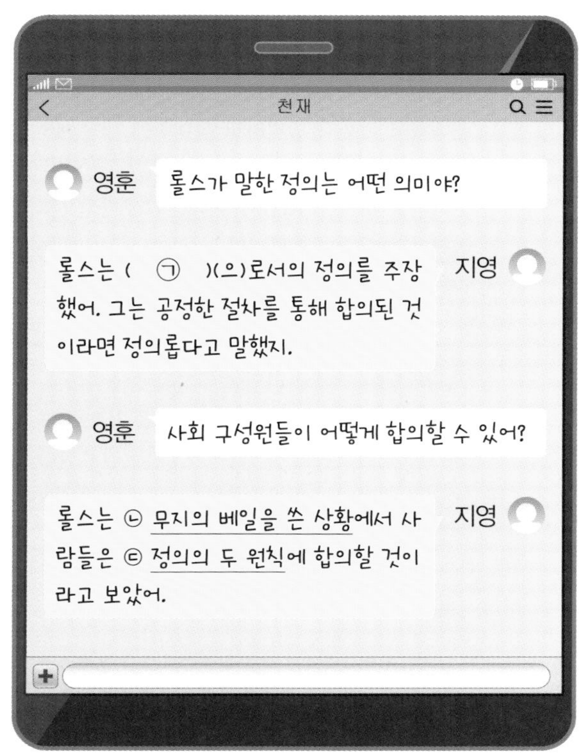


(1) ㉠에 들어갈 알맞은 말을 쓰시오.

(2) 롤스가 언급한 ㉡ '무지의 베일을 쓴 상황'의 의미를 서술하시오.

(3) 롤스가 주장한 ㉢ '정의의 두 원칙'을 서술하시오.

**14** ㉠을 지지하는 논거를 세 가지 이상 서술하시오.

> 사형이란 국가가 범죄자의 생명을 인위적으로 박탈한다는 점에서 생명형이라 하며, 가장 강력한 형벌이라는 점에서 극형이라고 한다. 이 때문에 사형을 폐지해야 한다는 주장도 있지만, ㉠ 사형을 존치해야 한다는 주장 또한 여전히 강력하다.

**15** 시민 불복종에 대한 다양한 의견을 나타낸 자료를 보고 물음에 답하시오.

| | |
|---|---|
| ㉠ | 헌법을 넘어선 개인의 양심이 저항의 최종 판단 근거임 |
| ㉡ | 사회적 다수의 정의관이 저항의 기준이 되어야 함 |
| ㉢ | 헌법 정신에 위배된 법률에 대해서 시민은 저항할 수 있음 |

(1) ㉠~㉢에 해당하는 사상가의 이름을 쓰시오.

(2) ㉡ 사상가가 주장한 시민 불복종의 정당화 조건을 두 가지 이상 서술하시오.

6일

# 7일 학교 시험 기본 테스트 1회

**1** 이론 윤리학과 실천 윤리학에 관한 설명으로 가장 적절한 것은?

① 실천 윤리학은 도덕적 언어의 의미 분석에 주안점을 둔다.
② 실천 윤리학의 분야로는 생명 윤리, 환경 윤리, 정보 윤리 등이 있다.
③ 이론 윤리학은 실천 윤리학에 비해 구체적 상황에서 현실적 해결책을 제시한다.
④ 이론 윤리학과 실천 윤리학은 윤리학에 대한 회의를 불러일으켰다는 비판을 받는다.
⑤ 실천 윤리학은 이론 윤리학에 비해 인간의 행위를 평가하는 규범적 근거의 탐구를 중시한다.

**2** ㉠에 들어갈 알맞은 말을 쓰시오.

> 윤리학은 탐구 방법에 따라 여러 가지로 구분된다. 그 중 (　　㉠　　)은/는 도덕 언어의 의미를 분석하고 도덕적 추론의 타당성 입증을 주된 목표로 하는 윤리학이다.

(　　　　　　)

**3** 다음 중 칸트의 주장을 〈보기〉에서 고른 것은?

> 보기
> ㄱ. 인간을 수단이 아닌 목적으로 대우해야 한다.
> ㄴ. 정신적 쾌락이 질적으로 더욱 수준 높은 즐거움이다.
> ㄷ. 도덕은 행위의 결과와 상관없이 무조건 따라야 한다.
> ㄹ. 사회의 행복을 증진하는 '최대 다수의 최대 행복'이 도덕과 입법의 원리이다.

① ㄱ, ㄴ　② ㄱ, ㄷ　③ ㄴ, ㄷ
④ ㄴ, ㄹ　⑤ ㄷ, ㄹ

**4** 다음의 주장을 한 사상가에 관한 옳은 설명을 〈보기〉에서 고른 것은?

> 객관적이고 합리적인 이성을 통하여 추상적 도덕 원리를 이해하고 따른다 할지라도 상대방에 대한 배려와 공감이 없다면, 우리는 다른 사람과 바람직한 인간관계를 맺기 어려울 것이다. 개인의 권리를 보호하고 사회 정의를 실현하는 것도 중요하지만, 서로 아끼고 따뜻한 인간관계를 맺는 것도 중요하다.

> 보기
> ㄱ. 보편타당한 도덕 원리의 절대성을 강조한다.
> ㄴ. 구체적인 현실에서 배려의 상호성을 강조한다.
> ㄷ. 과도함과 부족함의 양 극단을 악으로 간주한다.
> ㄹ. 윤리적 관계의 범위를 낯선 타인에게도 적용한다.

① ㄱ, ㄴ　② ㄱ, ㄷ　③ ㄴ, ㄷ
④ ㄴ, ㄹ　⑤ ㄷ, ㄹ

**5** 다음 대화에서 을이 내린 도덕 판단의 적절성을 검토하기 위해 갑이 사용한 방법으로 가장 적절한 것은?

> 갑: 내일은 국회 의원 선거일인데 투표해야지요?
> 을: 친구들과 놀러 가려고 해요. 나 한 사람 투표 안 한다고 영향이 있겠어요?
> 갑: 모두가 당신처럼 생각하고 투표를 안 하면 어떻게 되겠어요?

① 사실 근거의 진위를 분석하고 있다.
② 원리 근거에 맞지 않는 반증 사례를 제시하고 있다.
③ 상위의 도덕 원리로 하위의 도덕 원리를 검증하고 있다.
④ 사실과 의견을 명확히 구분하여 사용했는지 확인하고 있다.
⑤ 도덕 원리를 모든 사람에게 적용해 보는 보편화 결과 검사를 실시하고 있다.

정답과 해설 76쪽

**6** 다음은 도덕적 추론 과정이다. A에 들어갈 도덕 원리로 가장 적절한 것은?

> • 도덕 원리: ______A______
> • 사실 판단: 감시 카메라를 많이 설치하면 개인의 사생활을 침해한다.
> • 도덕 판단: 감시 카메라를 많이 설치하는 것은 옳지 않다.

① 개인의 사생활을 침해하는 것은 옳지 않다.
② 감시 카메라 설치는 범죄 예방에 효과가 있다.
③ 감시 카메라를 설치하려면 개인의 동의가 필요하다.
④ 개인의 사생활 보호는 헌법에서 보장하는 권리이다.
⑤ 개인의 사생활 보호는 범죄 예방을 위해 제한될 수 있다.

**7** 빈칸에 공통으로 들어갈 알맞은 말을 쓰시오.

> 동양의 유교에서는 신독(愼獨)을 요체로 하는 (　　　)의 수양 방법을 통해 도덕적 삶을 추구했다. (　　　)은/는 마음을 한 곳으로 모아 흐트러짐이 없게 하는 성찰 방법이다.

(　　　　　　)

**8** 다음 글에서 강조하는 내용으로 가장 적절한 것은?

> 나는 매일 세 가지로 나 자신을 반성한다. '남을 위해서 일을 하는 데 정성을 다하였는가?', '벗들과 함께 서로 사귀는 데 신의를 다하였는가?', '스승에게 배운 것을 익히고 실천했는가?'가 바로 그것이다.

① 윤리적 토론　② 윤리적 성찰
③ 윤리적 탐구　④ 비판적 사고
⑤ 합리적 사고

**9** 다음 사상가의 주장을 〈보기〉에서 고른 것은?

> 죽음은 사실 우리에게 왔을 때 아무것도 아니다. 우리가 살아 있는 한 죽음은 우리와 함께 있지 않은 것이며, 죽음이 왔을 때 이미 우리는 존재하지 않기 때문이다.

> 보기
> ㄱ. 죽음은 육체로부터 영혼이 해방되는 것이다.
> ㄴ. 죽음은 경험할 수 없으므로 두려워할 대상이 아니다.
> ㄷ. 인간은 죽음을 인식하는 존재라는 점에서 동물과 다르다.
> ㄹ. 불멸성에 대한 열망을 제거하면 유한한 삶을 즐겁게 살 수 있다.

① ㄱ, ㄴ　② ㄱ, ㄷ　③ ㄴ, ㄷ
④ ㄴ, ㄹ　⑤ ㄷ, ㄹ

**10** 다음 내용을 근거로 하여 제기할 수 있는 주장으로 가장 적절한 것은?

> • 배아는 단순한 세포 덩어리에 불과하다.
> • 배아는 실험이나 연구 대상이 될 수 있다.
> • 배아를 매매하는 행위 자체는 도덕적인 문제가 없다.

① 배아의 생명권은 존엄하게 존중받아야 한다.
② 배아는 인간이 될 수 있는 잠재적인 가능성을 가진다.
③ 배아 단계를 포함하여 인간의 발달 과정은 연속적이다.
④ 배아는 인간 개체가 될 가능성이 확정되지 않은 존재이다.
⑤ 배아가 성장하면 인간 존재와 동일한 유전 정보를 갖는다.

7일

**11** 인간 개체 복제에 대한 반대 논거로 적절하지 않은 것은?

① 인간이 도구로 전락할 수 있다.
② 인간 고유의 생식 기능을 침해할 수 있다.
③ 인간의 본질적인 존엄성을 훼손할 수 있다.
④ 우성 인류만이 지구상에 존재할 수 있는 권리가 있다.
⑤ 생명의 가치는 남녀 간의 사랑과 상호 의존으로 탄생하는 데 있다.

**12** 성과 사랑을 바라보는 관점에 대한 설명으로 가장 적절한 것은?

① 중도주의는 성과 사랑을 결혼과 결부시켜 판단한다.
② 보수주의적 입장에서는 성의 쾌락적 가치를 중시한다.
③ 중도주의는 성숙한 성인의 자발적인 선택을 중시하며, 청소년의 성관계는 금지한다.
④ 보수주의와 중도주의 모두 성과 사랑이 인격적 가치와 중요하게 관련된다고 본다.
⑤ 보수주의는 개인의 자발적인 동의가 성적 관계를 정당화하는 충분조건이라고 판단한다.

**13** 빈칸에 들어갈 말로 알맞은 것은?

> 광고, 영화, 공연 등에서 성적 이미지를 직간접적으로 이용하여 이윤을 추구하는 것을 (　　　　　)(이)라고 한다. 이는 인간의 성을 돈을 벌기 위한 수단으로 전락시킨다는 점에서 윤리적 문제가 될 수 있다.

① 성차별　② 성폭행　③ 성 역할
④ 성 상품화　⑤ 성적 자기 결정권

**14** 다음 글에서 이끌어 낼 수 있는 내용을 〈보기〉에서 고른 것은?

> 음양이 서로 합일하여 만물이 화육되고 번영되며, 남녀의 정기가 결합하여 만물이 화생한다. 양은 만물을 생산하는 원리요, 음은 만물을 완성하는 원리이다. 남녀의 결합을 통하여 자녀를 얻게 되는 것처럼 음양의 상호 보완을 통해 만물이 생성되는 것이다.

보기

ㄱ. 남녀의 실질적 역할은 고정불변하다.
ㄴ. 남녀는 서로의 인격을 존중해야 한다.
ㄷ. 여성은 남성의 의사에 복종해야 한다.
ㄹ. 남성과 여성은 상호 의존적인 관계이다.

① ㄱ, ㄴ　② ㄱ, ㄷ　③ ㄴ, ㄷ
④ ㄴ, ㄹ　⑤ ㄷ, ㄹ

**15** 다음 중 직업윤리의 일반성에 관한 설명으로 옳지 않은 것은?

① 각각의 직업 특성에 맞는 특수한 행동 규범이다.
② 모든 직업에서 공통적으로 지켜야 하는 윤리적 규범이다.
③ 인간에게 보편적으로 요구되는 윤리와 상당 부분 중첩된다.
④ 소명 의식, 사회적 책임, 전문성 신장, 인간애와 연대 의식 등을 포함한다.
⑤ 인간관계의 도리와 질서를 의미하는 윤리가 직업의 세계에도 통용됨을 보여 준다.

정답과 해설 76쪽

**16** 공직자의 바람직한 자세에 대한 설명으로 가장 적절한 것은?

① 공직자의 권한은 국민으로부터 위임된 것임을 인식해야 한다.
② 공직이 부와 명예를 획득하기 위한 효과적 수단임을 깨달아야 한다.
③ 법이나 정책을 결정하고 집행하는 권한을 사익 증진을 위해 사용해야 한다.
④ 업무 수행에서 업적이나 성과를 내기 위한 효율성을 최우선의 가치로 삼아야 한다.
⑤ 공직자는 일반 국민보다 더욱 많은 권한을 행사할 수 있으므로 우월감을 지녀야 한다.

**17** 롤스의 정의관에 대한 설명으로 옳은 것만을 〈보기〉에서 있는 대로 고른 것은?

보기
ㄱ. 다수를 위한 소수의 희생은 불가피하다.
ㄴ. 자유주의와 평등주의를 조화시키며, 복지 국가의 이념적 토대를 제공한다.
ㄷ. 불평등은 최소 수혜자에게 최대의 이익을 주는 경우에만 정당화될 수 있다.
ㄹ. 절차가 공정하다면 그것을 제대로 따른 후 발생한 결과도 공정한 것으로 간주한다.

① ㄱ, ㄴ ② ㄴ, ㄷ ③ ㄷ, ㄹ
④ ㄱ, ㄷ, ㄹ ⑤ ㄴ, ㄷ, ㄹ

**18** 칸트가 제시한 공정한 처벌의 조건을 〈보기〉에서 고른 것은?

보기
ㄱ. 범죄의 심각성에 비례해서 집행해야 한다.
ㄴ. 범죄 예방이나 교화에 도움이 되어야 한다.
ㄷ. 단지 범죄를 저질렀기 때문에 내려져야 한다.
ㄹ. 가능한 한 무겁게 부과되어 경각심을 일으켜야 한다.

① ㄱ, ㄴ ② ㄱ, ㄷ ③ ㄴ, ㄷ
④ ㄴ, ㄹ ⑤ ㄷ, ㄹ

**19** 다음은 수행 평가 문제와 학생 답안이다. ㉠~㉤ 중 옳지 않은 것은?

• 문제: 사형 제도에 대한 찬성과 반대 입장의 근거를 각각 서술하시오.
• 학생 답안
사형 제도를 찬성하는 입장에서는 ㉠ 사람들에게 죽음의 공포를 줌으로써 범죄를 예방할 수 있고, ㉡ 사회 공공의 안녕과 질서를 유지할 수 있다고 본다. 또한, ㉢ 형벌의 목적은 범죄자에 대한 교화이지 처벌에 두어서는 안 된다는 근거를 제시한다. 반면, 사형 제도를 반대하는 입장에서는 ㉣ 법관도 사람이기 때문에 잘못된 판결을 내릴 가능성이 있고, ㉤ 사형 제도는 인간의 생명권과 존엄권을 침해하며, 사형 제도를 폐지하는 것은 세계적인 추세라는 근거를 제시한다.

① ㉠ ② ㉡ ③ ㉢ ④ ㉣ ⑤ ㉤

**20** 다음은 시민 불복종과 관련된 여러 학자들의 견해이다. (가)~(라)에 해당하는 학자를 바르게 연결한 것은?

(가): 헌법을 넘어선 개인의 양심이 저항 판단의 최종 근거이다.
(나): 개인적 양심이 아니라 사회적 다수의 정의관이 저항의 기준이다.
(다): 시민 불복종이 산출한 이익과 손해, 성공 가능성을 고려하는 공리주의적 계산을 거쳐야 한다.
(라): 헌법 재판소가 합헌 판결을 내린 경우에도 헌법 정신에 비추어 의심스러운 법률이라면 저항할 권리가 있다.

| | (가) | (나) | (다) | (라) |
|---|---|---|---|---|
| ① | 소로 | 롤스 | 싱어 | 드워킨 |
| ② | 소로 | 싱어 | 롤스 | 드워킨 |
| ③ | 싱어 | 롤스 | 드워킨 | 소로 |
| ④ | 롤스 | 싱어 | 소로 | 드워킨 |
| ⑤ | 드워킨 | 롤스 | 소로 | 싱어 |

7일

# 7일 학교 시험 기본 테스트 2회

**1** 다음과 같은 상황에서 필요한 실천 윤리의 특징만을 〈보기〉에서 있는 대로 고른 것은?

> 갑: 가상 공간에만 들어오면 완전히 다른 사람이 된 것 같아.
> 을: 사이버 공간에서는 내가 누군지 알지 못할 테니, 거짓말을 해도 되겠지?

**보기**

ㄱ. 현실적인 문제 해결을 위한 구체적 실천 방안을 제시한다.
ㄴ. 정보 통신 기술과 관련된 전문 지식을 바탕으로 해야 한다.
ㄷ. 도덕적 언어의 논리적 타당성과 의미를 분석하는 것이 가장 중요하다.
ㄹ. 우리가 어떻게 행동해야 하는가에 대한 보편적 원리 탐구를 바탕으로 한다.

① ㄱ, ㄴ ② ㄱ, ㄹ ③ ㄴ, ㄹ
④ ㄱ, ㄴ, ㄹ ⑤ ㄴ, ㄷ, ㄹ

**2** 밑줄 친 '이론 윤리'에 해당하는 내용만을 〈보기〉에서 고른 것은?

> 우리가 현실에서 윤리 문제를 접할 때, 윤리 이론이 없거나 적용해야 할 도덕 원칙이 존재하지 않는다면, 무엇을 적용하는 것 자체가 불가능할 것이다. 이런 의미에서 실천 윤리는 <u>이론 윤리</u>에 토대를 두고 있다.

**보기**

ㄱ. 도덕적 행위에 대한 이론적 분석을 목적으로 한다.
ㄴ. 행위의 옳고 그름에 대한 규범적 근거를 제시한다.
ㄷ. 도덕 현상을 연구하는 사실 과학적 성격이 강하다.
ㄹ. 삶에서 발생하는 구체적인 문제 해결에 주된 관심이 있다.

① ㄱ, ㄴ ② ㄱ, ㄷ ③ ㄴ, ㄷ
④ ㄴ, ㄹ ⑤ ㄷ, ㄹ

**3** 밀이 주장한 공리주의 이론에 관한 설명으로 가장 적절한 것은?

① 개인의 행복만을 중시하였다.
② 쾌락과 고통의 크기를 측정하였다.
③ 행위의 결과보다는 동기를 강조하였다.
④ 쾌락의 질적 차이를 고려해야 한다고 주장하였다.
⑤ 쾌락의 결과가 도덕적 의무와 동일해야 한다고 보았다.

**4** 다음 사상에서 강조하는 바람직한 삶의 태도로 가장 적절한 것은?

> 도(道)와 가까운 존재가 되고 싶다면 낮은 곳을 향해 흐르는 물처럼 살아야 한다. 물은 온갖 것을 섬길 뿐 그것들과 다투는 일이 없고, 다툼이 없으니 나무람을 받는 일도 없다.

① 항상 신독과 거경의 자세를 유지한다.
② 언제나 보편타당한 도덕적 원리를 실천한다.
③ 무욕과 중도의 삶을 살아가기 위해 집착을 버린다.
④ 선천적 본성을 회복하고 예(禮)에 따르는 삶을 추구한다.
⑤ 인위적인 것에서 벗어나 소박하고 순수한 삶의 자세를 지닌다.

**5** 불교에서 강조하는 수양 방법으로 옳은 것을 〈보기〉에서 고른 것은?

**보기**

ㄱ. 신독(愼獨)의 자세를 통해 사물의 이치를 궁구한다.
ㄴ. 고통의 원인이 집착과 욕망에 있다는 사실을 깨닫는다.
ㄷ. 연기성(緣起性)을 깨닫고 중생 구제와 자비를 실천한다.
ㄹ. 좌망(坐忘)과 심재(心齋)를 통해 대자연의 원리와 하나가 된다.

① ㄱ, ㄴ ② ㄱ, ㄷ ③ ㄴ, ㄷ
④ ㄴ, ㄹ ⑤ ㄷ, ㄹ

정답과 해설 78쪽

**6** 다음 대화에서 갑이 내린 도덕 판단의 적절성을 검토하기 위해 을이 사용한 방법으로 가장 적절한 것은?

> 갑: 내일 모둠 발표 준비 회의를 하는데, 너무 귀찮아. 여러 명이 모이니까 나 하나쯤 빠져도 괜찮겠지?
> 을: 다른 친구들이 너처럼 행동한다면 어떻게 되겠니?

① 원리 근거에 어긋나는 반증 사례를 제시한다.
② 도덕 판단에 사용된 사실 근거의 진위를 분석한다.
③ 사회에서 받아들여지는 권위 혹은 권위자의 의견과 같은지 검토한다.
④ 도덕적 추론 과정에서 전제와 결론에 논리적 오류가 있는지 검토한다.
⑤ 도덕 원리를 유사한 상황에 있는 모든 행위자에게 보편적으로 적용할 수 있는지 그 결과를 예상한다.

**7** 밑줄 친 '이것'이 가리키는 말을 쓰시오.

> 동양의 유교 윤리에서는 이것의 수양 방법을 통하여 자신의 삶과 행동을 성찰함으로써 도덕적 삶을 살 수 있고, 도덕적 인간이 될 수 있음을 강조한다. 이것은 마음을 한 곳으로 모아 흐트러짐이 없게 하는 성찰 방법이다.

( )

**8** 다음 글에서 추론할 수 있는 출생의 윤리적 의미로 가장 적절한 것은?

> 생명의 유한성을 자각하는 존재인 인간은 영원불멸에 대한 소망을 자식을 통해 실현하고자 한다. 자식을 낳음으로써 자신이 죽더라도 그것으로 삶이 끝나는 게 아니라는 생각을 하는 것이다.

① 자식은 부모로부터 독립된 자아이다.
② 자녀를 낳는 일은 가통을 계승하는 일이다.
③ 자녀는 출생과 동시에 하나의 인격 주체로 살아간다.
④ 출산은 부모에 대한 효를 완성하는 것으로 간주한다.
⑤ 부모는 출산 후 성별에 따라 자녀를 차등적으로 대우한다.

**9** 다음 글을 통해 이끌어 낼 수 있는 죽음관으로 가장 적절한 것은?

> 인간은 본시 생명이 없었다. 생명은 고사하고 형체도 없었고, 기조차 없었다. 그저 망막하고 혼돈한 대도 속에 섞여 있던 것이 변해서 기가 되고, 기가 변해서 형체가 되고, 형체가 변해서 생명이 되었다. 그리고 그것이 변해서 죽음이 된 것이다.

① 죽음은 불안과 공포의 대상이다.
② 죽음은 자연스러운 일일 뿐이다.
③ 죽음은 열반(涅槃)의 깨달음을 얻는 것이다.
④ 죽음보다는 현실의 도덕적인 삶이 중요하다.
⑤ 죽음은 쾌락의 구속으로부터 벗어나는 것이다.

**10** 갑, 을에 대한 설명으로 가장 적절한 것은?

> 갑: 인간에게 죽음이란 뇌의 기능뿐만 아니라, 심장이 완전히 정지되었을 때를 말하는 것이다. 뇌의 기능이 손상되었다는 이유로 죽음을 판정하는 것은 윤리적으로 옳지 않다.
> 을: 일반적으로 심장의 기능은 유지된다 하더라도 대뇌, 소뇌, 뇌간 등 뇌의 모든 기능이 정지된 상태라면 그 사람은 진정한 인간다운 모습을 구현할 수 없으므로 죽은 존재이다.

① 갑은 죽음의 기준을 뇌 기능의 정지로 생각한다.
② 갑은 장기 이식을 통한 사회적 효용성에 주목한다.
③ 을은 인간의 의식적·이성적 가치를 중시한다.
④ 을은 죽음의 기준을 심장 기능의 정지로 보고 있다.
⑤ 갑과 을은 모두 생명에 대한 인간의 개입의 부당성을 강조한다.

**11** ㉠에 대해 찬성하는 입장의 근거로 가장 적절한 것은?

> ㉠ 유전자 조작 기술은 생명 공학 기술을 이용하여 특정 동식물의 유용한 유전자를 다른 동식물에 삽입하여 재조합하는 것을 말한다. 이러한 유전자 조작을 통해 만든 새로운 품종이나 작물을 유전자 변형 농산물(GMO)이라 한다.

① 생태계의 근본 질서를 파괴한다.
② 농산물의 안전성을 담보하기 어렵다.
③ 인류는 식량 부족의 문제에 직면할 것이다.
④ 생물의 상호성, 다양성 등이 파괴될 수 있다.
⑤ 소수의 다국적 기업이 기술을 독점할 수 있다.

**12** 다음과 같은 주장을 한 사상가의 이름을 쓰시오.

> 몇몇 포유류들은 믿음과 욕구, 지각과 기억, 미래에 대한 의식을 지니고 있으며 쾌락과 고통 등의 감정을 느낄 수 있다. 이러한 동물들은 삶의 주체로서 도덕적 권리를 가진다.

( )

**13** 프롬이 주장한 사랑과 성에 관한 옳은 설명만을 〈보기〉에서 고른 것은?

보기

ㄱ. 사랑은 보호와 책임의 속성을 포함한다.
ㄴ. 사랑의 감정과 성적 욕망은 항상 일치한다.
ㄷ. 사랑은 인간 사이의 인격적 교제를 가능하게 한다.
ㄹ. 성적 쾌락은 인간을 타락시키기 때문에 없애야 한다.

① ㄱ, ㄴ ② ㄱ, ㄷ ③ ㄴ, ㄷ
④ ㄴ, ㄹ ⑤ ㄷ, ㄹ

**14** 유교에서 강조하는 효(孝)에 대한 설명으로 가장 적절한 것은?

① 모든 덕의 근본으로 여긴다.
② 정조(貞操)와 신뢰를 중요시한다.
③ 정신적 공경보다는 물질적 봉양을 중시한다.
④ 음양론에 근거하여 윤리적 관계를 설명한다.
⑤ 이웃과 사회에 대한 배타적인 감정으로 변질된다.

**15** 전문직 윤리가 필요한 까닭을 〈보기〉에서 고른 것은?

보기

ㄱ. 전문직에 대한 국가의 법적 규제가 마련되어 있지 않기 때문이다.
ㄴ. 전문직 종사자는 전문적 지식과 정보를 이용하여 부당한 이익을 취할 수 있기 때문이다.
ㄷ. 전문직은 사회 공익적 성격을 띠며, 종사자들에게 높은 사회적 책임감을 요구하기 때문이다.
ㄹ. 전문직은 국가 기관이나 정부의 예산에 의하여 운영되는 공공 단체의 일을 맡아보는 직종이기 때문이다.

① ㄱ, ㄴ ② ㄱ, ㄷ ③ ㄴ, ㄷ
④ ㄴ, ㄹ ⑤ ㄷ, ㄹ

**16** 다음과 같은 주장을 한 학자는?

> 각 개인은 자신의 소유에 대한 완전한 권리를 지니고 있다. 국가는 재화의 분배를 개인에게 전적으로 위임해야 하며 거래자의 안전 보장, 부정한 계약에 대한 감시 등과 같은 최소한의 임무만을 수행해야 한다.

① 노직 ② 롤스 ③ 소로
④ 칸트 ⑤ 베카리아

정답과 해설 78쪽

**17** 처벌의 목적에 대한 공리주의적 입장에 해당하는 것에만 '✓' 표시를 한 학생은?

| 관점 | 갑 | 을 | 병 | 정 | 무 |
|---|---|---|---|---|---|
| 처벌은 범죄 예방 및 범죄자의 사회 복귀에 이바지해야 한다. | ✓ | | ✓ | | |
| 처벌로 얻는 선한 결과가 처벌로 인해 발생하는 악보다 커야 한다. | ✓ | ✓ | | ✓ | |
| 처벌은 다른 사람에게 해를 끼친 사람에게 가하는 정당한 보복이어야 한다. | | | ✓ | ✓ | ✓ |
| 처벌은 이성적 존재인 인간이 자신의 잘못에 책임을 지는 행위로 받아들여야 한다. | | ✓ | | | ✓ |

① 갑 ② 을 ③ 병 ④ 정 ⑤ 무

**18** (가)의 관점에서 (나)의 밑줄 친 '이 제도'에 대해 내릴 수 있는 판단으로 가장 적절한 것은?

> (가) 정의의 저울 눈금은 어느 한 편으로 치우치면 안 된다. 다른 사람을 괴롭히면, 자신도 그만큼 괴롭힘을 당해야 한다. 다른 사람을 때리면, 자신도 그만큼 맞아야 한다.
> (나) 이 제도는 범죄자의 생명을 박탈하여 그 사회에서 영구히 제거하고자 하는 제도이다. 근대 이후 여러 관점에서 제한이나 폐지에 대한 논의가 전개되었다.

① 경제적 부담이 큰 종신형 제도에 대한 대안으로 유지되어야 한다.
② 공동선이 개인의 권리보다 우선하므로 사회 상황 등을 고려할 때 유지되어야 한다.
③ 타인의 인간 존엄성을 훼손한 범죄를 응보적으로 처벌하기 위해서 유지되어야 한다.
④ 오판의 가능성이 있으며, 한번 집행이 되면 원상회복이 불가능하므로 폐지되어야 한다.
⑤ 정치적 반대 세력, 소수 민족·종족·종교 및 소외 집단에 대한 탄압 도구로 악용될 수 있으므로 폐지되어야 한다.

**19** 다음 수업 시간의 대화에서 교사의 질문에 바르게 답한 학생만을 있는 대로 고른 것은?

> 교사: 부패가 사회에 만연하게 되면 어떤 문제점이 발생할까요?
> 갑: 사회 구성원 간의 신뢰와 소통을 방해합니다.
> 을: 사회적 비용이 낭비되어 비효율을 증가시킵니다.
> 병: 국가 신인도 하락과 국가 경쟁력 저하를 일으킵니다.
> 정: 연고주의나 정실주의와 같은 사회적 미덕이 약화됩니다.

① 갑, 을 ② 갑, 정 ③ 병, 정
④ 갑, 을, 병 ⑤ 갑, 을, 병, 정

**20** 다음 (가), (나)의 관점에 대한 설명으로 옳은 것만을 〈보기〉에서 있는 대로 고른 것은?

> (가) 국가는 합법적 권위와 물리력을 독점하고 있다. 모든 국민은 법률 자체의 합법성과 그것을 집행하는 정부의 권위에 복종할 의무를 지닌다.
> (나) 법률 중에는 도덕과 무관한 법률도 존재하고, 심지어 비도덕적인 법률도 있다. 따라서 모든 시민이 모든 법률에 대하여 복종만 하는 사회가 도덕적으로 바람직하다고 말할 수는 없다.

보기
ㄱ. (가)는 시민의 준법정신을 강조한다.
ㄴ. (가)는 법률과 국가 정책에 대한 복종을 주장한다.
ㄷ. (나)는 국가의 법에 맹목적으로 따르고자 한다.
ㄹ. (나)는 잘못된 법률이나 정의롭지 못한 정책을 바로잡고자 한다.

① ㄱ, ㄴ ② ㄱ, ㄷ ③ ㄷ, ㄹ
④ ㄱ, ㄴ, ㄹ ⑤ ㄴ, ㄷ, ㄹ

Memo

7일 끝!

## 활용 안내

- 정답 박스로 빠르게 정답 확인하기!
- 정답과 오답의 이유, 한 번 더 짚고 넘어가기!
- 서술형 답안의 평가 요소는 직접 체크해 보며, 주관식 문제 꼼꼼히 대비하기!

# 7일 끝! 정답과 해설

## 1일 기초 확인 문제 9~11쪽

**1** (1) O (2) O **2** (1) ㉡ (2) ㉠ (3) ㉢ (4) ㉣ **3** 실천 윤리학
**4** (1) 이론 윤리학 (2) 활용 (3) 메타 **5** (1) ㄴ (2) ㄷ (3) ㄱ
**6** (1) 성인 (2) 자비 (3) 질적 (4) 담론 **7** (1) ㄹ (2) ㄷ (3) ㄱ (4) ㄴ
**8** (1) X (2) X (3) O **9** (1) 보살 (2) 도덕적 의무 (3) 사회 계약
**10** (1) ㉡ (2) ㉠ (3) ㉢

## 1일 내신 기출 베스트 12~13쪽

**1** ② **2** ③ **3** ③ **4** ④ **5** ④ **6** ② **7** ③ **8** ①

**1 인간의 삶과 윤리 문제**

윤리는 인간이 좋은 삶을 살아가기 위해 반드시 지켜야 할 행위의 원칙이다. 윤리 문제를 해결하려면 상황의 유형, 각 입장의 차이점 등을 분석해야 한다. 윤리 문제는 선과 악처럼 명백히 알 수 없는 경우가 많다.

**2 다양한 실천 윤리 분야**

실천 윤리는 새로운 윤리 문제의 등장과 함께 환경 윤리, 생명 윤리, 정보 윤리, 사회 윤리, 문화 윤리, 평화 윤리 등으로 그 영역을 넓혀 가고 있으며, 앞으로 사회적 변화와 요구에 따라 실천 윤리의 분야는 더욱더 늘어날 것이다. '인터넷에서 표현의 자유를 어디까지 허용해야 하는가?'는 정보 윤리, '다수의 성적 취향과 다른 성 소수자의 인권을 어떻게 보아야 하는가?'는 성 윤리, '문화의 다양성을 존중하는 것과 보편 윤리를 인정하는 것은 양립 가능한가?'는 문화 윤리와 관련된 윤리적 쟁점이다.

오답 피하기

ㄹ. 생명 윤리는 의료 기술의 발달로 생겨난 인공 임신 중절이나 안락사와 같은 출생과 죽음의 윤리 문제, 생명 공학 기술의 발달로 생겨난 유전자 조작, 동식물 복제, 인간 복제 문제 등과 관계된다.

더 알아보기 + 다양한 실천 윤리 분야와 윤리 문제

| | |
|---|---|
| 정보 윤리 | 인터넷의 대중화 및 누리 소통망의 발달로 발생한 문제 |
| 문화 윤리 | 의식주, 예술, 종교 등 인간의 문화적 행위와 관련된 문제 |
| 사회 윤리 | 개인과 공동체의 공존, 시민의 행복과 복지 증진을 위한 문제 |
| 생명 윤리 | 생명 의료 기술과 생명 공학 기술의 발달로 인한 출생과 죽음, 생명의 존엄성에 관한 문제 |

**3 실천 윤리의 필요성**

제시된 사례는 현대 사회의 다양하고 복잡한 윤리적 문제 상황을 보여 준다. 이는 실천 윤리가 필요한 구체적인 까닭이다. 시대의 변화에 따라 정치·경제·사회·문화 등 다양한 영역에서 나타나는 새로운 윤리 문제에 대한 해결책이 요청되고 있다. 가족 윤리 문제, 성 윤리 문제 등을 전통 윤리의 틀만으로는 해결하기 어려워지면서, 새로운 가치관과 도덕 원칙이 필요해진 것이다. 이러한 필요에 따라, 구체적인 윤리 문제에 대해 적절한 실천 윤리 이론을 적용하게 되었다.

**4 이론 윤리학과 실천 윤리학의 특징**

실천 윤리학은 이론 윤리학을 토대로 현실에 적용할 수 있는 실천적 규범과 원칙을 연구하고 그 규범과 원칙을 구체적인 삶의 문제에 적용한다. 이론 윤리학은 어떤 원리가 행위를 위한 근본 원리로 성립할 수 있는지 연구하며, 윤리 이론을 정립하고 도덕 판단의 기준을 명확히 하려고 노력한다. 실천 윤리학은 삶의 각 영역에서 제기되는 다양한 윤리 문제를 해결하는 것을 목표로 삼는다. 실천 윤리학은 이론 윤리학에서 제시된 다양한 윤리 이론을 토대로 적절한 윤리적 판단 기준을 적용한다.

오답 피하기

ㄴ. 도덕적 언어의 의미 분석에 주된 관심이 있는 것은 메타 윤리학이다.

**5 유교 윤리의 특징**

유교에서는 인간은 도덕성을 지닌 존재이지만, 지나친 욕구로 잘못된 행동을 할 수 있으므로 도덕성을 유지하기 위한 수양이 필요하다고 본다.

더 알아보기 + 유교의 윤리

| | |
|---|---|
| 도덕성 | 인간을 도덕적 존재로 인식하고 도덕적인 행위를 실천하는 삶을 강조 |
| 인(仁) | • 의미: 진정한 인간다움, 타인에 대한 사랑<br>• 실천: ① 충(忠) – 자신에 대한 성실<br>② 서(恕) – 내 마음을 미루어 타인을 배려함 |
| 극기복례 | 인간은 도덕적 존재이지만 욕구로 인해 잘못을 저지를 수 있음 → 지나친 욕구를 극복하고 예를 회복해야 함 |
| 성인 | 수양을 통해 도덕성을 확충하고 실천하는 이상적 인간 |
| 대동 사회 | 도덕과 예의로 백성들을 교화하며 백성들의 기본적 생활을 보장하는 가족 같은 도덕 공동체 |

**6 불교 사상**

(1)은 연기를 통해 생겨나는 사랑의 마음인 자비이고, (2)는 위로는 지혜를 구하고 아래로는 자비를 실천하는 대승 불교의 이상적 인간인 보살이다.

오답 피하기

진인은 도교에서 도를 깨달아 인위적인 것에서 벗어나 어린아이와 같은 소박함과 순수함을 가진 이상적 인간상이며, 성인은 유교에서 수양을 통해 도덕성을 확충하고 실천하는 이상적인 인간상이다.

자료 분석 +

(1) 모든 것이 상호 관계 속에서 존재한다는 것을 깨달으며 생기는 만물을 사랑하는 마음 → 자비
(2) 대승 불교의 이상적 인간상으로, 위로는 깨달음을 구하고 아래로는 중생을 구제하는 사람 → 보살

**7 칸트의 의무론**

제시문과 같은 주장을 한 사상가는 칸트이다. 칸트는 상황과 조건에 관계없이 무조건 따라야 하는 도덕 법칙을 준수할 것을 강조한다.

선택지 바로 보기

① 사회 전체의 행복을 가져오는 행위를 하라. (×)
→ 칸트는 결과보다 동기를 중시하므로 사회 전체의 행복보다는 어떤 동기로 도덕적 행위를 했는가가 더 중요함
② 행위의 동기보다 바람직한 결과를 중시하라. (×)
→ 결과는 상황에 따라 달라지는 것이므로, 변하지 않는 선의지에 따라 행동하는 것이 더 중요함
③ 상황과 관계없이 보편적 도덕 법칙을 준수하라. (○)
④ 도덕 법칙을 다른 목적을 위한 수단으로 삼아라. (×)
→ 칸트는 도덕 법칙은 다른 목적을 위한 수단이 될 수 없으며, 그 자체로 존중받아야 한다고 주장함
⑤ 좋은 결과를 가져오는 행위의 도덕적 가치를 인정하라. (×)
→ 칸트에게 좋은 결과를 가져오는 행위는 도덕적 가치가 없으며 오직 도덕 법칙을 따르려는 선한 의지에 따른 행위만이 도덕적 가치가 있음

**8 양적 공리주의와 질적 공리주의**

벤담은 쾌락을 산출하고 고통을 줄이는 행위가 바람직한 행위이며, 모든 쾌락에는 질적 차이가 없으므로 양적인 계산이 가능하다고 보았다.

오답 피하기

ㄷ. 쾌락의 양적 차이뿐만 아니라 질적 차이까지 고려하는 것은 밀의 입장이다. ㄹ. 벤담은 행위의 동기보다 결과를 더 중시한다.

더 알아보기 + 양적 공리주의와 질적 공리주의

| | |
|---|---|
| 양적 공리주의 (벤담) | • 모든 쾌락은 질적으로 동일함 → 쾌락의 양을 계산해 유용성을 측정할 수 있음<br>• 도덕적 행위: 유용성의 원리에 일치하는 행위 |
| 질적 공리주의 (밀) | • 모든 쾌락은 질적으로 동일하지 않음 → 쾌락의 양뿐만 아니라 질적인 차이도 중요<br>• 정상적인 인간은 누구나 질적으로 높고 고상한 쾌락 추구 |

## 2일 기초 확인 문제 17~19쪽

**1** (1) 도덕적 탐구 (2) 도덕적 추론 **2** ㉠ 사실 판단 ㉡ 도덕 판단 **3** 비판적 사고 **4** (1) ㉠ (2) ㉡ (3) ㉢ **5** (1) 도덕적 상상력 (2) 배려적 사고 **6** (1) O (2) X (3) O **7** 일일삼성 **8** (1) 거경 (2) 소크라테스 **9** 아리스토텔레스 **10** ㄷ

## 2일 내신 기출 베스트 20~21쪽

**1** ④ **2** ③ **3** ② **4** ⑤ **5** ⑤ **6** ① **7** ① **8** ④

**1 도덕적 탐구의 과정**

도덕적 탐구의 과정에서 '정당화 근거 제시'는 도덕 원리와 사실 판단을 들어 자신의 주장을 지지하는 것이다.

| 과정 | 특징 |
|---|---|
| 윤리적 쟁점 확인 | 윤리 문제가 발생하게 된 이유를 확인한다. 특히 관련된 사람들의 관계, 윤리 문제가 발생하게 된 이유 등을 확인한다. |
| 자료 수집 및 분석 | 관련된 자료를 풍부하게 수집하여 분석한다. 풍부한 자료 수집과 분석은 자신의 입장과 근거를 제시하는 데 도움이 된다. |
| 입장 채택 | 윤리적 쟁점에 대한 자신의 주장을 선택한다. |
| 정당화 근거 제시 | 도덕 원리와 사실 판단을 들어 자신의 주장을 지지한다. |
| 최선의 대안 도출 | 타인의 의견을 구하거나 토론의 과정을 거쳐서 최선의 대안을 도출한다. |

**2 도덕적 추론 과정**

㉠에 들어갈 적절한 말은 사실 판단이다. 사실 판단은 도덕 원리와 도덕 판단을 통해 도출할 수 있다. 주어진 도덕 원리와 도덕 판단을 통해 이끌어 낼 수 있는 사실 판단은 '태아를 죽이는 임신 중절은 무고한 인간을 죽이는 것이다.'이다.

더 알아보기 + 도덕적 추론 과정

도덕적 추론을 통한 도덕 판단

대전제 (도덕 원리) → 소전제 (사실 판단) → 결론 (도덕 판단)

**3 삼단 논법**

대전제는 '사회적 유용성을 낳는 행위는 바람직하다.'이고, 결론은 '뇌사 판정은 바람직하다.'이다. 따라서 대전제와 결론을 통해 유추할 수 있는 소전제의 내용은 '뇌사 판정은 사회적 유용성을 가져온다.'이다.

정답

## 4 반증 사례 검사

반증 사례 검사법은 도덕 원리가 적용되지 않는 사례는 없는지 검사하는 것이다.

오답 피하기

②는 포섭 검사, ④는 역할 교환 검사에 해당한다.

## 5 보편화 결과 검사

제시문의 갑은 자신의 이익을 위해 더 받은 돈을 돌려주지 않았다. 이에 대해 을은 '모든 사람이 더 받은 돈을 돌려주지 않는다면 어떻게 될까?'라는 명제를 통해 갑의 행위를 보편화했을 때 문제점이 없는지 검토할 수 있다. 보편화 결과 검사는 도덕 원리를 모든 사람에게 적용했을 때 나타나는 결과에 문제가 없는지 검사하는 것이다.

더 알아보기 + 도덕 원리 검사 방법

| | |
|---|---|
| 포섭 검사 | 도덕 원리를 보다 상위의 도덕 원리에 따라 판단 |
| 역할 교환 검사 | 도덕 원리를 자신에게 적용할 수 있는지 판단 |
| 반증 사례 검사 | 도덕 원리에 반대되는 사례가 없는지 판단 |
| 보편화 결과 검사 | 도덕 원리를 보편적으로 모든 사람에게 적용할 수 있는지 판단 |

## 6 소크라테스의 사상

제시문의 사상가는 소크라테스이다. 소크라테스는 재물과 명예보다는 정신의 훌륭함에 힘써야 하며, 이를 위해서는 반성하는 삶의 자세가 요구된다고 주장하였다.

## 7 유교의 윤리적 성찰 방법

유교에서는 윤리적 성찰을 하기 위한 자세로 마음을 한 곳으로 모아 흐트러짐이 없게 하는 '거경(居敬)', 매일 자신에게 세 가지의 물음을 던져 삶을 성찰해야 한다는 '일일삼성(一日三省)'을 강조한다.

## 8 공동체적 성찰 방식으로서의 토론

제시문의 사상가는 포퍼이다. 포퍼는 누구나 참여할 수 있는 토론을 통해 합리적인 시각으로 윤리 문제를 객관적으로 바라보게 되고, 자신의 의견을 검증할 수 있다고 본다.

더 알아보기 + 토론의 의미와 중요성

| | |
|---|---|
| 의미 | 상대방을 설득하거나 이해하고, 이를 바탕으로 문제의 해결책을 모색하는 활동 |
| 필요성 | • 인식과 판단에서의 오류 가능성 감소<br>• 당면한 윤리 문제에 대한 바람직한 해결 방안 모색<br>• 주관적 의견을 보편적인 앎의 형태로 만듦 |

# 3일 기초 확인 문제 25~27쪽

**1** (1) 출생 (2) 에피쿠로스 **2** (1) ㉣ (2) ㉠ (3) ㉢ (4) ㉡ **3** 윤회 **4** (1) 플라톤 (2) 찬성 (3) 뇌 **5** 반대론 **6** (1) O (2) X (3) O **7** 우생학 **8** (1) 제거 (2) 데카르트 **9** (1) ㄱ, ㄹ (2) ㄴ, ㄷ **10** (1) 인간 (2) 고통 (3) 목적

# 3일 내신 기출 베스트 28~29쪽

**1** ④ **2** ② **3** ② **4** ③ **5** ③ **6** ④ **7** ③ **8** ④

## 1 도교와 유교의 죽음관

(가)는 도교, (나)는 유교의 죽음관이다. 도교에서는 삶과 죽음을 기가 모이고 흩어지는 현상으로 인식하며 삶과 죽음을 구별하거나 차별해서는 안 된다고 주장한다. 유교에서는 죽음보다는 현실의 삶을 중시하며, 도덕성을 위해서는 죽을 수도 있음을 강조한다.

선택지 바로 보기

① (가)는 삶과 죽음을 구별하며 삶의 가치를 중시한다. (×)
→ 도교에서는 삶은 기가 모이는 것이고, 죽음은 기가 흩어지는 현상일 뿐이므로 삶과 죽음을 구별하거나 차별해서는 안 된다고 봄
② (가)는 죽음을 인간이 겪는 가장 큰 행복이라고 본다. (×)
→ 도교에서는 죽음을 사계절의 변화와 같이 자연스러운 현상으로 받아들여야 한다고 봄
③ (나)는 현실의 도덕적 삶보다 사후의 세계를 중시한다. (×)
→ 유교에서는 죽음 이후의 세계보다 현실의 도덕적 삶을 더 중시함
④ (나)는 죽음보다 도덕성이 더 중요한 가치라고 인식한다. (○)
⑤ (가), (나)는 죽음이 또 다른 세계로 윤회하는 계기라고 본다. (×)
→ 죽음을 또 다른 세계로 윤회하는 계기로 보는 것은 불교의 입장임

자료 분석 +

(가) 사람의 삶은 기(氣)가 모이는 것이니, 모이면 삶이 되고 흩어지면 죽음이 된다.
→ 죽음은 자연스럽고 필연적인 과정이므로 죽음을 두려워하거나 걱정할 필요가 없음

(나) 삶도 잘 모르는데 어찌 죽음을 알겠는가. 어진 사람은 생명을 보존하기 위해서 인(仁)을 해치지 않으며, 몸을 죽여서라도 인을 이룬다.
→ 죽음에 관심을 가지기보다 현세의 도덕적인 삶에 충실할 것을 강조함

## 2 동서양의 죽음관

장자는 삶과 죽음을 사계절의 변화처럼 자연스러운 현상으로 보고, 인간이 개입할 수 없는 필연적인 과정이라고 보았다. 그는 삶은 기(氣)의 모임이고 죽음은 기의 흩어짐이라고 정의하며, 죽음을 걱정할 필요가 없다고 하였다.

## 3 인공 임신 중절에 관한 윤리적 쟁점

인공 임신 중절에 찬성하는 입장에서는 태아는 인간이 아니며, 태아의 생명권보다는 여성의 자율적 선택권을 우선한다. 반면, 인공 임신 중절에 반대하는 입장에서는 태아를 인간과 동일한 하나의 인간이라 보고 태아의 생명을 존중해야 한다고 주장한다.

## 4 뇌사에 관한 윤리적 쟁점

갑은 죽음의 기준으로 뇌사를 지지하는 입장, 을은 심폐사를 지지하는 입장이다. 갑은 인간의 고유한 기능을 유지하도록 하는 핵심 기관이 뇌이며, 뇌사 상태에서 생명을 연장하는 행위는 무의미하다고 본다. 또한 뇌사를 인정하면 장기 이식으로 의료 자원이 효율적으로 분배될 수 있다고 본다. 을은 인간의 존엄성을 존중하는 것은 심폐사이며 뇌가 정지되어도 심장은 기능을 하므로 뇌사를 허용해서는 안 된다고 본다. 갑, 을은 모두 죽음의 기준을 세우는 것이 중요하다고 본다.

## 5 인간 배아 복제에 관한 윤리적 쟁점

갑은 배아와 인간의 지위가 다르지 않다고 보고 배아 복제에 반대하는 입장이며, 을은 배아는 인간이 아닌 단순한 세포 덩어리이므로 인간의 질병 치료를 위해서 배아 복제는 허용되어야 한다는 입장이다. 따라서 갑은 을에게 인간의 행복 추구권보다 배아의 생명권이 더 중요하다고 비판할 수 있다.

**더 알아보기 +** 인간 배아 복제의 윤리적 쟁점

| 배아 복제 찬성 | 배아 복제 반대 |
| --- | --- |
| • 복제된 배아는 인간으로서의 도덕적 지위를 갖지 못함<br>• 배아 복제는 난치병 치료에 도움을 줄 수 있음 | • 복제된 배아는 인간과 동일한 유전자를 지니므로 인간으로 보아야 함<br>• 배아 연구는 인간의 존엄성을 훼손함 |

## 6 유전자 치료에 관한 윤리적 쟁점

제시문에서는 유전자 치료는 불가피한 경우에만 허용해야 하며, 치료법이 없는 질병과 같은 질병 치료 분야에서만 활용해야 함이 명시되어 있다.

**더 알아보기 +** 유전자 치료의 윤리적 쟁점

① 의미: 원하는 유전자를 세포 안에 넣어 새로운 형질을 발현하게 하여 이상 유전자를 대신하거나 유전자를 바꾸어 유전적 질병을 치료하는 것
② 유전자 치료의 찬반 논거

| 유전자 치료 찬성 | 유전자 치료 반대 |
| --- | --- |
| • 다음 세대의 질병 예방<br>• 유전 질환을 물려주지 않으려는 부모의 선택 존중<br>• 의학적 효용 가치가 높아 사회적인 유용성 증진 | • 유전자 치료로 인한 부작용<br>• 인간 성향을 개선하려는 우생학으로 확대될 가능성이 있음<br>• 인간의 유전적 다양성 상실이 우려됨 |

## 7 동물 실험에 관한 찬반 논란

제시문은 동물 실험에 반대하는 입장이다. 동물 실험을 반대하는 입장에서는 동물과 인간의 도덕적 지위는 다르지 않으며, 동물도 고통을 느끼는 존재이므로 도덕적으로 고려해야 한다고 본다.

**더 알아보기 +** 동물 실험 논쟁

| 동물 실험 옹호 | 동물 실험 반대 |
| --- | --- |
| • 동물 실험의 결과가 인간에게도 유효함<br>• 인체 실험의 위험 감소<br>• 대안적 실험의 한계 존재<br>• 인간의 건강 증진에 기여 | • 인간과 동물이 공유하는 질병이 적음<br>• 실험 결과의 적용으로 인간에게 부작용 발생<br>• 동물의 긍정적 이해 관심 무시<br>• 목적 불명의 불필요한 실험 시행<br>• 동물 실험자의 정서적 부작용 발생 |

## 8 동물의 권리에 관한 공리주의의 관점

제시문은 싱어의 주장을 나타낸다. 싱어는 공리주의적 관점에서 쾌고 감수 능력을 지닌 동물의 이익을 인간과 평등하게 고려해야 한다고 보았다. 그는 쾌고 감수 능력을 지닌 동물을 존중해야 한다고 보고, 인간뿐 아니라 동물도 도덕적 고려 대상으로 본다.

**오답 피하기**

ㄹ. 싱어는 의무론적 관점이 아닌 공리주의적 관점에서 동물의 이익 관심의 존중을 주장하므로 잘못된 주장이다.

# 4일 기초 확인 문제 33~35쪽

**1** (1) 보수주의 (2) 결혼 (3) 쾌락적 **2** (1) ㉠ (2) ㉣ (3) ㉡ (4) ㉢
**3** (1) O (2) X **4** (1) 성차별 (2) 자율적 (3) 성 상품화 **5** 평등
**6** (1) O (2) O (3) X **7** (1) 사회 분업 (2) 구원 **8** 마르크스
**9** ㄴ, ㄹ **10** (1) ㉡ (2) ㉢ (3) ㉠ (4) ㉣

# 4일 내신 기출 베스트 36~37쪽

1 ① 2 ② 3 ① 4 ③ 5 ④ 6 ② 7 ⑤ 8 ⑤

**1 프롬이 말하는 사랑의 의미**

제시문의 사상가는 프롬이다. 독일의 정신 분석학자이자, 인문주의 철학자인 프롬은 사랑은 받는 것이 아니라 주는 능동적 행위라 보고, 사랑은 타인의 요구에 대한 나의 반응을 나타내는 책임, 상대가 성장하고 발전하기를 바라는 마음인 존경 등의 공통적 요소를 포함한다고 주장한다. 프롬은 사랑에는 무엇보다 책임, 존경, 이해, 보호 등과 같은 인격적 가치가 내포되어야 한다고 주장하였다.

**2 사랑과 성을 바라보는 다양한 관점**

제시문은 성에 대한 보수주의의 입장이다. 보수주의적 입장에서는 성은 상호 간의 사랑을 전제로 이루어져야 하며, 결혼과 출산을 중심으로 하는 성만이 정당하다고 본다. 이와 다르게 성에 대한 자유주의적 입장에서는 성이 그 자체로 쾌락을 가져다주고 쾌락은 그 자체로 추구할 만한 목적을 지니고 있다고 본다. 그래서 사랑과 성을 결부하여 성적 자유를 제한하는 것은 옳지 않다고 주장한다.

더 알아보기 + **사랑과 성에 대한 다양한 입장**

| | |
|---|---|
| 보수주의 | 결혼이라는 합법적 제도 안에서 출산, 양육에 대한 책임을 질 수 있는 성을 추구 → 성은 개인적 영역인 동시에 사회 안정, 질서 유지와 밀접한 관련 |
| 중도주의 | 인간의 고유한 인격을 유지할 수 있도록 사랑과 결합된 성을 추구 → 결혼과 결부되지 않아도 사랑을 동반한 성적 관계는 허용 |
| 자유주의 | 성숙한 사람들의 상호 동의를 전제로 타인에게 해를 끼치지 않는 성을 추구 → 결혼, 사랑과 결부되지 않아도 성적 관계는 정당화될 수 있음 |

**3 음양론**

제시된 전통 윤리 이론은 음양론이다. 음양론은 음양에 따라 만물이 생성하고 번영하듯 남녀도 상호 의존적이고 대등하게 조화를 이루는 존재라고 본다. 음과 양이 다르지만 서로에게 없어서는 안 되는 존재이듯이, 부부도 차이를 인정하되 각자의 역할에 최선을 다해야 하는 관계임을 뜻한다.

더 알아보기 + **부부간의 윤리**

| | |
|---|---|
| 음양론 | 음양은 서로 다르지만 서로 없어서는 안 될 존재이듯, 부부는 상호 보완적이며 대등한 관계 |
| 부부유별, 부부상경 | • 부부유별(夫婦有別): 부부간에는 해야 할 역할이 구분되어 있으므로 상호 존중해야 함<br>• 부부상경(夫婦相敬): 부부는 서로 공경하기를 손님같이 대해야 함 |

**4 가족 해체 현상을 극복하기 위한 노력**

제시문은 가족 해체 현상을 극복하기 위한 개인의 노력과 더불어 사회와 국가의 노력이 필요함을 강조하고 있다.

오답 피하기

ㄱ, ㄹ은 가족 해체 현상을 극복하기 위한 개인적 노력에 해당한다.

**5 맹자의 직업관**

대인과 소인의 일, 마음을 수고롭게 하는 사람과 몸을 수고롭게 하는 사람을 구별하는 내용에서 알 수 있듯이 맹자는 정신노동과 육체노동을 구분 짓고, 두 노동은 상보적 역할을 통해 사회의 안정적 질서 유지에 기여한다고 본다.

더 알아보기 + **동양 사상가들의 직업관**

| | |
|---|---|
| 맹자 | 일정한 생업(恒産)이 있어야 바른 마음(恒心)을 지닐 수 있음 |
| 순자 | 각자의 적성과 능력에 따라 직업을 맡아야 한다는 역할 분담론 주장 |
| 실학자 | 신분적 질서에서 벗어나, 사회 분업에 따라 직업을 직능적으로 파악 |

**6 마르크스의 직업관**

제시문의 사상가는 마르크스이다. 마르크스는 분업화된 노동으로 인해 소외 문제와 노동력 착취가 발생한다는 점을 지적하였고, 노동을 통해 자기 본질을 실현하는 인간 존재의 특성을 되찾아야 한다고 주장하였다. 또한 노동 소외 극복을 위해 자본주의 철폐를 주장하였다.

더 알아보기 + **노동으로부터의 소외(마르크스)**

자본주의 체제에서의 노동은 상품만을 생산하는 것이 아니라, 그러한 생산을 통하여 노동자를 하나의 상품으로 생산해 낸다. 더 많이 생산하는 노동자일수록 더 적게 소비할 수밖에 없다. 그런가 하면 노동자의 노동은 자발적인 것이 아니라 강제된 것이다. 즉, 노동자가 자기 자신에게 속하지 않고 타자에게 속한다는 것이다. 더 나아가 소외된 노동은 인간의 삶을 생활 수단으로만 간주함으로써 인간에게 고유한 자유로운 의식적 활동으로부터 인간을 소외시킨다. 소외된 노동은 결국 인간에 의한 인간의 소외를 일으킨다. – 마르크스, 『경제학 – 철학 수고』 –

**7 전문직 윤리의 필요성**

전문직은 고도의 교육과 훈련을 통해서 사회적으로 승인된 자격을 취득한 사람을 의미한다. 이들의 직무는 사회적 영향력이 크며, 일반인이 모르는 지식이나 정보를 이용하여 쉽게 부당한 이익을 취할 수 있으므로 높은 수준의 직업윤리가 요구된다.

더 알아보기 + **전문직 윤리와 공직자 윤리**

| | |
|---|---|
| 전문직 윤리 | 전문직은 고도의 전문적 교육을 거쳐서 일정한 자격 또는 면허를 취득해야만 종사할 수 있음 → 직업적 양심과 수준 높은 책임 의식이 요구됨 |
| 공직자 윤리 | 공직자는 국가 기관이나 정부의 예산에 의해 운영되는 공공 단체의 일을 맡아 보는 사람 → 청렴, 봉공, 봉사의 자세를 지녀야 함 |

**8 정약용의 청렴 사상**

제시문의 한국 사상가는 정약용이다. 정약용은 목민관의 자세에서 청렴이 중요함을 강조하였다. 정약용은 『목민심서』에서 관리들의 폐해를 지적하며 백성을 다스리는 바른 도리에 관해 설명한다. 그는 나라와 백성을 생각하는 관리는 무엇보다 자신의 사사로운 이익을 넘어서야 하며 청렴의 자세를 지녀야 한다고 말한다.

**더 알아보기 + 정약용의 '청렴'**

청렴은 목민관이 마땅히 지켜야 할 임무이며 모든 덕의 원천이다. 청렴은 천하에서 큰 장사(賈)이다. 그래서 포부가 큰 사람은 반드시 청렴하고자 한다. 청렴하지 못함은 지혜가 모자라기 때문이다. 청렴한 자는 청렴을 편안히 여기고 지혜로운 자는 이를 이롭게 여긴다. 그러므로 지혜로운 선비는 청렴을 몸과 마음의 보배로 삼는다. 청렴하지 않고서 수령 노릇을 제대로 한 사람은 지금까지 한 명도 없었다. 수령이 청렴하지 않으면 백성들이 그를 도적이라 욕하며 원성이 드높을 것이니, 부끄러운 일이다.

– 정약용, 『목민심서』 –

## 5일 기초 확인 문제 41~43쪽

**1** (1) 분배 (2) 절차 (3) 교정적 **2** (1) 차등 (2) 최소 (3) 동등성 **3** 노직 **4** (1) ○ (2) ○ (3) × **5** (1) ㉡ (2) ㉠ (3) ㉢ **6** (1) × (2) ○ **7** ㉠ 동의론 ㉡ 혜택론 **8** (1) ㄱ (2) ㄴ **9** (1) ㉠ (2) ㉡ (3) ㉢ **10** (1) 공개 (2) 처벌 (3) 최후의 (4) 사회 정의

## 5일 내신 기출 베스트 44~45쪽

**1** ④ **2** ④ **3** ④ **4** ④ **5** ④ **6** ⑤ **7** ⑤ **8** ④

**1 롤스의 정의론**

롤스는 개인의 기본적 자유는 복지를 위해 제한될 수 없으며, 사회 구조는 사회적 약자의 협력을 이끌 수 있는 공정한 질서가 요청된다고 본다. 또한 롤스는 절차의 공정성에 대해 논의하였고, 최소 수혜자에게 도움이 될 때 불평등이 정당화된다고 보았다.

**더 알아보기 + 롤스의 정의의 원칙**

| | |
|---|---|
| 제1원칙 | 모든 사람은 기본적 자유에 대하여 동등한 권리를 가져야 한다. |
| 제2원칙 | 사회적·경제적 불평등은 다음 두 조건을 만족하도록 조정되어야 한다.<br>첫째, 최소 수혜자에게 최대 이익이 되어야 한다.<br>둘째, 공정한 기회균등의 원칙에 따라 모든 사람에게 직책과 직위가 개방되어야 한다. |

**2 우대 정책에 관한 찬반 이론**

제시문은 여성 우대 정책에 반대하는 입장이다. 여성 우대 정책이 또 다른 차별(역차별)을 발생시킨다는 주장은 여성 우대 정책을 반대하는 입장이다.

**더 알아보기 + 소수자 우대 정책에 대한 찬반 입장**

| | |
|---|---|
| 찬성 근거 | • 과거 부당한 차별에 대한 교정과 보상<br>• 사회적 약자의 처지 개선 → 사회적 다양성과 공동선 실현<br>• 사회적 격차의 감소 |
| 반대 근거 | • 과거의 차별을 현세대에 보상하는 보상 대상에 대한 부적절함<br>• 사회적 약자의 자존감 손상<br>• 역차별로 인한 다수 집단의 분노 발생 |

**3 롤스와 노직의 정의관**

노직은 개인의 권리를 보호하고 존중하는 것을 정의라고 보았으며, 국가에 의한 재분배는 개인의 소유권을 침해하는 것으로서 부당하다고 주장하였다. 그는 국가의 기능은 개인이 가진 권리와 재산을 강도, 절도, 사기 등으로부터 보호하는 역할에 있다고 보고 최소 국가를 옹호하였다.

**4 사형에 관한 칸트의 입장**

제시문의 사상가는 응보론의 입장에서 사형에 찬성한 칸트이다. 칸트는 "시민 사회가 모든 구성원의 동의로써 해체될 때조차도 감옥에 있는 마지막 살인자는 반드시 처형되어야 한다."라고 말한다. 사형에 처하는 것은 동등성의 원리에 근거한 것으로, 누군가를 때리거나 살해하는 것은 자기 자신을 때리거나 살해하는 것과 동등하므로 사형을 규정한 형벌의 법칙은 일종의 정언 명령이다. 또한 칸트는 사형을 살인한 범죄자의 인격을 존중하는 것으로 보았다. 왜냐하면 사형은 자신의 자율적인 행위, 즉 스스로 저지른 살인에 대해 응분의 책임을 지우기 때문이다.

**더 알아보기 + 사형에 대한 다양한 입장**

| | |
|---|---|
| 칸트 | 사형제 존치: 사형은 동등성의 원리에 근거한 것이며, 사형은 살인한 범죄자의 인격을 존중하는 것임 |
| 루소 | 사형제 존치: 사회 계약에 따르면 계약자는 자신의 생명 보존을 위해 살인자의 사형에 동의한 것임 |
| 베카리아 | 사형제 폐지: 사형은 공익에 이바지하는 바가 적으며, 사형보다 종신 노역형이 사회 이익에 부합함 |

**5 아리스토텔레스가 말하는 국가 권위의 정당성**

제시문의 사상가는 아리스토텔레스이다. 아리스토텔레스는 국가는 인간 본성에 따라 성립되는 최고선으로서 권위를 누린다고 본다.

오답 피하기

ㄷ. 국가로부터 혜택을 누릴 때만 정치적 의무가 발생한다고 주장한 사람은 흄이다.

더 알아보기 + **국가 권위의 정당화 근거**

| | |
|---|---|
| 동의론 | 시민이 국가에 복종하기로 동의하였으므로 국가에 복종해야 함 |
| 혜택론 | 국가가 시민에게 여러 가지 혜택을 제공하므로 국가에 복종해야 함 |
| 본성론 (아리스토텔레스) | 국가는 인간 본성에 따라 성립되는 최고선이므로 권위를 지님 |
| 계약론 (홉스, 로크) | 자연 상태에서 제대로 보장받기 어려운 생명·재산·자유 등을 보장받고자 계약을 통해 국가를 수립 → 동의론과 혜택론의 관점을 모두 포함 |
| 자연적 의무 (롤스) | 국가는 시민의 권리를 보호하고 행복을 증진하며 도덕적 선 실현에 기여 → 시민이 국가에 복종하는 것은 인간이 마땅히 지켜야 할 자연적 의무 |

**6 국가의 권위에 대한 아리스토텔레스와 흄의 관점**

갑은 아리스토텔레스이고 을은 흄이다. 아리스토텔레스는 국가에 대한 복종을 무조건적 의무로 본다. 이와 달리 흄은 국가에 충성을 다해야 하는 것은 무조건적인 의무가 아니라 혜택이 존재할 때 지키는 조건적 의무로 본다.

선택지 바로 보기

① 갑: 국가는 시민이 선한 생활을 할 규범을 전달한다. (×)
→ 아리스토텔레스에 따르면 국가는 시민이 선한 생활을 할 규범과 가치를 전달해 주는 역할을 함

② 갑: 공동체의 규모가 클수록 더 고귀한 선을 추구한다. (×)
→ 아리스토텔레스에 의하면 규모가 크면 클수록 더 좋고 고귀한 선을 추구하므로 국가는 최고의 공동체로서 선한 공동체임

③ 을: 정부의 혜택이 존재할 때만 정치적 의무가 성립한다. (×)
→ 흄은 동의 없이도 혜택이 존재한다면 국가에 복종해야 한다고 봄

④ 을: 정부의 역할은 시민의 안전한 삶을 보장하는 것이다. (×)
→ 흄은 시민의 안전이 국가가 제공하는 혜택이라고 봄

⑤ 갑, 을: 국가에 대해 충성을 다해야 하는 것은 무조건적 의무이다. (○)

**7 롤스의 시민 불복종**

롤스는 시민 불복종이 특정 집단의 이익이 아닌 사회 정의를 실현하기 위한 목적으로 시행되어야 한다고 주장하였다. 롤스가 말한 시민 불복종의 정당화 조건으로는 '특정 집단의 이익이 아닌 사회 정의를 실현하기 위한 목적일 것, 공개적이며 비폭력적인 방법으로 시행할 것, 개선을 위한 합법적 시도가 효과가 없을 때 최후의 수단으로 시행할 것, 위법 행위에 대한 처벌을 감수할 것'이 있다.

**8 소로가 주장하는 시민 불복종의 근거**

제시문의 사상가는 소로이다. 소로는 국민으로서 법에 대한 존경심보다는 인간으로서의 양심을 우선해야 한다고 보았다.

오답 피하기

ㄷ. 그는 자신의 양심에 따라 불의한 법과 정책에 즉각 불복종해야 함을 주장하였다.

**1 이론 윤리학과 기술 윤리학의 특징**

갑은 이론 윤리학, 을은 기술 윤리학의 입장이다. 이론 윤리학은 어떤 도덕 원리가 윤리적 행위를 위한 근본 원리로 성립할 수 있는지를 연구하고, 도덕 원리나 도덕적 정당화의 이론적 근거를 제시하는 데 관심을 둔다. 반면, 기술 윤리학은 다양한 지역의 도덕적 풍습을 묘사하거나 객관적으로 서술하는 데 관심을 둔다.

오답 피하기

ㄱ. 도덕적 언어의 의미 분석을 중시하는 것은 메타 윤리학의 입장이다.
ㄷ. 어떠한 행위에 대한 도덕적 판단의 기준을 정립하고자 하는 것은 이론 윤리학의 입장이다.

더 알아보기 + **메타 윤리학과 기술 윤리학**

| | |
|---|---|
| 메타 윤리학 | • 윤리학의 학문적 성립 가능성을 모색함<br>• 도덕적 언어의 의미 분석과 도덕적 추론의 논리적 구조 분석에 주된 관심을 둠<br>예 '옳다.' '그르다.'의 의미는 무엇인가? |
| 기술 윤리학 | • 도덕적 관습이나 규범에 대해 객관적으로 기술함<br>• 도덕 현상과 문제를 명확하게 기술하고, 기술된 현상들 간의 인과 관계에 대한 설명에 주된 관심을 둠 |

## 2 실천 윤리학의 특징

밑줄 친 '이 윤리학'은 실천 윤리학으로, 삶에서 발생하는 구체적인 윤리 문제를 해결하고자 한다. 이러한 특성상 실천 윤리학은 윤리학에 국한되지 않고 다른 인접 학문 분야와의 교류와 연계를 강조한다.

오답 피하기

ㄱ. 도덕적 정당화의 이론적 근거를 제시하는 것은 이론 윤리학의 특성이다. ㄷ. 도덕적 언어의 의미 분석과 도덕적 추론의 타당성 입증에 초점을 두는 것은 메타 윤리학의 특성이다.

더 알아보기 + 이론 윤리학과 실천 윤리학

| | |
|---|---|
| 이론 윤리학 | • 어떤 도덕 원리가 윤리적 행위를 위한 근본 원리로 성립할 수 있는지를 연구함<br>• 도덕 원리나 도덕적 정당화의 이론적 근거를 제시하는 데 주된 관심을 둠<br>예 의무론, 공리주의, 덕 윤리 등 |
| 실천 윤리학 | • 삶의 구체적 윤리 문제에 대한 실제적·구체적 해결책 모색<br>• 이론 윤리학에서 제공하는 도덕 원리를 토대로 다양한 윤리 문제 해결에 주된 관심을 둠<br>예 생명 윤리, 정보 윤리, 환경 윤리 등 |

## 3 칸트의 의무론

제시문의 사상가는 칸트이다. 칸트는 행위의 동기에 도덕적 판단의 기준이 있다고 본다. 반면 공리주의자 벤담은 행위의 동기보다는 결과의 유용성에 따라 옳고 그름을 판단한다. 칸트의 의무론과 벤담의 공리주의에서 말하는 행위의 판단 기준을 묻는 문제가 자주 출제된다.

## 4 불교에서 말하는 수양 방법

불교에서는 자비의 실천을 강조하고, 연기성(緣起性)을 깨닫고 고통의 원인인 삼독과 집착을 버리면 해탈과 열반에 이를 수 있다고 본다.

오답 피하기

①, ③, ④ 도교에서 강조하는 수양 방법이다. ⑤ 유교에서 강조하는 수양 방법이다.

## 5 도덕 원리를 검토하는 방법

도덕 원리는 옳고 그름을 판단하는 원리로 역할 교환 검사, 보편화 결과 검사, 반증 사례 검사 등을 활용하여 정당화할 수 있다. 사실 판단은 참과 거짓을 구분하는 판단으로 개념이나 용어를 확인하거나 실험 또는 관찰을 통해 진위 여부를 확인할 수 있다. 도덕 판단은 옳고 그름을 분별하기 위한 판단이다. 도덕 판단은 대체로 보편적 가치를 지니는 반면, 사실 판단은 보편적 가치를 지니지 않을 수도 있다.

## 6 배려 윤리 사상

배려 윤리는 기존 근대 철학의 이성이나 정의, 공정성과 같은 요소는 완전한 윤리적 기준을 세우는 데 부족하다고 본다. 따라서 공감과 배려·관계성 등을 중시하고, 맥락적인 사고를 바탕으로 도덕 규칙을 파악하고자 한다.

오답 피하기

① 요나스는 책임 윤리를 주장한 사상가이다. ⑤ 시대적 맥락에 따라 자신의 덕을 발휘할 것을 강조하는 것은 덕 윤리 사상에 해당한다.

더 알아보기 + 윤리 문제에 관한 현대 윤리학의 접근

| | |
|---|---|
| 덕 윤리 | • 행위 중심 윤리가 아닌 행위자 중심 윤리<br>• 행위자의 덕성: 바람직한 인간관계, 공동체의 전통과 역사, 구체적·맥락적 사고 중시 |
| 배려 윤리 | • 타인을 보살피고 배려하는 공동체적 관계 중시<br>• 수용성, 관계성, 응답성에 근거한 모성적 배려 |
| 도덕 과학적 접근 | ① 신경 윤리학: 도덕의 근원인 감정, 이성의 역할과 상호 관계를 과학적 방법으로 측정<br>② 진화 윤리학: 도덕성을 진화의 산물로 인식 |

## 7 도덕적 추론 과정

제시된 도덕적 추론의 소전제 ㉠은 '낙태는 인간 존재인 태아를 죽이는 것이다.'라고 할 수 있다. 따라서 '태아는 완전한 인간 존재로 볼 수 없다.'를 반론의 근거로 들 수 있다.

## 8 뇌사에 관한 찬반론의 근거

㉣은 뇌사에 찬성하는 입장이다. 뇌사에 찬성하는 입장에서는 인간의 고유한 활동은 뇌 기능에서 비롯되는 것이며, 뇌사를 허용할 경우 환자와 가족의 경제적 부담을 덜어 줄 수 있다고 주장한다.

## 9 유교의 수양 방법

제시문은 유교의 대표적인 수양 방법이다. 유교의 대표적인 성찰 방법인 거경은 마음을 한 곳에 모아 흐트러짐이 없게 하는 것이다. 또한 증자는 세 가지 물음을 통해 매일 하루의 삶을 성찰하는 일일삼성(一日三省)을 강조하였다.

오답 피하기

ㄱ. 참선은 불교의 성찰 방법이다. 불교에서는 참선을 통해 인간의 참된 삶과 맑은 본성을 깨달을 수 있다고 본다. ㄹ. 인위적인 것에서 벗어나 자연과 조화를 이루는 삶의 태도는 도교에서 강조하는 삶의 자세이다.

## 10 죽음에 관한 하이데거의 입장

제시문은 하이데거의 주장이다. 하이데거의 주장에 따르면 인간은 죽음에 이를 수밖에 없다는 유한성을 자각함으로써 삶의 가치를 깊이 성찰할 수 있고, 이를 통해 보다 의미 있고 충실한 삶을 살아갈 수 있다.

선택지 바로 보기

① 죽음은 사후 세계로 윤회하는 출발점이다. (×)
→ 죽음을 또 다른 세계로 윤회하는 출발점으로 보는 것은 불교의 입장임
② 현존재는 죽음을 정복할 수 있는 무한한 존재이다. (×)
→ 하이데거는 현존재는 죽음에 이를 수밖에 없는 유한한 존재라고 봄
③ 인간은 죽음을 통해 이데아의 세계로 돌아갈 수 있다. (×)
→ 죽음을 통해 이데아의 세계로 돌아갈 수 있다고 보는 것은 플라톤의 입장임
④ 죽음에 대한 자각은 삶의 가치를 깊이 성찰할 수 있게 한다. (○)
⑤ 죽음 이후에는 아무것도 경험할 수 없으므로 죽음을 두려워할 필요가 없다. (×)
→ 죽음 이후에는 아무것도 경험할 수 없으므로 죽음을 두려워할 필요가 없다고 보는 것은 에피쿠로스의 입장임

## 6일 누구나 100점 테스트 2회 48~49쪽

**1** ④ **2** ① **3** ⑤ **4** ① **5** ② **6** 플라톤 **7** ② **8** ② **9** ④ **10** ④

**1 칸트의 의무론**

칸트의 관점에서는 A에게 인간성을 수단으로 삼아서는 안 된다는 도덕 법칙에 따라 생명을 조작하는 행위를 해서는 안 된다고 조언할 수 있다.

**2 유교의 가족 윤리**

유교에서는 형은 부모와 같은 마음으로 동생을 보살피고, 동생은 부모를 사랑하는 마음으로 형을 공경해야 한다고 본다.

더 알아보기 + 전통적 가족 윤리

| | |
|---|---|
| 부모 자녀 관계 | • 부자유친(父子有親): 부모와 자녀 간에는 친밀함이 있어야 함<br>• 부자자효(父子慈孝): 부모는 자녀에게 자애를 실천하고, 자녀는 부모에게 효를 실천해야 함 |
| 부부 관계 | 부부유별, 부부상경의 실천 → 부부는 차별적 관계가 아닌 구별된 역할 속에서 서로의 인격을 존중해야 함 |
| 형제 관계 | • 형우제공(兄友弟恭): 형은 동생에게 우애를 실천하고, 동생은 형을 공경해야 함<br>• 수족지의(手足之義): 형제 관계는 손과 발처럼 세상에서 가장 가까운 사이임. |

선택지 바로 보기

① 형은 부모와 같은 마음으로 동생을 보살펴야 한다. (○)
② 가족과 이웃을 구별하지 말고 똑같이 사랑해야 한다. (×)
→ 유교에서는 가까운 사람과 먼 사람에 대한 사랑을 구별해야 한다고 봄
③ 부모와 자식은 수평적 관계에서 서로 사랑해야 한다. (×)
→ 부모와 자식은 수직적 관계에 있다고 봄
④ 부부는 음양의 관계처럼 수직적 질서를 유지해야 한다. (×)
→ 유교에서 말하는 음양론에서는 부부를 상호 보완적이고 대등한 관계로 봄
⑤ 출세하여 유명해지는 것을 효의 시작으로 여겨야 한다. (×)
→ 유교에서는 입신양명은 효의 완성이며, 효의 시작은 부모에게 받은 몸을 깨끗하고 온전하게 하는 것이라고 봄

**3 직업윤리의 일반성과 특수성**

직업윤리에는 모든 인간이 공통으로 지켜야 하는 기본 윤리인 정직, 성실, 신의, 책임, 의무 등이 포함되는데 이를 직업윤리의 일반성이라고 한다. 한편 특정 직업 활동에 요구되는 특수한 윤리의 성격을 직업윤리의 특수성이라고 한다. 직업윤리의 특수성만 강조하면 윤리 상대주의에 빠질 수 있기 때문에 특수성을 일반성과 독립된 성격을 지닌 것으로 보아서는 안 된다.

**4 동물의 권리에 관한 레건의 입장**

제시문은 레건의 주장이다. 레건은 일부 동물은 삶의 주체가 될 수 있으므로 도덕적으로 존중받아야 한다고 주장한다. 다만 레건은 고통을 느끼고, 자신의 욕구와 목표를 위해 행위를 할 수 있으며, 자신의 정체성을 느낄 수 있는 능력 등을 지닌 경우에만 인간과 마찬가지로 도덕적 지위를 지닌다고 간주한다.

오답 피하기

② 벤담과 싱어의 입장이다. ③ 레건은 모든 생명체가 삶의 주체가 될 수 있다고 여기지는 않는다. ④, ⑤ 아퀴나스와 칸트의 입장이다.

**5 사랑과 성에 관한 보수주의의 입장**

보수주의의 입장에서는 결혼이 성으로 인한 사회적 혼란을 방지하고 사회적 안정을 유지하는 데 필수적인 제도라고 주장한다. 반면, 자유주의의 입장에서는 성숙한 사람들이 상호 동의하에 타인에게 해를 끼치지 않는다면 인격적인 교감 없이도 성적 호감과 관심만으로 성이 가능하다고 본다. 또한 중도주의의 입장에서는 사랑과 결합한 성만이 인간의 고유한 품격을 유지해 줄 수 있기 때문에 '사랑이 있는 성'을 추구해야 한다고 주장한다.

**6 플라톤의 직업관**

제시문은 통치자 계층(수호자 계층)의 사적 소유를 부정하는 플라톤의 주장이다. 그는 각 계층은 저마다 타고난 고유한 성향에 따른 적합한 역할로서 오직 한 가지 일을 수행해야 한다고 주장한다.

더 알아보기 + 서양 사상가들의 직업관

| | |
|---|---|
| 플라톤 | 각 계층이 고유한 덕(德)을 발휘하여 직분에 충실해야 함 |
| 칼뱅 | 직업은 신이 부여한 소명(召命)이며, 직업적 성공을 거두고 부를 축적하는 것은 구원의 징표임 |
| 마르크스 | • 인간은 노동을 통해 자기 본질을 실현해야 함<br>• 자본주의 체제에서는 분업화된 노동으로 노동자가 노동으로부터 소외됨 |

**7** 정의에 관한 롤스와 노직의 관점

갑은 노직, 을은 롤스이다. 노직과 롤스 모두 절차의 공정성이 결과의 공정성을 보장한다고 본다.

선택지 바로 보기

① 복지를 위한 재분배 정책 시행은 정의로운가? (×)
→ 노직의 입장에서 부정의 대답을 할 질문임
② 절차의 공정성은 결과의 공정성을 보장하는가? (○)
③ 정당한 최초의 소유 과정은 이후의 모든 소유 방식을 정의롭게 하는가? (×)
→ 노직의 입장에서 볼 때 최초의 소유 과정 이후의 이전이나 교정의 절차도 정당해야 함
④ 각자에게 분포된 천부적 재능을 각자의 소유물로 보는 것은 정의로운가? (×)
→ 롤스는 천부적 재능을 사회 공동의 자산으로 간주해야 한다고 주장함
⑤ 공정한 기회균등의 실현을 위해 사회적 약자를 우선 배려하는 것은 정의로운가? (×)
→ 롤스의 입장에서만 긍정의 대답을 할 질문임

**8** 노직의 소유 권리로서의 정의

제시문은 노직의 입장으로, 그는 개인의 정당한 소유물에 대한 당사자의 절대적 권리를 주장한다.

오답 피하기

ㄴ. 노직에 따르면 공동체 전체의 선보다 개인의 절대적 소유권이 중시되어야 한다. ㄹ. 노직은 약탈, 절도처럼 부당한 취득은 이전의 원칙에 어긋나므로 그에 대한 정당한 소유권을 인정하지 않는다.

**9** 아리스토텔레스의 국가관

제시문의 사상가는 국가를 인간의 자연적 본성으로부터 발생한 자연의 창조물로 보고, 하나의 완전한 자족적 정치 공동체로 파악하는 아리스토텔레스이다.

오답 피하기

ㄹ. 국가가 제공하는 혜택과 이익에 의해 시민의 정치적 의무가 발생한다고 주장한 사람은 흄이다.

**10** 적극적 국가관

제시문의 '기본 소득 법안'은 국가가 시민의 기본 욕구를 충족시키고 복지를 제공해야 하며, 이를 위해 국가는 적극적인 역할을 해야 한다는 적극적 국가관을 바탕에 깔고 있다.

더 알아보기 + 소극적 국가관과 적극적 국가관

| | |
|---|---|
| 소극적 국가관 | 개인의 권리와 자유를 최대한 보장하기 위해 국가의 간섭이나 개입을 최소화해야 함 → 극심한 빈부 격차와 시민이 최소한의 인간다운 삶을 보장받지 못하는 문제가 발생함 |
| 적극적 국가관 | 국가의 개입을 확대함으로써 시민의 기본 욕구를 충족시키고 여러 영역에서 복지를 제공하여 소극적 국가관의 한계를 극복해야 함 |

## 6일 서술형·사고력 테스트 / 창의·융합·코딩 테스트 50~53쪽

**1** 실천 윤리학의 특징

(1) 실천 윤리학

(2) 모범 답안 실천 윤리학은 다양한 학문 분야의 전문적 지식과 기술을 필요로 하는 학제적 탐구의 성격을 지닌다.

핵심 단어 다양한 학문, 전문적 지식, 학제적

| 채점 기준 | 구분 |
|---|---|
| 핵심 단어를 모두 사용하여 밑줄 친 내용에 근거한 실천 윤리학의 '학제적 성격'에 관하여 서술한 경우 | 상 |
| 핵심 단어 중 한두 가지만 사용하여 밑줄 친 내용에 근거한 실천 윤리학의 '학제적 성격'에 관하여 서술한 경우 | 중 |
| '학제적 성격'이 아닌, 실천 윤리학의 일반적인 특징을 서술한 경우 | 하 |

**2** 윤리적 토론의 필요성

모범 답안 인간은 불완전한 존재이므로 인식과 판단에서 오류를 범할 가능성이 있다. 이러한 오류 가능성을 줄이고 도덕적 갈등을 원만하게 해결하기 위해 토론이 필요하다.

핵심 단어 불완전한 존재, 오류 가능성, 갈등 해결

| 채점 기준 | 구분 |
|---|---|
| 인간의 오류 가능성, 도덕적 갈등의 원만한 해결의 측면을 모두 서술한 경우 | 상 |
| 인간의 오류 가능성, 도덕적 갈등의 원만한 해결 중 한 가지만 서술한 경우 | 하 |

**3** 공리주의 사상

(1) 갑: 벤담, 을: 밀

(2) 모범 답안 벤담과 밀은 모두 행위 결과의 유용성을 도덕적 판단의 기준으로 삼는다.

핵심 단어 행위 결과, 유용성, 도덕적 판단 기준

정답

| 채점 기준 | 구분 |
|---|---|
| 핵심 단어를 모두 사용하여 벤담과 밀이 주장하는 공리주의 이론의 공통점을 바르게 서술한 경우 | 상 |
| 핵심 단어를 일부만 사용하여 벤담과 밀이 주장하는 공리주의 이론의 공통점을 바르게 서술한 경우 | 중 |
| 핵심 단어를 사용하지 않고, 공리주의 이론에 관한 일반적인 서술만을 한 경우 | 하 |

## 4 불교의 수양 방법

모범 답안 내면의 성찰은 집착과 번뇌에서 벗어나 불성을 깨닫기 위한 수행 방법이고, 바라밀은 욕망과 고통으로 가득 찬 현실에서 해탈하기 위한 보살의 수행 방법이다.

핵심 단어 내면의 성찰, 불성, 바라밀, 해탈, 보살

| 채점 기준 | 구분 |
|---|---|
| 핵심 단어를 모두 사용하여 불교에서 제시하는 수양 방법을 서술한 경우 | 상 |
| 핵심 단어 중 두 가지만 사용하여 불교에서 제시하는 수양 방법을 서술한 경우 | 중 |
| 핵심 단어 중 한 가지만 사용하여 불교에서 제시하는 수양 방법을 서술한 경우 | 하 |

## 5 유교 사상의 특징

(1) (A) 상선약수 (C) 신독

(2) 모범 답안 유교에서 수신은 사단을 통해 사덕을 드러내고 실천하여 인격을 수양하는 것을 의미한다.

핵심 단어 사단, 사덕, 인격 수양

| 채점 기준 | 구분 |
|---|---|
| 핵심 단어를 모두 사용하여 '수신'의 의미를 바르게 서술한 경우 | 상 |
| 핵심 단어 중 한두 가지만 사용하여 '수신'의 의미를 바르게 서술한 경우 | 중 |
| 핵심 단어를 사용하지 않고, '수신'의 의미와 거리가 먼 내용을 서술한 경우 | 하 |

## 6 도덕적 추론

(1) 불의를 조장하는 행위는 옳지 않다.

(2) 모범 답안 보편화 결과 검사는 도덕 원리를 모든 사람에게 적용했을 때 나타나는 결과에 문제가 없는지 검사하는 방법이다.

핵심 단어 도덕 원리, 모든 사람, 결과

| 채점 기준 | 구분 |
|---|---|
| 핵심 단어를 모두 사용하여 보편화 결과 검사의 의미를 바르게 서술한 경우 | 상 |
| 핵심 단어 중 한두 가지만 사용하여 보편화 결과 검사의 의미를 바르게 서술한 경우 | 중 |
| 보편화 결과 검사가 아닌 도덕 원리를 검증하는 다른 검사 방법의 의미를 서술한 경우 | 하 |

## 7~8 동서양의 윤리 사상

| | | | | | | | |
|---|---|---|---|---|---|---|---|
| ❶형 | | | ❹거 | | | | |
| 우 | | ❺상 | 경 | 여 | 빈 | | |
| 제 | | | | | | | ❾동 |
| ❷공 | ❸자 | | | ❻응 | ❼보 | 주 | 의 |
| | 비 | | | | 수 | | 론 |
| | | | ❽공 | 리 | 주 | 의 | |
| ❿성 | 인 | | | | 의 | | |

## 9 뇌사 허용론에 대한 반론

(1) 뇌사를 죽음으로 인정해야 한다.

(2) 모범 답안 뇌 기능이 정지하더라도 의료 기기를 이용하면 호흡과 심장 박동이 유지되므로 뇌사를 죽음으로 볼 수 없다. 의료 자원의 효율적 이용과 장기 이식과 같은 실용주의적 관점으로 뇌사 문제에 접근하는 태도는 생명의 존엄성을 경시할 수 있다.

핵심 단어 뇌 기능, 호흡, 심장 박동 유지, 실용주의, 존엄성, 경시

| 채점 기준 | 구분 |
|---|---|
| 뇌사에 반대하는 주장의 근거 두 가지를 바르게 서술한 경우 | 상 |
| 뇌사에 반대하는 주장의 근거 한 가지를 바르게 서술한 경우 | 중 |
| 뇌사 반대론과 관련 없는 내용을 서술한 경우 | 하 |

## 10 동물의 권리에 대한 싱어와 레건의 입장

모범 답안 동물도 도덕적으로 고려받을 권리를 가진다.

핵심 단어 동물, 도덕적 고려, 권리

| 채점 기준 | 구분 |
|---|---|
| 핵심 단어를 모두 사용하여 동물의 권리에 대한 싱어와 레건의 공통적인 입장을 바르게 서술한 경우 | 상 |
| 핵심 단어를 일부만 사용하여 동물의 권리에 대한 싱어와 레건의 공통적인 입장을 서술한 경우 | 하 |

더 알아보기 + 동물의 권리에 대한 다양한 입장

| | |
|---|---|
| 데카르트 | 동물은 단순히 움직이는 기계이므로 인간의 필요에 의해 사용될 수 있음 |
| 칸트 | 동물은 인간의 목적을 위한 수단이지만, 인간성을 훼손하지 않기 위해 동물을 간접적으로 고려할 도덕적 의무가 있음 |
| 싱어 | • 동물은 쾌고 감수 능력을 지니므로 동물의 이익 또한 인간의 이익처럼 평등하게 고려해야 함<br>• 동물 실험은 동물에게 고통을 유발하므로 부당함 |
| 레건 | • 삶의 주체인 동물은 인간과 동일하게 존중받을 권리가 있음<br>• 동물 실험은 동물의 권리를 존중하지 않고 단지 동물을 인간을 위한 수단으로 이용하는 것이므로 부당함 → 삶의 주체인 동물의 내재적 가치를 존중해야 함 |

## 11 성의 가치

모범 답안 성은 종족을 보존하는 생식적 가치와 인간의 욕망을 충족해 주는 쾌락적 가치를 지닌다. 그리고 상대방에 대한 배려나 예의를 바탕으로 한다는 점에서 인격적 가치를 지닌다.

핵심 단어 종족 보존, 생식적 가치, 욕망 충족, 쾌락적 가치, 배려나 예의, 인격적 가치

| 채점 기준 | 구분 |
|---|---|
| 핵심 단어를 사용하여 성의 세 가지 가치 중 두 가지 이상을 바르게 서술한 경우 | 상 |
| 핵심 단어를 사용하여 성의 세 가지 가치 중 한 가지만을 바르게 서술한 경우 | 중 |
| 핵심 단어를 사용하지 않고, 성의 가치를 모호하게 서술한 경우 | 하 |

## 12 사형 제도에 관한 다양한 입장

(1) 베카리아

(2) 모범 답안 칸트에 따르면 사형은 동등성의 원리에 근거한 것이며, 살인한 범죄자의 인격을 존중하는 것이다.

핵심 단어 동등성의 원리, 범죄자의 인격 존중

| 채점 기준 | 구분 |
|---|---|
| 핵심 단어를 모두 사용하여 사형 제도에 대한 칸트의 응보주의적 관점을 바르게 서술한 경우 | 상 |
| 핵심 단어 중 한 가지만 사용하여 사형 제도에 대한 칸트의 응보주의적 관점을 바르게 서술한 경우 | 중 |
| 핵심 단어를 사용하지 않거나, 칸트의 이론이 아닌 사형 제도에 찬성하는 일반적인 근거를 제시한 경우 | 하 |

## 13 공정으로서의 정의

(1) 공정

(2) 모범 답안 사람들이 타인의 이해관계에 무관심하며, 자신의 사회적 지위나 능력, 재능, 가치관 등을 모르는 최초의 가상적 상황을 의미한다.

핵심 단어 타인의 이해관계, 무관심, 사회적 지위, 능력, 재능, 가치관, 최초의 가상적 상황

| 채점 기준 | 구분 |
|---|---|
| 핵심 단어를 모두 사용하여 '무지의 베일을 쓴 상황'의 의미를 바르게 서술한 경우 | 상 |
| 핵심 단어 중 일부만 사용하여 '무지의 베일을 쓴 상황'의 의미를 바르게 서술한 경우 | 중 |
| 핵심 단어를 일부 사용하였으나, '무지의 베일을 쓴 상황'의 의미를 모호하게 서술한 경우 | 하 |

(3) 모범 답안 제1원칙은 평등한 자유의 원칙으로, 모든 사람은 기본적 자유에서 평등한 권리를 지닌다는 것이다. 제2원칙은 사회적·경제적 불평등은 최소 수혜자에게 최대의 이익을 보장하며, 공정한 기회균등의 원칙에 따라 사회적 지위는 모두에게 개방되어야 한다는 것이다.

핵심 단어 기본적 자유, 평등한 권리, 최소 수혜자, 최대 이익, 공정한 기회균등, 사회적 지위

| 채점 기준 | 구분 |
|---|---|
| 핵심 단어를 모두 사용하여 롤스가 말한 '정의의 두 원칙'의 의미를 바르게 서술한 경우 | 상 |
| 핵심 단어를 일부만 사용하여 롤스가 말한 '정의의 두 원칙'의 의미를 바르게 서술한 경우 | 중 |
| 핵심 단어를 일부 사용하였으나, 롤스가 말한 '정의의 두 원칙'의 의미를 모호하게 서술한 경우 | 하 |

## 14 사형 제도에 대한 찬성 논거

모범 답안 생명을 박탈하는 사형은 범죄 억제 효과가 크다. 처벌의 목적은 근본적으로 인과응보적 응징에 있다. 흉악 범죄자의 생명 박탈은 사회 정의를 실현하는 확실한 방법이다. 종신형은 경제적 부담이 크며, 오히려 비인간적인 형벌이다. 사형은 사회의 일반적인 법 감정에 부합한다.

핵심 단어 범죄 억제 효과, 인과응보, 사회 정의 실현, 종신형, 경제적 부담, 법 감정

| 채점 기준 | 구분 |
|---|---|
| 사형을 존치해야 한다는 주장을 지지하는 세 가지 이상의 논거를 모두 정확하게 서술한 경우 | 상 |
| 사형을 존치해야 한다는 주장을 지지하는 논거를 두 가지만 정확하게 서술한 경우 | 중 |
| 사형을 존치해야 한다는 주장을 지지하는 논거를 한 가지만 정확하게 서술한 경우 | 하 |

## 15 시민 불복종

(1) ㉠ 소로 ㉡ 롤스 ㉢ 드워킨

(2) 모범 답안 특정 집단의 이익이 아닌 사회 정의를 실현하기 위한 목적이어야 한다. 공개적이며 비폭력적인 방법으로 시행되어야 한다. 합법적인 방식으로 불의한 법을 고치려는 노력을 먼저 한 후 최후의 수단이 되어야 한다. 불복종 행위에 대한 처벌을 감수해야 한다.

핵심 단어 사회 정의 실현, 공개적, 비폭력적, 최후의 수단, 불복종 행위에 대한 처벌 감수

| 채점 기준 | 구분 |
|---|---|
| 핵심 단어를 사용하여 시민 불복종의 정당화 요건을 두 가지 이상 바르게 서술한 경우 | 상 |
| 핵심 단어를 사용하여 시민 불복종의 정당화 요건을 한 가지만 바르게 서술한 경우 | 중 |
| 핵심 단어를 사용하지 않고 시민 불복종의 일반적인 정의만을 서술한 경우 | 하 |

더 알아보기 + 롤스가 제시한 시민 불복종의 정당화 조건

| | |
|---|---|
| 사회 정의 실현 | 특정 집단의 이익이 아닌 사회 정의를 실현하기 위한 목적일 것 |
| 공개성, 비폭력성 | 공개적이며 비폭력적인 방법일 것 |
| 최후의 수단 | 개선을 위한 합법적 시도가 효과 없을 때 시행할 것 |
| 처벌 감수 | 위법 행위에 대한 처벌을 감수할 것 |

## 7일 학교시험 기본 테스트 1회 54~57쪽

**1** ② **2** 메타 윤리학 **3** ② **4** ④ **5** ⑤ **6** ① **7** 거경
**8** ② **9** ④ **10** ④ **11** ④ **12** ④ **13** ④ **14** ④
**15** ① **16** ① **17** ⑤ **18** ② **19** ③ **20** ①

**1 이론 윤리학과 실천 윤리학**

실천 윤리학은 사회의 빠른 변화와 과학 기술의 발전에 따라 새롭게 제기되는 복잡한 윤리 문제에 관심을 두며, 삶의 실천적 영역에서 제기되는 도덕적 문제를 이해하고 해결하는 데 초점을 둔다. 실천 윤리학이 다루는 대상에는 생명 복제, 안락사, 부의 분배, 사형 제도, 소수자 우대 정책, 시민 불복종, 동물 권리, 인간과 자연의 관계 등이 있다.

오답 피하기

① 도덕적 언어의 의미 분석을 주로 하는 윤리학은 메타 윤리학이다. ③ 구체적 상황에서 현실적 해결책을 제시하고자 하는 윤리학은 실천 윤리학이다. ⑤ 인간의 행위를 평가하는 규범적 근거의 탐구를 중시하는 것은 이론 윤리학이다.

**2 메타 윤리학**

도덕 언어의 의미를 분석하고 도덕적 추론의 타당성 입증을 주된 목표로 하는 윤리학은 메타 윤리학이다.

**3 칸트의 의무론**

칸트는 도덕은 행위의 결과와 상관없이 무조건 따라야 하는 법칙으로, 어떤 목적을 이루기 위한 수단이 아니라 그 자체로 목적이 되는 명령이라고 보았다.

오답 피하기

ㄴ. 밀의 질적 공리주의와 관련된 설명이다. ㄹ. 벤담의 양적 공리주의와 관련된 설명이다.

**4 배려 윤리**

제시문은 배려 윤리학자인 '나딩스'의 사상이다. 나딩스는 상호적인 배려가 낯선 타인, 나아가 지구 환경으로까지 확대되어야 한다고 주장한다. 또한, 보편타당한 규칙의 적용이 가지는 한계를 지적하면서 상황과 맥락을 고려하고, 인간의 따뜻한 심성과 감정에 근거한 도덕적 실천의 중요성을 강조하였다.

**5 보편화 결과 검사**

보편화 결과 검사 방법은 자신과 유사한 상황에 있는 모든 행위자가 같은 행동을 취했을 때 발생하는 결과를 수용할 수 있는지 검토하는 것이다. 어떤 행동이 보편화될 때의 결과를 예상하는 것은 ⑤이다.

오답 피하기

①, ④ 사실 판단을 검사할 때 주로 사용하는 방법이다. ② 반증 사례 검사이다. ③ 포섭 검사이다.

**6 도덕적 추론 과정**

도덕 원리와 사실 판단을 근거로 하여 도덕 판단을 내리는 것을 도덕적 추론이라고 한다. 제시된 사실 판단과 도덕 판단을 통해 이끌어 낼 수 있는 도덕 원리는 '개인의 사생활을 침해하는 것은 옳지 않다.'이다. 도덕 원리의 정당성이 확보되어야 도덕 판단의 정당성이 확보된다.

**7 유교의 성찰 방법**

동양의 유교에서는 윤리적 성찰의 방법으로 마음을 한 곳으로 모아 흐트러짐이 없이 하는 거경(居敬)의 수양 방법을 중시한다. 거경의 주된 예로 신독(愼獨)을 들 수 있는데, 이는 홀로 있을 때에도 도리에 어긋나지 않도록 몸과 마음을 바르게 하고, 언행을 신중하게 하는 것을 의미한다.

더 알아보기 + 윤리적 성찰의 방법

| | |
|---|---|
| 유교 | • 거경(居敬): 마음을 한 곳으로 모아 흐트러짐이 없게 하는 것<br>• 일일삼성(一日三省): 하루에 세 번 반성하는 것 |
| 소크라테스 | • 성찰하는 삶의 중요성 강조<br>• "반성하지 않는 삶은 살 가치가 없다." |
| 아리스토텔레스 | 행위와 태도를 성찰하는 방법 제시 예 중용("마땅한 때에, 마땅한 일에 대하여, 마땅한 사람에게, 마땅한 동기로" 행동하는 것) |

**8 일일삼성(一日三省)**

윤리적 성찰은 자기의 마음과 행동 또는 윤리 문제에 대해 윤리적 관점에서 깊게 생각하고 반성적으로 살피는 태도를 말한다. 제시된 글은 증자가 하루에 자신을 세 가지 측면에서 반성한다는 내용으로, 자신을 갈고닦는 윤리적 성찰을 가리킨다.

## 9 죽음에 관한 에피쿠로스의 관점

제시문은 에피쿠로스의 생사관이다. 에피쿠로스는 인간은 죽음을 경험할 수 없으므로 죽음을 두려워할 필요가 없다고 보았다. 우리는 살아 있거나 죽어 있거나 둘 중의 어느 한 상태에 있으며, 살아 있는 동안은 아직 죽음을 경험하지 못하고, 죽어 있는 상태에서는 우리의 의식이 더는 살아서 활동할 수 없다.

오답 피하기

ㄱ. 플라톤의 관점이다. ㄷ. 실존주의 철학자 하이데거의 관점이다.

## 10 인간 배아의 도덕적 지위

자료는 모두 배아의 생명권을 인정하지 않고 있다. 배아의 도덕적 지위에 관해서는 상반된 견해가 존재한다. 배아는 인간과 동일한 생명권이 있다고 보는 입장과 배아는 인간 이전의 단계로 인간의 도구로 기능할 수 있으며, 인간으로 보기 어렵다는 관점이 그것이다.

오답 피하기

①, ②, ③, ⑤는 모두 배아의 인간으로서의 잠재성과 존엄성을 인정하고 있다.

## 11 인간 복제에 관한 찬반 이론의 근거

인간 복제를 반대하는 입장에서는 인간의 존엄성과 자연 질서의 훼손을 근거로 들고 있으며, 찬성하는 입장에서는 사회적 효용성과 개인의 자율적 선택을 강조한다. 현재 많은 국가와 국제단체에서는 인간 개체 복제를 법으로 금지하고 있다. 인간 복제를 금지하는 대표적인 근거로는 인간의 존엄성을 훼손할 가능성, 자연 질서 파괴, 인간의 고유성 위협 등이다.

## 12 성 윤리에 관한 다양한 관점

보수주의와 중도주의 모두 성과 사랑이 자신과 상대방의 인격을 표현해 주고 품위를 고양하는 것으로 이해하며, 인격적 가치와 관련된다고 본다.

선택지 바로 보기

① 중도주의는 성과 사랑을 결혼과 결부시켜 판단한다. (×)
→ 성과 사랑을 결혼과 결부시켜 판단하는 것은 보수주의적 입장에 해당함

② 보수주의적 입장에서는 성의 쾌락적 가치를 중시한다. (×)
→ 보수주의적 입장에서는 성의 생식적 가치를 중시함

③ 중도주의는 성숙한 성인의 자발적인 선택을 중시하며, 청소년의 성관계는 금지한다. (×)
→ 중도주의가 성인과 청소년의 성을 나누고 있다고 보기는 어려움

④ 보수주의와 중도주의 모두 성과 사랑이 인격적 가치와 중요하게 관련된다고 본다. (○)

⑤ 보수주의는 개인의 자발적인 동의가 성적 관계를 정당화하는 충분조건이라고 판단한다. (×)
→ 보수주의는 개인의 자발적인 동의뿐만 아니라 결혼이라는 합법적인 테두리 내에서의 성만이 도덕적으로 정당하다고 인정함

## 13 성 상품화

성 상품화는 광고, 영화, 공연 등에서 성적 이미지를 직간접적으로 이용하여 이윤을 추구하는 것이다. 성 상품화는 인간의 성을 돈을 벌기 위한 수단으로 전락시켜 물질적 가치로 환산하려 한다는 점에서 윤리적 문제가 될 수 있다.

오답 피하기

③ 성 역할은 남성 또는 여성에게 기대되는 전형적인 행동 양식을 말한다.

더 알아보기 + 성과 관련된 윤리적 문제

| | |
|---|---|
| 성차별 | 여성 혹은 남성이라는 이유로 사회적·문화적·경제적으로 부당한 대우를 하는 것 → 남녀 간 차이 인정, 다양성과 개성을 인정하는 양성평등을 실현해야 함 |
| 성적 자기 결정권 | 인간이 외부의 부당한 압력, 타인의 강요 없이 자신의 성적 행동을 스스로 결정할 수 있는 권리 |
| 성 상품화 | 성을 상품처럼 사고팔거나, 다른 상품을 팔기 위해 성을 수단으로 이용하는 것 |

## 14 음양론

제시문은 『주역』의 「계사전」에 나오는 음양론에 대한 설명이다. 음양론의 관점에서 보면, 남성이나 여성은 독립하여 존재할 수 없는 불완전한 존재이다. 양 속에는 음이, 음 속에는 다시 양이 있듯이 남성 속에도 여성적 성질이 있고, 여성 속에도 남성적 성질이 있으므로 부부의 역할은 고정되어 있다고 할 수 없는 것이다. 이렇게 부부는 상호 보완적 관계이며 고정불변의 역할이 있는 것이 아니다.

오답 피하기

ㄱ. 남녀의 역할은 고정불변하지 않다. ㄷ. 여성과 남성은 상호 대등한 관계이다.

더 알아보기 + 부부간의 윤리

| | |
|---|---|
| 음양론 | 음양은 서로 다르지만 서로 없어서는 안 될 존재이듯, 부부는 상호 보완적이며 대등한 관계임 |
| 부부유별, 부부상경 | • 부부유별(夫婦有別): 부부간에는 해야 할 역할이 구분되어 있으므로 상호 존중해야 함<br>• 부부상경(夫婦相敬): 부부는 서로 공경하기를 손님같이 대해야 함 |
| 보부아르 | 남성뿐만 아니라 여성도 한 주체로서 존중해야 하며, 부부는 각 주체로서 평등한 관계를 유지해야 함 |
| 길리건 | 배려의 관계는 나와 다른 사람의 상호 의존성을 존중하면서 성립 → 부부도 서로 배려와 보살핌을 주고받는 관계를 유지해야 함 |

## 15 직업윤리의 일반성

직업윤리는 모든 직업인이 지녀야 할 윤리적 기본자세라는 측면에서 일반성을 지니고, 각각의 특수한 직업에서 요구되는 윤리적 자세라는 측면에서 특수성을 지닌다. ①은 직업윤리의 특수성에 대한 설명이다.

## 16 공직자의 바람직한 자세

공직자는 국민을 섬기는 대리인이면서 동시에 법에 규정된 권위와 공권력을 지닌다. 따라서 멸사봉공의 정신을 가지고 시민의 의사를 적극 수렴하면서, 업무 수행에서 민주성과 효율성을 조화시키려는 자세를 지녀야 한다.

선택지 바로 보기

① 공직자의 권한은 국민으로부터 위임된 것임을 인식해야 한다. (○)

② 공직이 부와 명예를 획득하기 위한 효과적 수단임을 깨달아야 한다. (×)
→ 공직을 개인의 이익 추구를 위한 수단으로 여겨서는 안 됨

③ 법이나 정책을 결정하고 집행하는 권한을 사익 증진을 위해 사용해야 한다. (×)
→ 공직자는 자신의 권한을 공익 증진을 위해 사용해야 함

④ 업무 수행에서 업적이나 성과를 내기 위한 효율성을 최우선의 가치로 삼아야 한다. (×)
→ 업무 수행에서 민주성과 효율성의 조화를 추구해야 함

⑤ 공직자는 일반 국민보다 더욱 많은 권한을 행사할 수 있으므로 우월감을 지녀야 한다. (×)
→ 공직자의 권한은 국민으로부터 온 것이므로 우월감을 지니는 것은 바람직하지 않음

## 17 롤스의 정의관

롤스는 공정으로서의 정의, 절차적 정의를 주장하면서 사회 복지 국가의 이론적 근거를 마련하였다. 그가 제시한 정의의 원칙 중 최소 수혜자에게 최대 이익을 주는 불평등만이 정당하다고 본 차등의 원칙은 사회적 약자를 배려해야 함을 주장한다.

오답 피하기

ㄱ. 공리주의의 입장으로, 롤스는 이를 비판하였다.

## 18 칸트가 제시한 공정한 처벌의 조건

처벌의 목적에 대해 응보주의를 주장한 칸트는 처벌이 범죄의 심각성에 비례해서 내려져야 한다는 비례 조건, 처벌이 단지 범죄를 저질렀기 때문에 내려져야 한다는 유죄 조건을 제시하였다.

오답 피하기

ㄴ, ㄹ. 공리주의적 입장에서 처벌을 정당화하는 근거이다.

## 19 사형 제도에 대한 찬성과 반대 근거

형벌의 목적이 응보적 처벌이라면 사형 제도는 정당한 것이다. 반면, 형벌의 목적이 범죄자에 대한 교화라면 사형 제도는 부당한 것이다. 왜냐하면, 사형은 범죄자를 속죄시켜 교화하고 개선하기보다 응당한 보복을 가하는 형벌이기 때문이다. 사형 제도를 반대하는 입장에서는 형벌의 합리적 목표는 응보가 아니라 교화와 개선임을 강조한다.

## 20 시민 불복종의 이론적 근거

(가)는 소로, (나)는 롤스, (다)는 싱어, (라)는 드워킨의 견해에 해당한다. 소로는 개인의 양심, 롤스는 사회적 다수의 정의관, 싱어는 성공 가능성, 드워킨은 헌법 정신을 저항 판단의 최종 근거로 주장하였다.

더 알아보기 + 시민 불복종에 대한 다양한 관점

| 구분 | 관점 |
|---|---|
| 소로 | 헌법을 넘어선 개인의 양심이 저항의 최종 판단 근거임 |
| 롤스 | 사회적 다수의 정의관이 저항의 기준이 되어야 함 |
| 드워킨 | 헌법 정신에 위배된 법률에 대해서 시민은 저항할 수 있음 |

# 7일 학교시험 기본 테스트 2회 58~61쪽

1 ④ 2 ① 3 ④ 4 ⑤ 5 ③ 6 ⑤ 7 거경 8 ②
9 ② 10 ③ 11 ③ 12 레건 13 ② 14 ① 15 ③
16 ① 17 ① 18 ③ 19 ④ 20 ④

## 1 다양한 실천 윤리 분야

제시된 상황에서는 정보 윤리가 필요하다. 현대 사회에 새롭게 등장한 정보 윤리는 실천 윤리의 한 분야이다. 실천 윤리는 실제의 윤리적 문제 상황에서 이론 윤리를 적용하여 사람의 성품, 행위, 법, 제도, 관습 등에 대한 윤리적 판단을 내린다. 실천 윤리는 도덕 원리나 도덕 규칙 외에도 문제 상황과 관련된 사실적 지식을 요구한다.

오답 피하기

ㄷ. 도덕적 언어의 논리적 타당성과 의미를 분석하는 것은 메타 윤리학의 특징이다.

## 2 실천 윤리의 등장 배경과 특징

이론 윤리는 도덕적 행위에 대한 이론적 분석과 정당화를 다룸으로써 행위의 규범적 근거를 제시하고, 현실의 윤리 문제를 해결하는 토대를 제공한다. 실천 윤리는 이론 윤리를 토대로 현실에 적용할 수 있는 실천적인 규범과 원칙을 연구하고, 그 규범과 원칙을 구체적인 삶의 문제에 적용하거나, 구체적인 상황에서 발생하는 문제의 해결책을 모색한다.

### 3 질적 공리주의

밀은 질적 공리주의를 주장하였다. 질적 공리주의란 쾌락의 질적 차이를 고려해야 한다는 입장이다. 밀은 쾌락의 양뿐만 아니라 질적 차이도 고려해야 한다고 주장하면서 정신적 쾌락이 더 수준 높은 쾌락이라고 판단했다. 이러한 질적 쾌락이 사회 전체에 진정한 행복을 가져다줄 수 있다고 본 것이다.

오답 피하기

① 밀은 벤담과 더불어 개인의 행복을 통하여 사회 전체의 행복을 추구하였다. ② 벤담에 대한 설명이다. ③ 칸트의 의무론적 접근이다.

### 4 도교에서 말하는 바람직한 삶의 태도

제시문은 도교에서 강조하는 상선약수(上善若水)에 대한 내용이다. 도교에서는 물은 다른 존재와 다투지 않아 겸허와 부쟁의 원리를 가장 충실하게 따르고 있다고 보고, 물을 선(善)의 표본으로 본다. 이처럼 도교는 인위적 강제가 없는 소박하고 무지한 삶을 강조한다.

선택지 바로 보기

① 항상 신독과 거경의 자세를 유지한다. (×)
→ 유교와 관련된 내용임
② 언제나 보편타당한 도덕적 원리를 실천한다. (×)
→ 칸트의 의무론적 윤리와 관련된 내용임
③ 무욕과 중도의 삶을 살아가기 위해 집착을 버린다. (×)
→ 불교와 관련된 내용임
④ 선천적 본성을 회복하고 예(禮)에 따르는 삶을 추구한다. (×)
→ 유교와 관련된 내용임
⑤ 인위적인 것에서 벗어나 소박하고 순수한 삶의 자세를 지닌다. (○)

### 5 불교에서 강조하는 수양 방법

불교에서는 고통의 원인인 집착과 욕망에서 벗어나 연기성과 진리를 깨달으면 해탈과 열반에 이를 수 있다고 보고, 이를 위해 중생 구제와 자비 실천에 힘쓸 것을 강조한다.

오답 피하기

ㄱ. 유교에서 강조하는 수양 방법이다. ㄹ. 도교에서 강조하는 수양 방법이다.

### 6 도덕 판단의 타당성 검토

윤리적 판단의 타당성을 확보하는 방법으로는 역할 교환 검사와 보편화 결과 검사 등이 있는데, 을은 갑이 내린 도덕 판단의 옳고 그름을 가리기 위해서 보편화 결과 검사를 실시했다. 역할 교환 검사는 딜레마 속의 다른 사람의 입장을 취해 보는 것이고, 보편화 결과 검사는 자신이 채택한 입장이 유사한 상황에 있는 모든 행위자에게 보편적으로 적용될 수 있는가에 대하여 심사숙고하는 것이다.

오답 피하기

①, ②, ③, ④는 모두 윤리적 판단의 타당성을 확보하는 방법이지만 을이 사용한 방법과는 관련이 없다.

### 7 거경(居敬)

제시문은 유교 윤리의 거경(居敬)에 대한 설명이다. 거경은 대표적인 동양의 윤리적 성찰 방법으로, 마음을 한 곳으로 모아 흐트러짐이 없이 하고 몸가짐을 삼가 덕성을 함양하는 것이다. 거경의 방법으로는 홀로 있을 때에도 도리에 어긋나지 않도록 몸가짐을 바로 하는 신독(愼獨)과 마음을 한 곳에 집중하여 흐트러지지 않게 하는 주일무적(主一無適)이 있다.

### 8 출생의 윤리적 의미

출생은 생명을 계승한다는 의미가 있다. 새롭게 태어난 아기는 인간이라는 종을 존속시키고, 그 부모의 삶을 잇는다. 특히, 전통적인 관점에서 출생은 인간이라는 종을 종속시킴과 동시에 가문과 부모의 혈통을 유지하는 것으로 간주되었다.

오답 피하기

①, ③, ④ 제시문과 관련이 없다. ⑤ 부모가 자녀를 성별에 근거하여 차별하는 것은 옳지 않다.

### 9 장자의 죽음관

제시문은 장자의 견해이다. 장자는 생로병사(生老炳死)는 자연스러운 것이므로 인간은 이를 두려워하거나 걱정할 필요가 없다고 보았다.

오답 피하기

④ 유교의 관점이다.

더 알아보기 + 동서양의 죽음관

| | |
|---|---|
| 동양 | • 공자: 현세의 도덕적인 삶이 더 중요함<br>• 장자: 삶과 죽음은 자연스럽고 필연적인 과정임<br>• 불교: 죽음은 고통 중 하나로, 다음 세상으로 윤회하는 과정임 |
| 서양 | • 플라톤: 죽음은 육체에 갇혀 있던 영혼이 해방되는 것임<br>• 에피쿠로스: 죽음은 경험할 수 없으므로 죽음을 두려워할 필요가 없음<br>• 하이데거: 죽음의 자각은 진정한 삶의 시작임 |

### 10 뇌사에 관한 찬반론

갑은 뇌사에 대하여 반대하고 있으며, 을은 뇌 기능이 정지되면 인간다운 삶이 불가능하므로 뇌사는 인정되어야 한다고 본다. 뇌사를 찬성하는 사람들은 사회적 유용성, 장기 적출의 가능성 등을 주요 근거로 제시한다. 반면, 뇌사를 반대하는 사람들은 인간의 죽음은 심장 기능의 정지라고 주장하면서 생명에 대한 인간 개입의 부당성을 강조한다.

더 알아보기 + 뇌사의 윤리적 쟁점

| 뇌사 인정 | 뇌사 불인정 |
|---|---|
| • 뇌 기능 정지 시 인간으로서 고유한 활동이 불가능함<br>• 뇌사자의 장기로 다른 생명을 구할 수 있음<br>• 뇌사자의 존엄하게 죽을 권리를 보장해야 함 | • 뇌 기능이 정지하더라도 생명 유지가 가능함<br>• 뇌사 판정 과정에서 오류 발생 가능성이 있음<br>• 실용주의 관점은 인간의 가치를 위협함 |

## 11 유전자 조작 기술의 필요성에 관한 의견

유전자 조작 기술은 인위적으로 자연 질서를 해칠 수 있으며, 유전자 조작으로 만들어진 식물이 인체에 끼치는 해악을 확신할 수 없다는 단점이 있다. 그러나 유전자 조작 기술이 필요하다고 보는 관점에서는 이 기술이 인류의 발전을 위해 필요하다고 강조한다. 인류의 식량 부족 문제에 주목하는 견해는 유전자 조작 기술의 필요성을 중시하는 견해이다.

## 12 동물의 권리에 관한 레건의 입장

레건은 일부 동물은 삶의 주체로서 인간과 동일하게 존중받아야 할 도덕적 권리를 보유하고 있고, 그 자체로 목적으로 대우해야 한다고 본다.

## 13 프롬이 말하는 성과 사랑

프롬은 진정한 사랑은 보호, 책임, 존경, 이해를 포함해야 한다고 주장한다. 프롬은 사랑은 일련의 도덕적 속성을 포함할 때 진정한 의미가 있다고 설명한다. 성적 욕망이 사랑의 감정과 항상 일치하는 것은 아니며, 성적 욕망이 사랑과 일치하기 위해서는 일정한 절제와 책임, 상대에 대한 보호와 배려가 필요하다고 설명한다.

오답 피하기

ㄴ. 성적 욕망과 사랑이 언제나 일치하는 것은 아니다. ㄹ. 프롬은 성적 쾌락을 없애야 한다고 여기지 않으며, 성적 욕망이 사랑과 하나가 될 수 있도록 노력해야 한다고 주장한다.

## 14 유교의 효(孝) 사상

유교에서는 효를 모든 덕의 근본으로 여겨 가정에만 국한하지 않고 이웃과 사회로 확대하려는 자세를 강조한다. 부모의 은혜에 보답하고자 자녀는 효도 곧 부모에게 정신적인 공경과 물질적인 봉양을 해야 한다. 또한, 효는 부모와 자식 간의 가족적인 관계에 그치지 않고 친척, 타인, 더 나아가 모든 세상으로 확장된다고 보았다.

오답 피하기

②, ④ 부부간의 윤리이다. ③ 진정한 효는 정신적 공경과 물질적 봉양을 동시에 추구하는 것이다.

## 15 전문직 윤리의 필요성

전문직은 고도의 전문적 교육과 훈련을 거쳐서 일정한 자격 또는 면허를 취득해야만 종사할 수 있는 직업을 말한다. 전문직은 사회 공익적 성격을 띠는 경우가 많으며, 전문적 지식과 정보를 이용하여 부당한 이익을 취할 수 있기 때문에 전문직 종사자에게는 사회적으로 더욱 높은 수준의 도덕성과 직업윤리가 요구된다.

오답 피하기

ㄱ. 전문직에 대한 국가의 법적 규제는 마련되어 있다. ㄹ. 공직자에 대한 설명이다.

## 16 노직의 정의관

제시문은 노직의 입장이다. 노직은 자유 지상주의적 입장에서 개인의 권리를 보호하고 존중하는 것을 정의라고 보았다. 그는 국가 권력에 의해 개인의 자유를 제약하는 것에 반대하였으며, 국가에 의한 부의 재분배를 비판하였다.

더 알아보기 + 분배적 정의에 관한 롤스와 노직의 입장

| | |
|---|---|
| 롤스 | • 공정한 절차를 통해 합의한 것이라면 정의롭다고 봄 → 공정으로서의 정의<br>• 무지의 베일을 쓴 원초적 입장에서 도출된 정의의 두 원칙을 따라야 함 → 평등한 자유의 원칙(제1원칙), 차등의 원칙·공정한 기회균등의 원칙(제2원칙) |
| 노직 | • 개인의 권리를 보호하고 존중하는 것을 정의롭다고 봄 → 재화의 취득, 양도, 이전의 절차가 정당하면 그로부터 얻은 소유물은 개인이 절대적 소유 권리를 지님<br>• 타인의 침해로부터 개인을 보호하기 위한 역할을 수행하는 최소 국가만이 정당함 |
| 왈처 | 다양한 분배 영역에서 상이한 기준에 따라 상이한 사회적 가치가 분배되어야 함 |
| 마르크스 | • 능력에 따라 일하고 필요에 따라 분배할 것을 주장함<br>• 능력에 따른 분배는 경제적 불평등을 발생시킴 → 경제적 불평등의 해소를 주장함 |

## 17 교정적 정의와 공정한 처벌

공리주의적 입장에서는 처벌을 필요악으로 보고, 처벌이 사회적으로 선하고 유용한 결과를 얻는 데 도움이 되는가를 중시한다. 즉, 처벌이 사회적 이익 증진을 위한 수단임을 중시한다. 반면, 응보주의는 처벌이 범죄자의 행위에 대한 정당한 응징임을 강조한다.

더 알아보기 + 교정적 정의와 공정한 처벌

| | |
|---|---|
| 응보주의 | • 처벌은 범죄에 상응하여야 하며, 도덕적 형평성 회복을 목적으로 함<br>• 범죄 예방과 범죄자 교화 가능성을 간과할 수 있음 |
| 공리주의 | • 처벌은 범죄자를 교화하고 범죄를 예방하는 것으로, 사회적 이익 증진을 목적으로 함<br>• 처벌을 각오한 범죄를 설명할 수 없고, 처벌의 범죄 예방 효과를 입증하기 곤란함 |

### 18 사형 제도에 관한 응보주의의 관점

(가)는 응보적 정의를 주장하는 입장이며, 밑줄 친 '이 제도'는 사형 제도이다. (가)에 따르면 타인에게 고통과 피해를 준 자는 동일하게 보복해야 한다. 응보주의적 관점에서 볼 때, 타인의 생명을 위협하거나 살해한 자는 자기의 생명도 박탈당할 수 있음을 알아야 한다. 따라서 범죄자의 사악한 행위를 되갚는 차원에서 사형 제도는 정당하며 유지되어야 한다고 여긴다.

오답 피하기

①, ② 사형 제도에 대한 찬성 근거이지만 (가)와 관련이 없다. ④, ⑤ 사형 제도에 대한 반대 근거이다.

### 19 부패한 사회의 문제점

부패가 만연한 사회는 공정 경쟁의 틀이 붕괴되며, 사회적 비용이 낭비되고 비효율성이 증가한다. 또한, 사회 구성원 간 신뢰와 소통이 단절되고, 국가 신인도 및 국가 경쟁력 저하를 야기한다.

오답 피하기

정. 연고주의와 정실주의는 우리 사회에 부패를 일으키는 주된 원인 중 하나로 지적된다.

### 20 부당한 법률에 대한 시민 불복종

(가)에서는 법률에 대한 무조건적인 복종을 주장하는 반면, (나)에서는 부당한 법률에 대해서 복종하는 것만이 능사가 아님을 지적하고 있다. 따라서 (나)의 관점에서는 잘못된 법률이나 정의롭지 못한 정책에 대해서는 시민 불복종을 통해 개선의 노력이 필요함을 인정할 가능성이 높다.

오답 피하기

ㄷ. (가)의 입장에 대한 설명이다.

정답

# 핵심 용어 풀이

## 01 연기론 | 가선 緣, 일어날 起

불교에서 말하는 모든 존재와 현상이 다양한 원인과 조건, 즉 ❶ ______ 에 의해 생겨난다는 이론

답 ❶ 인연

예 1 연기론에 따르면 만물은 독립적으로 존재할 수 없으며 서로 연결되어 상호 의존하고 있다.

예 2 연기론을 깨닫지 못한 인간은 자기 자신과 현실 세계가 존속한다는 것에 집착함으로써 고통을 받는다.

## 02 바라밀 | 波羅蜜

"이 언덕에서 저 언덕으로 간다."라는 뜻으로 욕망과 ❶ ______ (으)로 가득 차 있는 현실 세계에서 해탈하기 위한 보살의 수행 방법

* 육바라밀

| | |
|---|---|
| 보시(布施): 자기 소유물을 필요한 사람에게 베풂 | 지계(持戒): 계율을 잘 지킴 |
| 인욕(忍辱): 괴로움을 받아들임 | 정진(精進): 부지런히 노력함 |
| 선정(禪定): 산란한 마음을 가라앉히고 고요히 사색함 | 지혜(智慧): 진상(眞相)을 바르게 보는 정신적 밝음 |

답 ❶ 고통

예 1 불교에서는 바라밀의 수행을 통해 고통까지도 즐거움으로 여길 수 있는 열반의 경지에 이를 수 있다고 본다.

## 03 무위자연 | 없을 無, 할 爲, 스스로 自, 그러할 然

❶ ______ 에서 추구하는 삶의 방식으로 '억지로 무엇인가 하려 하지 않고, 스스로 그러한 대로 사는 것

최고의 선은 물과 같다. 물처럼 살아가면서 만족할 줄 아는 사람은 부끄러움을 당하지 않는다. 무엇이든 지나치게 좋아하면 그만큼 낭비가 크고, 너무 많이 쌓아 두면 그만큼 잃게 된다. – 노자

답 ❶ 도교

예 1 도교에서는 인위적인 삶에서 벗어나 자연 그대로의 질서를 따르는 무위자연에 따라 살아갈 것을 강조한다.

## 04 정언 명령 | 정할 定, 말씀 言

마땅히 해야 할 ❶ ______ 을/를 지시하는 명령으로, 명령 그 자체가 목적이 됨

* 정언 명령의 대표적인 정식

| | |
|---|---|
| 보편 법칙의 정식 | 네 의지의 준칙이 항상 동시에 보편적인 입법의 원리가 될 수 있도록 행위를 하여라. |
| 목적의 정식 | 너 자신의 인격에서나 다른 모든 사람의 인격에서 인간을 단지 수단으로만 대우하지 말고 항상 동시에 목적으로 대우하도록 행위를 하여라. |

답 ❶ 행위

예 1 칸트가 제시한 도덕 법칙은 그 자체가 선이기 때문에 무조건 따라야 하는 법칙인 정언 명령의 형식으로 제시된다.

## 05 공리주의 | 공로 功, 화할 利

행위의 기준을 '최대 다수의 최대 ❶ [ ]' 즉, 사회의 최대 다수 구성원의 최대한의 행복을 추구하는 윤리관

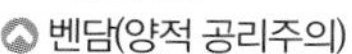

밀(질적 공리주의)

답 ❶ 행복

예 1 공리주의는 쾌락의 증진과 고통의 감소, 즉 행복을 가져다 주는 유용성을 기준으로 윤리적 규칙을 도출한다.

예 2 고전적 공리주의를 주장한 학자로는 양적 쾌락주의를 주장한 벤담과 질적 쾌락주의를 주장한 밀이 있다.

## 06 거경 | 있을 居, 공경할 敬

❶ [ ]에서 말하는 윤리적 성찰의 방법으로 마음을 한 곳으로 모아 흐트러짐이 없게 하는 것

답 ❶ 유교

예 1 거경의 주된 예로 신독(愼獨)을 들 수 있는데, 이는 홀로 있을 때도 도리에 어긋나지 않도록 몸과 마음을 바르게 하고, 언행을 신중하게 하는 것을 의미한다.

## 07 뇌사 | 뇌 腦, 죽을 死

뇌간과 연수를 포함한 ❶ [ ] 기능이 완전히 정지된 상태

| 뇌사를 죽음으로 인정하는 입장 | 뇌사를 죽음으로 인정하지 않는 입장 |
|---|---|
| · 뇌 기능이 정지하면 인간으로서 고유한 활동이 불가능함<br>· 뇌사자의 장기로 다른 생명을 구할 수 있음<br>· 뇌사자의 존엄하게 죽을 권리를 존중해야 함 | · 뇌 기능이 정지해도 생명을 유지할 수 있음<br>· 뇌사 인정은 인간 생명을 수단으로 여기는 것임<br>· 실용주의 관점은 인간의 가치를 위협할 수 있음 |

답 ❶ 뇌

예 1 대부분의 나라에서는 뇌사를 죽음으로 인정하고 있으며, 우리나라는 장기 기증을 전제로 한 경우에만 뇌사를 죽음으로 인정한다.

## 08 안락사 | 편안할 安, 즐길 樂, 죽을 死

❶ [ ]적으로 생명을 단축해서 환자의 고통스러운 삶을 중단하는 행위

답 ❶ 인위

예 1 환자가 동의하는 자발적 안락사는 환자의 선택이 이성적 판단에 의한 것인지, 자살을 인정할 수 있는지 등이 윤리적으로 문제가 된다.

핵심 용어

## 핵심 용어 풀이

### 09 유전자 치료

원하는 유전자를 세포 안에 넣어 새로운 형질을 발현하게 하여 이상 유전자의 기능을 대신하거나 이상 유전자를 바꾸어 유전적 ❶ [ ] 을/를 치료하는 방법

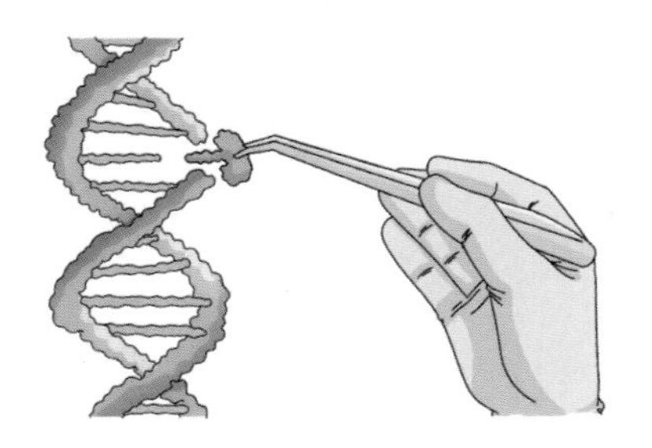

답 ❶ 질병

예 1 유전자 치료에는 체세포를 대상으로 하는 체세포 치료와 수정란이나 배아를 대상으로 하는 생식 세포 치료가 있다.

예 2 유전자 치료는 후세대를 유전적으로 개량하려는 욕망과 결합하여 새로운 우생학적 시도로 변형될 수 있다.

### 10 성차별

남성 혹은 여성이라는 이유로 사회적·문화적·경제적으로 ❶ [ ] 대우를 하는 것

답 ❶ 부당한

예 1 성차별은 인간이 누려야 하는 자유와 평등 그리고 인간 존엄성을 훼손하여 윤리적 문제를 야기할 수 있다.

예 2 오늘날에는 성차별을 막기 위한 사회 제도의 개선과 인식의 전환이 이루어지고 있다.

### 11 성적 자기 결정권

인간이 자신의 의지에 따라서 자율적으로 성적 행위를 ❶ [ ] 할 수 있고, 원치 않는 성적 행위를 분명하게 ❷ [ ] 할 수 있는 권리

답 ❶ 결정 ❷ 거부

예 1 자신의 성적 자기 결정권을 존중받기 위해서는 타인의 성적 자기 결정권도 동등하게 존중해야 하며, 자신의 성적 욕망과 성적 활동에 대해서도 책임을 져야 한다.

### 12 공자 | 孔子

중국 고대의 사상가로, ❶ [ ] 사상의 원조. 그의 언행과 사상은 『논어』를 통해 전해짐

배우고 때때로 익히면 또한 기쁘지 않겠는가? 먼 곳에서 벗이 찾아오면 또한 즐겁지 않겠는가? 사람들이 알아주지 않아도 노여워하지 않으면 또한 군자가 아니겠는가? -『논어』

답 ❶ 유교

예 1 『논어』는 공자의 말이나 그 제자와의 대화를 기록한 책으로, 첫 구절은 일상에 대하여 각성할 것을 강조한다.

## 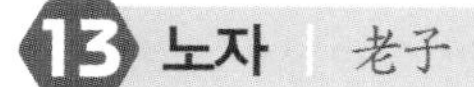
## 13 노자 | 老子

중국 고대의 철학자로, ❶ [ ] 사상의 창시자. 중국 춘추 시대에 활동한 것으로 알려짐

> 도를 도라고 할 수 있으면 항상 된 도가 아니다. 이름을 이름이라고 할 수 있으면 항상 된 이름이 아니다. 이름 없음은 천지의 시작이고, 이름 있음은 만물의 어미이다. －『도덕경』

답 ❶ 도교

예 1 노자의 "최고의 선은 물과 같다(上善若水)."라는 가르침은 도교 사상의 핵심을 말해 준다.

## 14 플라톤 | Platon

고대 ❶ [ ] 의 철학자로, '이데아론'을 바탕으로 이상적인 인간과 국가에 대해 연구함



답 ❶ 그리스

예 1 플라톤은 이데아를 감각적인 경험을 초월한 참된 존재의 의미로 사용하였다.

## 
## 15 에피쿠로스 | Epicouros

고대의 철학자로, 금욕적 생활 속에서 ❶ [ ] 쾌락을 추구함

> 살아 있으면 죽음은 없고, 죽으면 느끼는 내가 없으므로 죽음을 의식하거나 두려워할 필요가 없다.

답 ❶ 정신적

예 1 에피쿠로스는 인간이 세계의 다른 존재들과 같이 원자로 구성되어 있고, 죽음은 이런 원자가 분리되어 개별 원자로 돌아가는 것이라고 주장하였다.

## 
## 16 하이데거 | Heidegger, M.

독일의 철학자로, ❶ [ ] 적 존재론을 전개함

> 현존재로서의 인간은 '세계 내 존재'이므로, 사물과 인간에 대한 염려·관심·불안을 갖고 살게 마련이다.

답 ❶ 실존주의

예 1 하이데거는 "자신이 죽는다는 사실을 자각하는 것은 단순한 삶의 종말이 아니라 삶이 시작되는 사건이다."라고 말하면서 죽음을 직시할 때에만 진정한 삶을 살 수 있다고 보았다.



핵심 용어

## 핵심 용어 풀이

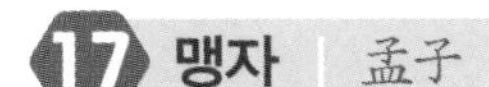

### 17 맹자 | 孟子

중국 전국 시대의 ❶ [    ] 사상가로 성선설(性善說)을 주장함

> 대인이 할 일이 있고 소인이 할 일이 따로 있으며, 어떤 사람은 마음을 수고롭게 하고, 어떤 사람은 몸을 수고롭게 한다.

답 ❶ 유교

예 1 맹자는 생업(직업)의 수행이 곧 윤리적 인격과 정서적 안정의 조건이며, 생업은 검약과 절제의 태도를 배우게 되는 계기라고 보았다.

### 18 마르크스 | Marx, K.

독일 출신의 ❶ [    ] 사상가이자 경제학자로 『공산당 선언』, 『자본론』 등을 저술함

> 노동을 통해 자기 본질을 실현하는 인간 존재의 특성을 되찾아야 한다.

답 ❶ 사회주의

예 1 마르크스는 자본주의적 분업 방식이 생산 과정에서 노동력 착취와 노동의 소외 문제를 낳는다고 보았다.

### 19 직업윤리

어떤 사람이 직업인이 되었을 때 자기가 맡은 일에서 지켜야 할 마땅한 ❶ [    ]

답 ❶ 도리

예 1 직업윤리는 사회 질서를 건강하게 유지하기 위한 필수 조건이며, 사회의 도덕성을 향상하는 데 이바지한다.

### 20 칸트 | Kant, I.

독일의 철학자로, ❶ [    ]을/를 통해 도덕 법칙을 알아낼 수 있다고 보았고, 의무론적 윤리를 대표함

> 네 의지의 준칙이 항상 동시에 보편적인 입법의 원리가 될 수 있도록 행위를 하여라.

답 ❶ 이성

예 1 의무론적 윤리로는 자연법 윤리와 칸트의 의무론적 윤리가 대표적이다.

예 2 칸트에 따르면 이성적이고 자율적인 인간은 보편적인 도덕 법칙을 인식할 수 있다.

## 21 롤스 | Rawls, J.

미국의 학자로, ❶ [    ]의 원칙과 이 원칙을 끌어내는 방법적 측면을 모두 중시함

재능, 지위와 같은 도덕적으로 임의적인 요소들의 작용으로 최대 수혜자가 된 사람은 최소 수혜자의 삶을 개선하기 위해 일정한 희생을 감내해야 한다.

답 ❶ 정의

예 1 롤스는 공정한 절차를 통해 합의된 것이라면 정의롭다고 보는 '공정으로서의 정의'를 주장하였다.

예 2 롤스는 사회 구성원들 간의 합의를 통해 정의의 원칙을 도출할 수 있다고 여겼다.

## 22 노직 | Nozick, R.

미국의 학자로, 자유 지상주의적 입장에서 개인의 ❶ [    ]을/를 보호하고 존중하는 것이 정의라고 봄

소득 재분배는 개인의 권리를 침해하는 심각한 문제이다. 근로 소득에 대한 과세는 강제 노동과 같다.

답 ❶ 권리

예 1 노직은 자유 지상주의적 입장에서 정의를 탐구하였으며, 재화를 소유하게 되는 과정에 주목하였다.

## 23 소수자 우대 정책

차별을 받아 온 ❶ [    ]에게 대학 입학이나 취업 등에서 가산점을 주거나 혜택을 주는 사회 정책

답 ❶ 사회적 약자

예 1 사회적 약자에 대한 각종 차별의 문제를 극복하고 사회 정의에 입각한 평등을 추구하기 위해 소수자 우대 정책이 도입되었다.

## 24 루소 | Rousseau, J. J.

프랑스의 계몽 사상가로서 홉스, 로크 등과 함께 ❶ [    ] 사상을 대표함

사회 계약은 계약자의 생명 보존을 목적으로 한다.

답 ❶ 사회 계약

예 1 루소는 사형에 처할 만큼의 중죄를 범한 사람은 스스로 사회의 구성원이기를 포기한 것이라고 주장한다.

## 핵심 용어 풀이

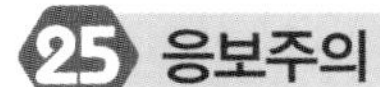

### 25 응보주의

처벌의 목적은 범죄 행위의 ❶ [    ]에 비례하여 처벌하는 데 있다고 보는 관점

답 ❶ 심각성

예 1 응보주의는 범죄자의 처벌을 통한 도덕적 형평성의 회복 자체를 목적으로 하므로 범죄 예방을 목적으로 하지 않는다는 비판을 받기도 한다.

### 26 민본주의 | 백성 民, 뿌리 本

❶ [    ]이/가 나라의 근본이니 ❶ [    ]이/가 튼튼해야 나라가 평안하다는 정치사상

하늘이 보고 듣는 것이 백성을 통해 보고 듣는 것이다. 하늘이 밝히고 두렵게 하는 것 또한 우리 백성들을 통해 밝히고 두렵게 하는 것이다. 이처럼 하늘과 백성은 통하는 것이니, 땅을 다스리는 사람은 백성을 공경해야 한다. －『서경』

답 ❶ 백성

예 1 동양에서 국가의 역할은 위민, 민본주의와 관련이 깊다.

### 27 소로 | Thoreau, H. D.

미국의 사상가로, 멕시코 전쟁에 반대하여 인두세 납부를 거부했으며, 순수한 ❶ [    ]의 생활을 예찬함

국민으로서 법에 대한 존경심보다는 인간으로서의 양심을 우선해야 한다.

답 ❶ 자연

예 1 노예 제도와 멕시코 전쟁에 반대한 소로의 납세 거부 운동은 시민 불복종의 대표적 사례이다.

### 28 시민 불복종

❶ [    ](이)나 정부의 정책에 변화를 가져올 목적으로 행해지는 공공적이고 비폭력적인 위법 행위

답 ❶ 법

예 1 시민 불복종은 부정의한 법과 정책에 저항하는 것이기 때문에 개인의 양심이나 사회 정의의 문제와 밀접한 관련이 있다.

## 핵심 개념 01 이론 윤리학과 실천 윤리학

1. 이론 윤리학
· 도덕 원리나 도덕적 정당화의 이론적 ❶ ______ 을/를 제시함
· 도덕적 행위에 대한 이론적 분석과 정당화를 다룸 → 윤리 문제 해결의 이론적 토대 제공

2. 실천 윤리학
· 삶에서 구체적으로 발생하는 윤리 문제에 대한 실제적이고 구체적인 ❷ ______ 을/를 모색함
· 이론 윤리학에서 제공하는 도덕 원리를 토대로 다양한 윤리 문제 해결에 주된 관심을 둠
예 생명 윤리, 정보 윤리, 환경 윤리 등

3. 실천 윤리학의 특징
· 다양한 삶의 영역에서 제기되는 윤리 문제의 구체적인 해결책 모색
· 과학 기술의 발달로 발생하는 새로운 문제를 다룸
· 다양한 학문 분야 간의 대화 강조
· 이론 윤리학과 유기적 관계에 있음

답 ❶ 근거 ❷ 해결책

## 핵심 개념 02 윤리 문제에 대한 동양 윤리의 접근

| 구분 | 내용 |
|---|---|
| 유교 | · 천지 만물에 인의예지가 내재해 있음<br>· 경(敬)과 성(誠)을 통해 선한 본성을 보존하고 확충하여 예(禮)를 회복하고자 함<br>· 대동 사회: 공자가 제시한 유교의 이상 사회 |
| 불교 | · ❶ ______ : 만물은 독립적으로 존재할 수 없고, 서로 연결되어 상호 의존함 → 모든 존재는 스스로 고정된 실체가 없음<br>· 자비의 실천 강조: 모든 존재를 차별하지 않는 사랑의 실천 강조<br>· 내면의 성찰과 바라밀의 실천을 통해 연기성과 진리에 대한 깨달음을 얻어 해탈과 열반에 이를 수 있음 |
| 도교 | · 세계는 상대적인 것으로 이루어져 있고, 만물은 평등한 가치를 지님<br>· ❷ ______ 추구: 자연 그대로의 질서를 따를 것을 강조함<br>· 좌망과 심재를 통해 소요유의 정신을 실현하고, 만물을 평등하게 바라보는 제물(齊物)을 실천할 수 있음 |

답 ❶ 연기설 ❷ 무위자연

## 핵심 개념 03 윤리 문제에 대한 의무론적 접근

1. 자연법 윤리
· 자연법: 모든 인간에게 자연적으로 주어진 보편적인 법
· 이성이나 직관에 의해 자연법 인식 → 이를 통해 도출되는 ❶ ______ 준수 강조
· 아퀴나스: "선을 추구하고 악을 피하라." (자연법의 기본 원리)

2. 칸트의 의무론

| 구분 | 내용 |
|---|---|
| 도덕 법칙 | 무조건 따라야 하는 ❷ ______ 명령<br>– 네 의지의 준칙이 항상 동시에 보편적 입법의 원리가 될 수 있도록 행위하라.<br>– 너 자신의 인격에서나 다른 모든 사람의 인격에서 인간을 단지 수단으로만 대우하지 말고 항상 동시에 목적으로 대우하라. |
| 선의지 | 이성에 의해 도덕 법칙을 파악하고 이를 순수하게 따르려는 의지 → 행위의 결과보다는 동기의 중요성 |

3. 공통점: 행위 자체의 도덕성에 주목하면서 도덕적 의무 강조

답 ❶ 도덕적 의무 ❷ 정언

## 핵심 개념 04 윤리 문제에 대한 공리주의적 접근

1. 특징
· 쾌락이나 행복을 추구하는 ❶ ______ 에 따라 옳고 그름을 판단
· 도덕과 입법의 원리: 최대 다수의 최대 행복

2. 고전적 공리주의

| 구분 | 내용 |
|---|---|
| 양적 공리주의 | · 모든 쾌락은 질적으로 동일함 → 쾌락의 양을 계산해 유용성을 측정할 수 있음(벤담) |
| ❷ ______ 공리주의 | · 쾌락은 질적으로 동일하지 않음 → 질적으로 높고 고상한 쾌락을 추구(밀) |

3. 행위 공리주의와 규칙 공리주의

| 구분 | 내용 |
|---|---|
| 행위 공리주의 | 더 많은 공리를 가져오는 행위를 옳은 행위로 간주함 |
| 규칙 공리주의 | 일반적으로 최대의 행복을 가져오는 행위의 규칙을 따라야 한다고 주장함 |

답 ❶ 유용성 ❷ 질적

자르는 선

## 01

예제 다음 상황에서 제시할 수 있는 실천 윤리학의 과제로 적절한 것을 〈보기〉에서 고른 것은?

> 인공 수정으로 태어난 아이들은 유리병 속에서 길러지고, 지능에 따라 장래가 결정된다. 개인은 주어진 역할을 자동으로 수행하고, 불안은 약으로 해소한다.

**보기**

ㄱ. 윤리학의 학문적 성립 가능성에 대한 탐구
ㄴ. 과학 기술 발달을 바탕으로 한 이상 사회 제시
ㄷ. 새롭게 등장한 문제에 대한 구체적 해결책 마련
ㄹ. 사실 판단과 가치 판단을 고려한 당위적 규범 제시

① ㄱ, ㄴ　② ㄱ, ㄷ　③ ㄴ, ㄷ
④ ㄴ, ㄹ　⑤ ㄷ, ㄹ

답 ⑤

★기억해요!

실천 윤리학은 학문적 지식을 바탕으로 새롭게 나타난 윤리 문제의 [　　　]을/를 마련하고자 등장하였다.

답 해결책

## 02

예제 유교 사상의 관점에서 다음 상황 속 A에게 해 줄 수 있는 조언으로 가장 적절한 것은?

> A는 어느 날 희귀병을 앓고 있는 동생을 홀로 돌보는 소년 가장에 대한 뉴스를 보게 되었다. A는 그동안 모아 둔 용돈을 기부하려다가, 새 신발을 사려고 용돈을 모으던 과정이 떠올라 고민하기 시작했다.

① 욕심을 버리고 진정한 예(禮)를 회복해야 한다.
② 소요(逍遙)의 경지에 도달하려면 마음을 비워야 한다.
③ 선행을 통해 인간의 이기적 본성을 바로잡아야 한다.
④ 나와 남이 다르지 않고 이어져 있음을 명심해야 한다.
⑤ 정의로운 마음은 실천을 통해 형성되는 것임을 깨달아야 한다.

답 ①

★기억해요!

유교에서는 지나친 욕구를 극복하고 경(敬)과 성(誠)을 통해 [　　　]을/를 회복할 것을 주장한다.

답 예(禮)

## 03

예제 다음 사상의 특징으로 적절하지 않은 것은?

> 자연법은 신의 영원법이 인간에게 반영된 것으로, 인간은 그것을 스스로의 이성으로 인식하고 이해할 수 있다. 왜냐하면 신의 법은 원래 합리적이고 인간은 신에 의해 이성적 동물로 만들어졌기 때문이다.

① 보편적인 도덕 원리의 존재를 전제한다.
② 실정법에 도덕적 정당성을 부여하려 한다.
③ 자연법 원리를 통해 도덕 행위의 규범을 정립한다.
④ 인간은 이성을 통해 신의 뜻을 파악할 수 있다고 본다.
⑤ 도덕적 행위의 원리보다 행위자의 도덕적 습관을 강조한다.

답 ⑤

★기억해요!

자연법 윤리에 따르면 인간은 직관을 통해 [　　　] 원리를 발견할 수 있고, 이 원리로부터 도출되는 의무를 지켜야 한다.

답 자연법

## 04

예제 규칙 공리주의자와 행위 공리주의자가 모두 긍정의 대답을 할 질문만을 〈보기〉에서 고른 것은?

**보기**

ㄱ. 최대 다수의 최대 행복을 추구하는가?
ㄴ. 도덕 판단의 근거가 되는 원리가 존재하는가?
ㄷ. 다수의 이익을 위해 개인의 쾌락을 배제하는가?
ㄹ. 행위 규칙의 유용성이 도덕 판단의 근거가 되는가?

① ㄱ, ㄴ　② ㄱ, ㄷ　③ ㄴ, ㄷ
④ ㄴ, ㄹ　⑤ ㄷ, ㄹ

답 ①

★기억해요!

규칙 공리주의와 행위 공리주의는 모두 최대 다수의 최대 행복을 추구하며, [　　　]의 원리를 도덕 판단과 법률 제정의 근거로 삼는다.

답 유용성(공리)

자르는 선

## 핵심 개념 05 도덕적 추론과 토론

1. 도덕적 추론: 이유나 근거를 제시하면서 도덕 판단을 이끌어 내는 과정

| ❶ (대전제) | | 사실 판단 (소전제) | | 도덕 판단 (결론) |
|---|---|---|---|---|
| 옳고 그름을 판단하는 원리 | → | 참과 거짓을 구분하는 판단 | → | 다양한 윤리 문제에 대한 바람직한 판단 |

2. 토론
- 상대방을 설득하거나 이해하고, 이를 바탕으로 문제에 대한 최선의 해결책을 모색하는 것
- 인식과 판단의 ❷ 가능성을 줄이고 갈등을 원만하게 해결할 수 있도록 함

| 주장하기 | 반론하기 | 재반론하기 | 정리하기 |
|---|---|---|---|
| 근거를 들어 자신의 주장 제시 | 상대방 주장의 오류나 부당성 제시 | 자신의 주장을 뒷받침할 근거 제시 | 상대방 반론을 참고하여 최종 입장 발표 |

답 ❶ 도덕 원리 ❷ 오류

## 핵심 개념 06 동서양의 윤리적 성찰 방법

1. 동양

| | |
|---|---|
| 거경(居敬) | 유교의 성찰 방법으로, 마음을 한 곳으로 모아 흐트러짐이 없게 하는 것 |
| 일일삼성(一日三省) | 유교의 성찰 방법으로, 매일 하루의 삶을 성찰할 수 있는 세 가지 물음 |
| 참선 | ❶ 에서 강조하는 성찰 방법으로, 인간의 참된 삶과 본성을 깨닫기 위한 수행법 |

2. 서양

| | |
|---|---|
| 산파술(소크라테스) | 끊임없는 ❷ 을/를 통해 자신의 무지를 자각하게 돕는 방법 |
| 중용(아리스토텔레스) | 마땅한 때에, 마땅한 일에 대하여, 마땅한 사람에게, 마땅한 동기로 느끼거나 행하는 것 |

답 ❶ 불교 ❷ 질문

## 핵심 개념 07 죽음에 관한 철학적 견해

1. 동양

| | |
|---|---|
| 공자 | 죽음보다 현재의 도덕적 삶이 더욱 중요함 |
| 장자 | 죽음은 모여 있던 기(氣)가 흩어지는 자연스럽고 필연적인 과정 → 삶에 집착하거나 죽음을 두려워할 필요가 없음 |
| 불교 | 죽음은 고통의 하나이자, 윤회의 과정 → 자신의 업(業)에 따라 죽음 이후의 삶이 결정됨 |

2. 서양

| | |
|---|---|
| ❶ | 죽음은 육체에 갇혀 있던 영혼이 해방되어 이데아의 세계로 돌아가는 것 |
| 에피쿠로스 | 살아서는 죽음을 경험할 수 없고, 죽어서는 감각할 수 없음 → 죽음을 두려워할 필요 없음 |
| 하이데거 | 죽음을 자각함으로써 진정한 삶을 살 수 있음 |

답 ❶ 플라톤

## 핵심 개념 08 출생과 죽음에 관한 윤리적 문제

1. 임신 중절의 윤리적 쟁점

| | |
|---|---|
| 찬성 | · 태아는 여성 몸의 일부로 여성에게 소유권이 있음<br>· 여성은 자기 신체에 대해 자율적으로 선택할 권리가 있음<br>· 인간에게는 자기방어와 정당방위의 권리가 있음 |
| 반대 | · 태아는 인간으로 성장할 잠재성이 있음<br>· 태아는 인간이므로 태아의 생명도 존엄함<br>· 태아는 무고한 인간이므로 해쳐서는 안 됨 |

2. 뇌사의 윤리적 쟁점

| | |
|---|---|
| 찬성 | · 뇌 기능 정지 시 인간으로서의 고유한 활동 불가 → 뇌 기능 정지 시 사망(죽음=뇌사)<br>· 뇌사자의 장기로 다른 사람을 구할 수 있음 |
| 반대 | · 뇌 기능 정지를 죽음으로 보기에는 문제가 있음 → 심폐 기능 정지 시 사망(죽음=심폐사)<br>· ❶ 관점은 인간의 가치를 위협할 수 있음 |

답 ❶ 실용주의

자르는 선 ✂

## 05

예제 토론의 과정 중 '재반론하기' 단계의 특징을 〈보기〉에서 고른 것은?

보기

ㄱ. 상대방의 반론이 옳지 않음을 밝힐 수 있다.
ㄴ. 자신의 주장을 바꿔 상대방의 반론을 지지한다.
ㄷ. 상대방의 의견과 무관하게 자신의 주장을 고집할 수 있다.
ㄹ. 상대방의 반박에 대해 자신의 주장을 뒷받침할 근거를 제시할 수 있다.

① ㄱ, ㄴ ② ㄱ, ㄹ ③ ㄴ, ㄷ
④ ㄴ, ㄹ ⑤ ㄷ, ㄹ

답 ②

★기억해요!

토론의 과정 중 '[ ]'는 이전 단계인 '반론하기'에서 상대방으로부터 받은 반론이 적절하지 않음을 밝히는 과정이다.

답 재반론하기

## 06

예제 다음 사상가가 강조하는 내용으로 가장 적절한 것은?

> 지성적인 덕은 교육에 의해 생기며, 많은 경험과 시간이 필요하다. 이에 비해 품성적인 덕은 습관의 결과로 생긴다. 절제 있는 행위를 함으로써 절제 있게 되며, 용감한 행위를 함으로써 용감하게 되는 것이다. 품성적인 덕은 중용을 택하여 행동하는 성품이다.

① 사람은 본래 품성적인 덕을 가지고 태어난다.
② 중용을 알면 실천하지 않아도 덕을 형성할 수 있다.
③ 지식을 쌓음으로써 품성적인 덕을 습득할 수 있다.
④ 지속적인 실천을 통해 품성적인 덕을 갖출 수 있다.
⑤ 품성적인 덕의 형성에 꼭 실천이 필요한 것은 아니다.

답 ④

★기억해요!

아리스토텔레스는 인간에게 있어 [ ] 덕은 타고나는 것이 아니라 지속적 실천을 통해 형성되는 것이라고 본다.

답 품성적

## 07

예제 갑, 을 사상가의 공통적인 입장으로 가장 적절한 것은?

> 갑: 우리가 존재하는 한 죽음은 우리와 함께 있지 않으며, 죽은 이후에 우리는 더 이상 존재하지 않는다.
> 을: 사람을 섬길 줄도 모르면서 어떻게 귀신을 섬길 수 있으며, 삶도 아직 모르면서 어떻게 죽음을 알겠는가?

① 죽음은 산 사람과 죽은 사람 모두와 무관하다.
② 죽음 이후의 삶보다 현재의 삶이 더 중요하다.
③ 죽음은 영원하고 참된 쾌락에 도달하는 것이다.
④ 현세에서의 업보가 죽음 이후의 삶을 결정한다.
⑤ 죽음은 육체에 갇혀 있던 영혼이 해방되어 이데아의 세계로 돌아가는 것이다.

답 ②

★기억해요!

에피쿠로스와 공자 모두 [ ]보다 현재의 삶이 더 중요하다고 여긴다.

답 죽음

## 08

예제 갑, 을의 입장을 지지하는 근거로 적절한 것만을 〈보기〉에서 있는 대로 고른 것은?

> 갑: 뇌사를 죽음으로 인정해야 한다.
> 을: 뇌사를 죽음으로 인정하면 안 된다.

보기

ㄱ. 갑: 인간의 생명은 실용적 가치로 따질 수 없다.
ㄴ. 갑: 뇌사를 인정하면 다른 많은 생명을 살릴 수 있다.
ㄷ. 을: 뇌사 판정의 오류 가능성이 존재한다.
ㄹ. 을: 인간다움은 심장이 아닌 뇌에서 비롯된다.

① ㄱ, ㄷ ② ㄴ, ㄷ ③ ㄷ, ㄹ
④ ㄱ, ㄴ, ㄹ ⑤ ㄴ, ㄷ, ㄹ

답 ②

★기억해요!

뇌사에 반대하는 입장에서는 뇌사 판정의 [ ] 가능성이 있다고 지적한다.

답 오류

자르는 선

## 핵심 개념 09 동물의 권리와 동물 실험에 관한 논쟁

1. 동물의 권리에 관한 다양한 입장

| | |
|---|---|
| 데카르트 | 동물은 고통과 쾌락을 경험할 수 없음 |
| 칸트 | 동물을 대하는 감정과 행동이 인간을 대하는 데에도 영향을 미침 → 동물을 함부로 대하면 안 됨 |
| 벤담, 싱어 | 동물은 쾌고 감수 능력을 지님 → 동물의 이익도 고려해야 함 |
| 레건 | 삶의 ❶ [　　] 이/가 되는 동물은 그 자체로 목적으로 대우해야 함 |

2. 동물 실험에 관한 논쟁

| | |
|---|---|
| 옹호 | · 동물은 기본적 권리를 지니지 않음<br>· 동물 실험의 결과는 인간에게도 유효하고, 동물 실험으로 인체 실험의 위험성 감소 가능 |
| 반대 | · 동물도 기본적 권리를 지님<br>· 동물 실험의 결과를 인간에게 적용할 때 부작용이 나타날 수 있음 |

답 ❶ 주체

## 핵심 개념 10 사랑과 성 윤리

1. 사랑과 성을 바라보는 관점

| | |
|---|---|
| ❶ [　　] | 결혼 제도 내에서 출산과 양육에 대한 책임을 질 수 있는 성만이 도덕적으로 정당함 → 성은 개인적 영역인 동시에 사회 안정, 질서 유지와 관련 |
| 중도주의 | 인간의 고유한 인격을 유지할 수 있도록 사랑과 결합된 성을 추구 → 결혼을 동반하지 않아도 사랑을 동반한 성적 관계는 허용 |
| 자유주의 | 성숙한 사람들이 상호 동의를 전제로 타인에게 해를 주지 않는 성을 추구 → 결혼, 사랑과 결부되지 않아도 성적 관계는 정당화될 수 있음 |

2. 성과 관련된 윤리적 문제

· ❷ [　　]: 여성 혹은 남성이라는 이유로 사회적·문화적·경제적으로 부당한 대우를 하는 것

· 성적 자기 결정권: 인간이 자신의 성적 행동을 스스로 결정할 수 있는 권리

· 성 상품화: 성을 상품처럼 사고팔거나, 다른 상품을 팔기 위해 성을 수단으로 이용하는 것

답 ❶ 보수주의 ❷ 성차별

## 핵심 개념 11 가족 해체와 가족 윤리

1. 가족 해체

| | |
|---|---|
| 원인 | 사회 구조 변화와 의학 기술의 발전 → 혼인율과 출생률의 급격한 ❶ [　　] → 가족의 기능 약화 및 가족의 형태 변화 |
| 영향 | · 개인의 삶을 불안하게 만듦<br>· 가족 공동체의 와해 → 사회 전체에 부정적인 영향을 줌 |

2. 가족 윤리

| | |
|---|---|
| 부부 관계 | 부부유별(夫婦有別), 부부상경(夫婦相敬)의 실천 → 부부는 차별적 관계가 아닌 구별된 역할 속에서 서로의 인격을 존중해야 함 |
| 부모 자식 관계 | 부자유친(父子有親): 부모와 자녀 간에는 친밀함이 있어야 함 |
| 형제자매 관계 | 형우제공(兄友弟恭): 형은 동생에게 우애를 실천하고, 동생은 형을 ❷ [　　] 해야 함 |

답 ❶ 감소 ❷ 공경

## 핵심 개념 12 동서양의 직업관

1. 동양

| | |
|---|---|
| 맹자 | · 백성은 일정한 생업이 있어야 도덕적 마음을 가질 수 있음<br>· 사회적 분업 인정 |
| 순자 | 각자의 적성과 능력에 따라 역할 분담 |
| 실학자 | ❶ [　　] 에서 벗어나, 능력에 따라 역할 분담 |

2. 서양

| | |
|---|---|
| 플라톤 | 각 계층의 고유한 덕(德)을 발휘하여 직분에 충실해야 함 |
| 칼뱅 | 직업은 신이 부여한 소명(召命)이며, 직업적 성공을 거두고 부를 축적하는 것은 ❷ [　　] 의 징표임 |
| 마르크스 | · 인간은 노동을 통해 자기 본질을 실현<br>· 자본주의 체제에서는 분업화된 노동으로 노동자가 노동으로부터 소외됨 |

답 ❶ 신분 질서 ❷ 구원

자르는 선 ✂

## 10

예제 갑, 을의 입장으로 가장 적절한 것은?

> 갑: 결혼이라는 제도 안에서 이루어지는 성적 관계만이 정당합니다.
> 을: 성숙한 성인들이 자발적 동의를 토대로 한다면 개인의 자유로운 성적 선택을 존중해야 합니다.

① 갑: 인간의 성적 자유를 제한해서는 안 된다.
② 갑: 성은 개인뿐만 아니라 사회 안정과도 관련된다.
③ 을: 성이 가진 생식적 가치를 가장 우선해야 한다.
④ 을: 사랑 없는 성은 인간과 동물의 구분을 어렵게 한다.
⑤ 갑, 을: 결혼, 사랑과 결부되지 않아도 성적 관계는 정당화될 수 있다.

답 ②

★기억해요!

보수주의의 입장에서 성은 개인뿐만 아니라 사회 안정과도 관련되므로 [     ]의 제도 안에서 이루어지는 성만이 정당하다.

답 결혼

## 09

예제 다음 주장에 대한 반론의 근거로 가장 적절한 것은?

> 동물 실험은 의약품의 부작용과 위험성을 파악하고, 질병의 치료법을 발견하는 데 도움이 된다. 또한 동물 실험을 통해 생명 현상의 기본 원리를 이해할 수 있으므로 동물 실험은 반드시 필요하다.

① 인간과 동물은 생물학적으로 유사하다.
② 동물 실험은 인간의 건강 증진에 기여한다.
③ 인간과 동물이 공유하는 질병은 극히 드물다.
④ 동물 실험의 결과는 인간에게도 적용될 수 있다.
⑤ 동물 실험을 통해 인체 실험으로 인한 위험성을 줄일 수 있다.

답 ③

★기억해요!

동물 실험에 반대하는 입장에서는 인간과 [     ]이/가 공유하는 질병이 극히 드물다는 점을 지적한다.

답 동물

## 12

예제 다음 사상가가 부정의 대답을 할 질문으로 옳은 것은?

> 백성에게 항산(恒産)이 없으면 항심(恒心)도 없으며, 대인이 하는 일이 있고 소인이 하는 일이 있다.

① 대인과 소인은 각각에 맞는 사회적 역할이 있는가?
② 덕(德)을 갖춘 사람은 노심(勞心)의 역할을 맡는가?
③ 백성은 일정한 생업이 있어야 도덕적 마음을 가질 수 있는가?
④ 모든 사람은 정신노동과 육체노동을 동등하게 해야 하는가?
⑤ 사회적 역할을 구분하는 것은 사회 질서의 유지에 도움이 되는가?

답 ④

★기억해요!

맹자는 정신노동을 하는 [     ]과/와 육체노동을 하는 [     ]의 사회적 역할이 달라야 한다고 주장한다.

답 노심자, 노력자

## 11

예제 ㉠, ㉡의 관계에서 지켜야 할 도리가 바르게 연결된 것은?

> • ( ㉠ )은/는 인륜의 시초가 되기 때문에 삼가지 않으면 곧 인륜의 질서가 어지러워진다. 그러므로 예(禮)는 ( ㉠ )이/가 서로 삼가는 데에서 비롯된다.
> • ( ㉡ )은/는 형체는 다르나 본래 한 핏줄을 받았다. 나무에 비유하면 뿌리가 같고 가지는 다른 것과 같다.

| | ㉠ | ㉡ | | ㉠ | ㉡ |
|---|---|---|---|---|---|
| ① | 효 | – 부부유별 | ② | 자애 | – 부부상경 |
| ③ | 자애 | – 형우제공 | ④ | 부부유별 | – 형우제공 |
| ⑤ | 부자유친 | – 상경여빈 | | | |

답 ④

★기억해요!

유교의 전통 윤리에서는 [     ]이/가 인륜의 시초가 되며, 차이를 인정하되 각자의 역할에 최선을 다해야 한다고 보았다.

답 부부

자르는 선

## 핵심 개념 13 롤스의 정의관

1. ❶ (으)로서의 정의: 공정한 절차를 통해 합의된 것은 정의로움
2. **원초적 입장**: 서로 무관심한 합리적 개인이 무지의 베일을 쓰고 있다고 가정한 상황
3. 정의의 원칙

| | |
|---|---|
| 제1원칙 | 평등한 ❷ 의 원칙: 모든 사람은 기본적 자유에서 평등한 권리를 지님 |
| 제2원칙 | · 차등의 원칙: 사회적·경제적 불평등은 최소 수혜자에게 최대 이익을 보장해야 하며, 그 불평등이 모든 사람에게 이득이 되리라는 것이 합당하게 기대됨<br>· 공정한 기회균등의 원칙: 불평등의 계기가 되는 지위는 공정한 기회균등의 원칙에 따라 모든 사람에게 개방되어야 함 |

답 ❶ 공정 ❷ 자유

## 핵심 개념 14 노직의 정의관

1. ❶ (으)로서의 정의
· 모든 사람이 자신의 소유물에 대해 소유 권리를 가질 때가 정의로운 분배 → 재화의 취득·이전·교정의 절차가 정당해야 함
· 국가에 의한 재분배는 개인의 소유권을 침해하므로 부당
· 개인의 권리를 보호·존중하는 역할만 하는 최소 국가가 정당
2. 정의의 원칙

| | |
|---|---|
| 취득의 원칙 | 취득에서의 정의의 원리에 따라 소유물을 취득한 자는 그것의 소유 권리가 있음 |
| 이전의 원칙 | 소유물에 대한 소유 권리가 있는 자로부터 이전에서의 정의의 원리에 따라 그 소유물을 취득한 자는 그것의 소유 권리가 있음 |
| 교정의 원칙 | 취득의 원칙과 이전의 원칙이 반복적으로 적용되지 않은 부당한 취득은 교정해야 함 |

답 ❶ 소유 권리

## 핵심 개념 15 교정적 정의와 윤리적 쟁점들

1. **교정적 정의**: 사람 사이의 동등하지 않은 관계를 바로잡거나 위반 혹은 침해를 일으킨 사람에 대해 형벌을 가함으로써 공정함을 확보하는 것
2. 처벌의 정당화 근거

| | |
|---|---|
| 응보주의 | 처벌은 범죄에 상응하여야 하며, 도덕적 형평성 회복을 목적으로 함 |
| ❶ | 처벌은 범죄자를 교화하고 범죄를 예방하는 것으로, 사회적 이익 증진을 목적으로 함 |

3. 사형 제도에 대한 다양한 입장

| | |
|---|---|
| 칸트 | 사형은 동등성의 원리에 근거한 것이며, 살인한 범죄자의 인격을 존중하는 것임 → 사형제 존치 |
| 루소 | ❷ 에 따르면 계약자는 자신의 생명 보존을 위해 살인자의 사형에 동의한 것임 → 사형제 존치 |
| 베카리아 | 사형은 공익에 이바지하는 바가 적으며, 범죄 예방의 지속성이 약함 → 사형제 폐지 |

답 ❶ 공리주의 ❷ 사회 계약

## 핵심 개념 16 시민 불복종

1. **시민 불복종**: 법이나 정부의 정책에 변화를 가져올 목적으로 행해지는 공공적·비폭력적·양심적 위법 행위
2. 시민 불복종에 대한 관점

| | |
|---|---|
| 소로 | 헌법을 넘어선 개인의 ❶ 이/가 저항의 최종 판단 근거가 되어야 함 |
| 롤스 | 사회적 다수의 정의관이 저항의 기준이어야 함 |
| ❷ | 헌법 정신에 위배된 법률에 대해서 시민은 저항할 수 있음 |

3. 정당화 조건(롤스)

| | |
|---|---|
| 공개성 | 다수의 공개적인 활동으로 수행 |
| 비폭력성 | 폭력 사용 불가 |
| 최후의 수단 | 합법적인 방식으로 법을 고치고자 노력한 후 선택하는 최후의 수단 |
| 처벌 감수 | 불복종 행위에 따르는 법적인 처벌이나 제재를 감수 |
| 목적의 정당성 | 공동선, 정의와 같은 정당한 목적 추구 |

답 ❶ 양심 ❷ 드워킨

자르는 선

## 13

예제 롤스의 주장만을 〈보기〉에서 있는 대로 고른 것은?

보기

ㄱ. 정의의 원칙에는 우선성에 의한 서열이 있다.
ㄴ. 사회적·경제적 불평등은 공정한 절차를 준수하면 발생하지 않는다.
ㄷ. 각 개인이 갖는 자유는 다른 개인들이 갖는 자유의 체계와 양립해야 한다.
ㄹ. 천부적 재능의 우연한 분포에 의한 불평등의 완화를 위한 재분배는 허용되어야 한다.

① ㄱ, ㄴ ② ㄱ, ㄷ ③ ㄴ, ㄹ
④ ㄱ, ㄷ, ㄹ ⑤ ㄴ, ㄷ, ㄹ

답 ④

★기억해요!

롤스는 ☐ 수혜자에게 ☐ 이익을 보장하는 한에서 사회적·경제적 불평등을 인정한다.

답 최소, 최대

## 14

예제 노직의 입장에서 긍정의 대답을 할 질문만을 〈보기〉에서 있는 대로 고른 것은?

보기

ㄱ. 차등의 원칙은 구성원 모두에게 이익이 되는가?
ㄴ. 부의 불평등 해소에 기여하는 재분배만이 정당화될 수 있는가?
ㄷ. 사회적 약자를 위한 세금 부과는 개인의 정당한 소유권을 침해하는가?
ㄹ. 국가는 강압, 절도, 사기, 강제 계약을 막는 등의 최소 역할만을 해야 하는가?

① ㄱ, ㄴ ② ㄱ, ㄷ ③ ㄷ, ㄹ
④ ㄱ, ㄴ, ㄹ ⑤ ㄴ, ㄷ, ㄹ

답 ③

★기억해요!

자유 지상주의자이면서 소유 권리로서의 정의를 주장한 노직은 ☐ 국가만이 정당하다고 주장한다.

답 최소

## 15

예제 (가), (나)의 주장을 한 사상가를 바르게 연결한 것은?

(가) 사형은 살인범의 인간성을 훼손할 수 있는 모든 가혹 행위로부터 그의 인격을 존중하는 것이다.
(나) 형벌은 살인범이 지속적으로 비참한 상태에 놓인 것을 보여 줌으로써 사람들에게 오랫동안 본보기가 되어야 하기 때문에 사형을 시켜서는 안 된다.

| | (가) | (나) | | (가) | (나) |
|---|---|---|---|---|---|
| ① | 루소 – | 노직 | ② | 루소 – | 롤스 |
| ③ | 칸트 – | 루소 | ④ | 칸트 – | 베카리아 |
| ⑤ | 홉스 – | 베카리아 | | | |

답 ④

★기억해요!

칸트와 루소는 각각 응보주의와 사회 계약론의 관점에서 ☐ 제도에 찬성하였다.

답 사형

## 16

예제 시민 불복종에 대한 설명으로 옳은 것은?

① 불의한 법률에 대한 시민의 저항 의식이 표현된 것이다.
② 불복종 행위로 인한 처벌을 거부하면서 공개적으로 이루어지는 것이다.
③ 보다 큰 폭력을 방지하기 위한 폭력을 정당한 수단으로 인정하는 것이다.
④ 국가나 사회의 안전에 위협이 될지라도 불의한 법에는 무조건 불복종해야 한다.
⑤ 부당한 법률을 개정하기보다 정치 체제를 변화시키기 위해 행해지는 것이다.

답 ①

★기억해요!

시민 불복종은 불의한 법률을 변화시키기 위한 시민들의 ☐ 의식이 표출된 것이다.

답 저항

자르는 선

# book.chunjae.co.kr

교재 내용 문의 ································· 교재 홈페이지 ▸ 고등 ▸ 교재상담
교재 내용 외 문의 ····························· 교재 홈페이지 ▸ 고객센터 ▸ 1:1문의
발간 후 발견되는 오류 ························ 교재 홈페이지 ▸ 고등 ▸ 학습지원 ▸ 학습자료실

# 7일 끝

중간고사 기말고사

7일 끝으로 끝내자!

# 고등 생활과 윤리

## BOOK 2

천재교육

언제나 만점이고 싶은 친구들

# Welcome!

숨 돌릴 틈 없이 찾아오는 시험과 평가,
성적과 입시 그리고 미래에 대한 걱정.
중·고등학교에서 보내는 6년이란 시간은
때때로 힘들고, 버겁게 느껴지곤 해요.

그런데 여러분, 그거 아세요?
지금 이 시기가 노력의 대가를
가장 잘 확인할 수 있는 시간이라는 걸요.

안 돼, 못하겠어, 해도 안 될 텐데-
어렵게 생각하지 말아요. 천재교육이 있잖아요.
첫 시작의 두려움을 첫 마무리의 뿌듯함으로 바꿔줄게요.

펜을 쥐고 이 책을 펼친 순간
여러분 앞에 무한한 가능성의 길이 열렸어요.

우리와 함께 꽃길을 향해 걸어가 볼까요?

#시험대비
#핵심정복

# 7일 끝
# 중간고사
# 기말고사

Chunjae
Makes
Chunjae

▼

개발총괄 김덕유
편집개발 중등 사회팀
제작 황성진, 조규영

발행일 2021년 3월 15일 초판 2021년 3월 15일 1쇄
발행인 (주)천재교육
주소 서울시 금천구 가산로9길 54
신고번호 제2001-000018호
고객센터 1577-0902
교재 내용문의 (02)3282-1780


※ 정답 분실 시에는 천재교육 홈페이지에서 내려받으세요.

**7일 끝**으로 끝내자!

# 고등 생활과 윤리

## BOOK 2

# 이 책의 구성과 활용

## 시험 공부 시작

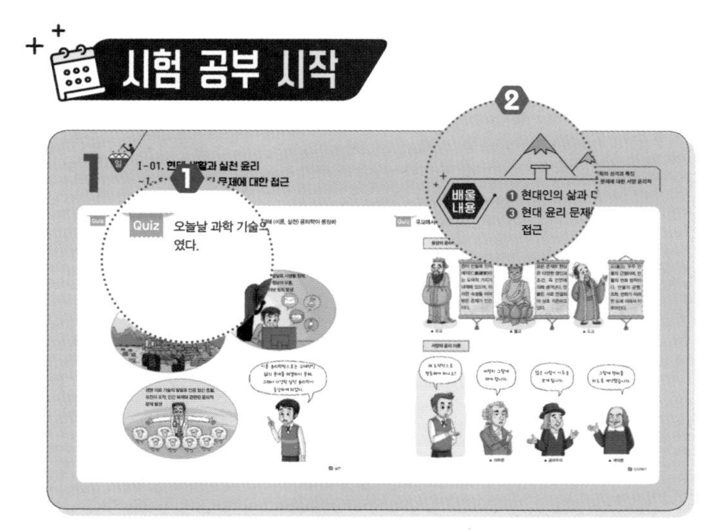


### 퀴즈로 생각 열기

공부할 내용을 만화로 가볍게 살펴보며 학습을 준비해 보세요.

❶ **생각 열기** | 만화 내용을 가볍게 보고 퀴즈를 풀면서 학습 목표를 떠올려 보세요.

❷ **배울 내용** | 공부할 내용을 살피며 핵심 학습 요소를 확인해 보세요.

## 본격 공부 중

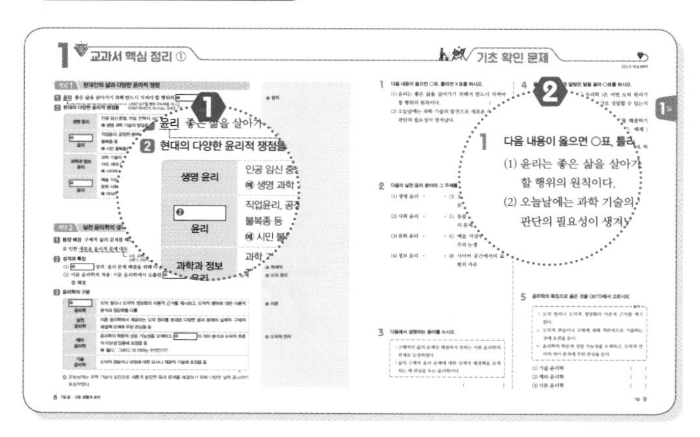


### 교과서 핵심 정리 + 기초 확인 문제

꼭 알아야 할 교과서 핵심 내용을 익히고 기초 확인 문제를 풀며 제대로 이해했는지 확인해 보세요.

❶ 빈칸 문제를 채우며 교과서 핵심 내용을 다시 한 번 체크해 보세요.

❷ 교과서 핵심과 관련된 기초 확인 문제를 풀며 공부한 내용을 확인해 보세요.

### 내신 기출 베스트

다양한 유형의 문제를 풀어 보며 공부한 내용을 점검해 보세요.

❶ 대표 예제 문제를 풀며 시험에 잘 나오는 문제를 확인해 보세요.

❷ 개념 가이드를 보며 시험에 잘 나오는 용어나 개념을 익히거나 문제 해결의 힌트를 얻어 보세요.

## 시험 공부 마무리

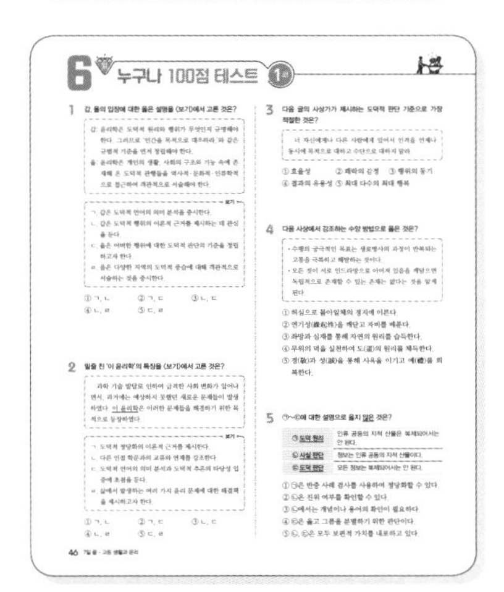

### 누구나 100점 테스트

앞에서 공부한 내용을 바탕으로 기초 이해력을 점검해 보세요.

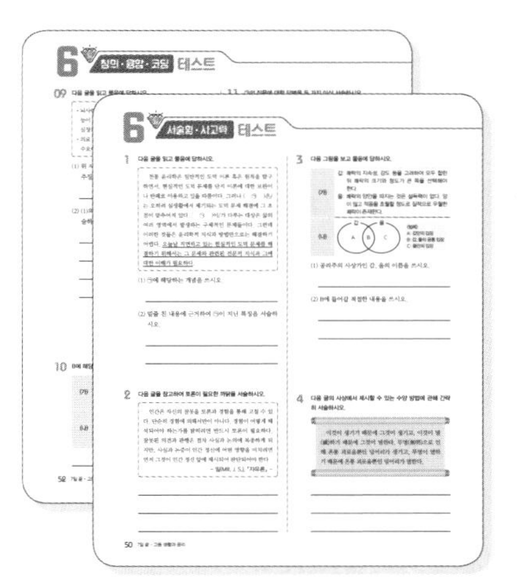

### 서술형·사고력 테스트 / 창의·융합·코딩 테스트

서술형 문제를 집중적으로 풀며 서술형 문제 적응력을 높여 보세요. 참신하고 다양한 자료들을 활용한 문제를 풀며 사고력을 길러 보세요.

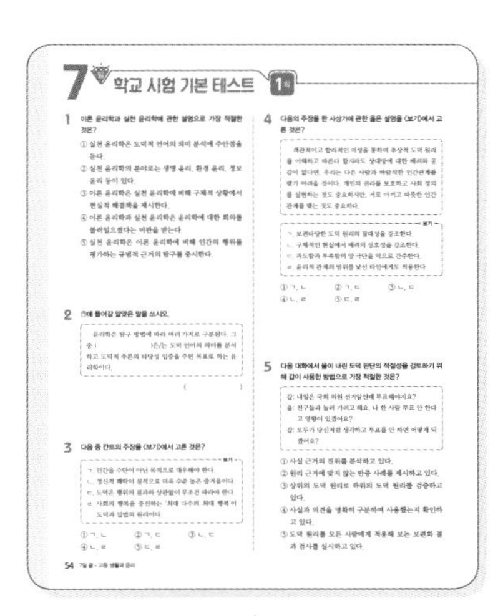

### 학교시험 기본 테스트

시험 문제에 가까운 예상 문제를 풀며 실전에 대비해 보세요.

## 틈틈이·짬짬이 공부하기

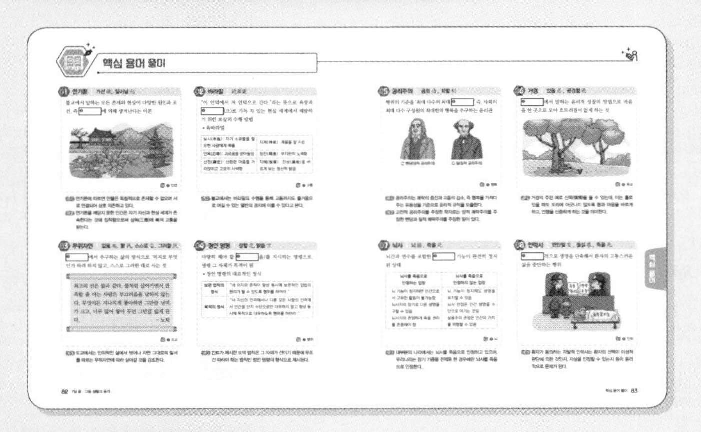

### 핵심 용어 풀이

단원별 필수 어휘를 담은 핵심 용어 풀이를 보며 어휘력을 길러 보세요.

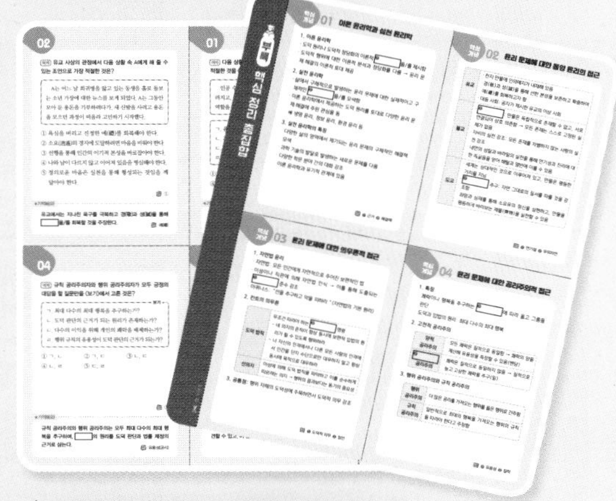

### 핵심 정리 총집합 카드

핵심 정리 총집합 카드를 휴대하며 이동할 때나 시험 직전에 활용해 보세요.

# 이 책의 차례

## 우리 학교 시험 범위 확인

시험 범위에 해당하는 부분에 표시해 보세요.

| 교과서 단원 | | 교재 |
|---|---|---|
| Ⅰ. 현대의 삶과 실천 윤리 | 1. 현대 생활과 실천 윤리 | ☐ BOOK ❶ 1일, 6일 1회, 7일 |
| | 2. 현대 윤리 문제에 대한 접근 | ☐ BOOK ❶ 1일, 6일 1회, 7일 |
| | 3. 윤리 문제에 대한 탐구와 성찰 | ☐ BOOK ❶ 2일, 6일 1회, 7일 |
| Ⅱ. 생명과 윤리 | 1. 삶과 죽음의 윤리 | ☐ BOOK ❶ 3일, 6일 1회, 7일 |
| | 2. 생명 윤리 | ☐ BOOK ❶ 3일, 6일 2회, 7일 |
| | 3. 사랑과 성 윤리 | ☐ BOOK ❶ 4일, 6일 2회, 7일 |
| Ⅲ. 사회와 윤리 | 1. 직업과 청렴의 윤리 | ☐ BOOK ❶ 4일, 6일 2회, 7일 |
| | 2. 사회 정의와 윤리 | ☐ BOOK ❶ 5일, 6일 2회, 7일 |
| | 3. 국가와 시민의 윤리 | ☐ BOOK ❶ 5일, 6일 2회, 7일 |
| Ⅳ. 과학과 윤리 | 1. 과학 기술과 윤리 | ☐ BOOK ❷ 1일, 6일 1회, 7일 |
| | 2. 정보 사회와 윤리 | ☐ BOOK ❷ 1일, 6일 1회, 7일 |
| | 3. 자연과 윤리 | ☐ BOOK ❷ 2일, 6일 1회, 7일 |
| Ⅴ. 문화와 윤리 | 1. 예술과 대중문화 윤리 | ☐ BOOK ❷ 3일, 6일 1회, 7일 |
| | 2. 의식주 윤리와 윤리적 소비 | ☐ BOOK ❷ 3일, 6일 2회, 7일 |
| | 3. 다문화 사회의 윤리 | ☐ BOOK ❷ 4일, 6일 2회, 7일 |
| Ⅵ. 평화와 공존의 윤리 | 1. 갈등 해결과 소통의 윤리 | ☐ BOOK ❷ 5일, 6일 2회, 7일 |
| | 2. 민족 통합의 윤리 | ☐ BOOK ❷ 5일, 6일 2회, 7일 |
| | 3. 지구촌 평화의 윤리 | ☐ BOOK ❷ 5일, 6일 2회, 7일 |

# 1일 Ⅳ-01. 과학 기술과 윤리 ~Ⅳ-02. 정보 사회와 윤리

**Quiz** 과학 기술을 연구하고 검증할 때 특정 가치나 신념이 개입하지 않아야 하는 것을 가치 ( 중립성, 편향성 ) 이라고 한다.

답 중립성

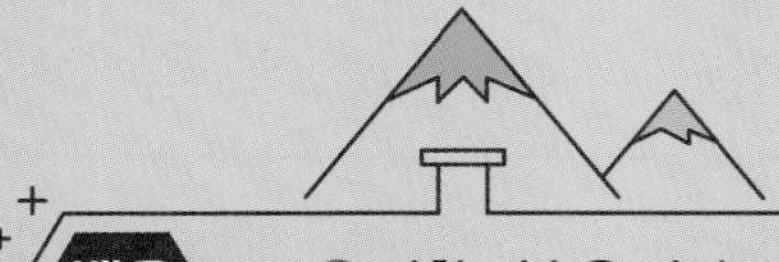

배울 내용

❶ 과학 기술을 바라보는 관점
❷ 과학 기술의 가치 중립성
❸ 과학 기술 시대에 요청되는 윤리
❹ 과학 기술에 대한 책임
❺ 정보 기술 발달에 따른 다양한 문제
❻ 정보 윤리의 기본 원칙

**Quiz** 지적 재산권 중에서 문학, 학술 또는 예술의 범위에 속하는 저작물에 대하여 창작자가 가지는 권리는?

## 정보 사회의 빛과 어둠

시공간적 제약 극복

감시와 통제 가능성 증가

삶의 편리성 증대

기술에 대한 의존성 증가

수평적 다원적 사회 변화

다양한 윤리적 문제 발생

답 저작권

# 1일 교과서 핵심 정리 ①

## 개념 1 과학 기술을 바라보는 관점

### 1 과학 기술 지상주의와 과학 기술 혐오주의

| | |
|---|---|
| 과학 기술 지상주의 | ❶ ______ 을/를 이용하여 사회의 모든 문제를 해결하고 무한한 부와 행복을 누릴 수 있다고 보는 입장 — 낙관적으로 바라보는 입장 |
| 과학 기술 혐오주의 | 과학 기술의 비인간적·비윤리적 측면을 부각하고 과학의 ❷ ______ 자체를 문제 삼는 입장 — 비관적으로 바라보는 입장 |

**2 과학 기술을 바라보는 바람직한 관점** 긍정적 측면과 부정적 측면을 모두 고려하여 과학 기술을 성찰하는 ❸ ______ 을/를 지녀야 함

❶ 과학 기술
❷ 합리성
❸ 비판적 자세

## 개념 2 과학 기술의 가치 중립성 — 이론적 정당화 과정에서는 가치 중립적 태도가 필요하고 과학 기술 연구 목적 설정 및 활용 과정에서는 윤리적 가치 평가가 필요함

| | |
|---|---|
| 가치 중립성을 강조하는 입장 | • 과학 기술은 가치 중립적이므로 연구의 ❹ ______ 을/를 보장해야 함<br>• 객관적인 진리 탐구가 과학 기술 연구의 주된 활동이라고 봄<br>• 과학 기술의 사실성 여부를 판단하는 과정에서 특정한 ❺ ______ 이/가 개입되어서는 안 됨<br>• 과학 기술의 윤리적 규제는 과학 기술의 발달을 저해함 |
| 가치 중립성을 부정하는 입장 | • 과학 기술도 가치 판단의 대상이므로 윤리적 검토나 통제가 필요함<br>• 과학 기술은 정치·경제 등 사회적 요인과 결합하여 발전하고 내용적 제약을 받음<br>• 과학 기술을 연구·발견·발명·활용하는 주체는 ❻ ______ (이)므로 과학 기술과 도덕적 가치를 분리하여 생각할 수 없음<br>• 과학 기술은 인간의 삶과 불가분의 관계이므로 과학 기술을 연구·활용하는 모든 과정은 독립적이지 않음 |

예 과학 기술의 가치 중립성이란 과학 기술을 연구하고 검증할 때 특정 가치나 신념이 개입하지 않아야 한다는 것이다.

❹ 자유
❺ 가치
❻ 인간

## 개념 3 과학 기술 시대에 요청되는 윤리

**1 윤리적 책임이 커지는 이유** 결과의 모호성, 적용의 ❼ ______ , 시공간적 광역성

└ 과학 기술의 결과 예측이 분명하지 않음

**2 요나스의 책임 윤리**

(1) 과학 기술의 발전이 사회에 미치게 될 결과를 예측하여 도덕적 책임을 져야 함

(2) 미래의 가능한 결과에 대한 ❽ ______ 을/를 가지고 미래 세대에 대한 책임 윤리를 발휘해야 함

예 과학 기술이 발전한 시대에 새로운 책임 윤리를 확립해야 한다고 주장한다.

❼ 강제성
❽ 두려움

# 기초 확인 문제

정답과 해설 64쪽

**1** 과학 기술을 바라보는 관점을 바르게 연결하시오.

(1) 과학 기술 지상주의 • 　　• ㉠ 과학 기술의 비인간적 · 비윤리적 측면을 부각하고 합리성 자체를 문제 삼는 입장

(2) 과학 기술 혐오주의 • 　　• ㉡ 과학 기술을 이용하여 사회의 모든 문제를 해결하고 무한한 부와 행복을 누릴 수 있다고 보는 입장

**2** 빈칸에 들어갈 알맞은 말을 쓰시오.

(1) 과학 기술의 ( 　　　　 )은/는 과학 기술을 연구하거나 검증할 때 특정한 가치나 신념이 개입하지 않아야 한다는 의미이며, 과학 기술에 대한 연구는 '참', '거짓'의 사실 판단으로 접근해야지, 가치 판단의 문제가 아니라는 것이다.

(2) 과학 기술을 연구하거나 발견 또는 발명하는 주체도, 활용하는 주체도 ( 　　　　 )(이)므로 과학 기술과 도덕적 가치를 분리하여 생각할 수 없다고 보는 입장도 있다.

(3) 과학 기술 발전을 위한 올바른 태도로는 이론적 정당화 맥락에서는 가치 중립적이어야 하나, 연구 목적 설정 및 활용의 맥락에서는 윤리적 가치 평가로 지도되고 ( 　　　　 )받아야 한다.

**3** 과학 기술의 가치 중립성을 강조하는 설명을 〈보기〉에서 골라 기호로 쓰시오.

보기

ㄱ. 객관적인 진리 탐구가 과학 기술 연구의 주된 활동이라고 본다.

ㄴ. 과학 기술도 가치 판단의 대상이므로 윤리적 검토나 통제가 필요하다.

ㄷ. 과학 기술은 인간의 삶과 불가분의 관계이므로 과학 기술을 연구 · 활용하는 모든 과정은 독립적이지 않다.

( 　　　　 )

**4** 다음에서 설명하는 것을 〈보기〉에서 찾아 쓰시오.

과학 기술의 결과에 대한 예측이 분명하지 않다. 순수한 학문적 동기에서 비롯된 과학적 발견이 과학자의 의도와는 상관없는 부정적인 영향을 줄 수 있다. 또한 과학 기술이 선하고 정당한 목적으로 사용될 때조차도 장기간 영향력을 행사할 수 있는 위협적인 요소가 들어 있는 예도 있다.

보기

• 결과의 모호성 　• 적용의 강제성 　• 시공간적 광역성

( 　　　　 )

**5** 다음 내용이 옳으면 ○표, 틀리면 X표를 하시오.

(1) 미래 세대에 대한 책임 윤리를 발휘하는 것은 전통적 윤리관이다. ( 　 )

(2) 요나스는 과학 기술이 발전한 시대에 새로운 책임 윤리를 확립해야 한다고 주장하였다. ( 　 )

# 1일 교과서 핵심 정리 ②

## 개념 4 과학 기술에 대한 책임

**1 과학 기술자의 책임** ― 과학 기술자의 사회적 책임을 부정하는 입장도 있음

| 구분 | 내용 |
|---|---|
| 내적 책임 | • 연구 자체에 대한 책임<br>• 연구 윤리 준수, 연구의 참과 거짓 규명, 연구를 신뢰할 수 있는 검증 과정, 발견한 ❶ ( ) 의 공표 및 검토 등 |
| 외적 책임 | • 연구 결과가 ❷ ( ) 에 미칠 영향에 대한 책임<br>• 사회적 책임 의식을 지니고 연구 활동의 결과와 목적을 성찰해야 함 |

**2 사회 제도적 차원의 노력** 과학 기술의 연구 개발 과정과 결과를 평가·감시·통제할 수 있는 기관 및 ❸ ( ) 의 활동 강화, 기술 영향 평가 제도의 시행 등

**3 시민의 노력** 과학 기술의 연구·개발과 관련된 사회적 토론과 합의 과정에 적극적으로 참여해야 함

예 부안 시민 발전소는 전라북도 부안에 핵폐기물 처리장 건설을 반대하는 계기로 에너지 자립을 위해 만들어졌다.

## 개념 5 정보 기술 발달에 따른 다양한 문제

**1 저작권 문제**

| 구분 | 내용 |
|---|---|
| 정보 사유론 (copyright) | • ❹ ( ) 을/를 주장하는 입장<br>• 정보 생산에 필요한 시간과 노력에 대한 대가를 지불해야 한다고 주장 |
| 정보 공유론 (copyleft) | • ❺ ( ) 을/를 주장하는 입장 ― 지적 창작물을 공공재로 봄<br>• 특정 개인이나 집단이 정보를 독점하면 정보 발전이 어렵다고 주장 |

**2 사생활 침해의 문제** 사적 정보 유출로 사생활 침해, 범죄 악용 문제 발생

**3 표현의 자유** ❻ ( ) 에 바탕을 둔 표현의 자유에 요구되는 한계에 대한 논쟁 발생

**4 사이버 폭력** 악성 댓글, ❼ ( ) 유포, 사이버 스토킹, 사이버 따돌림(불링) 등은 타인에게 고통을 주고 사회 혼란을 유발함

예 '잊힐 권리'는 온라인상에서 자신과 관련된 모든 정보에 대한 삭제 및 확산 방지를 요구할 수 있는 정보 주체의 자기 결정권 및 통제 권리를 뜻한다.

## 개념 6 정보 윤리의 기본 원칙

**1 정보 윤리의 필요성** 거짓 정보가 많은 사람에게 유포되고 재생산되어 파급 효과가 크고 해악성이 심각함 ― 허위 정보를 비판 없이 수용할 경우 진실을 파악하기 어려움

**2 정보 윤리의 기본 원칙** 자율성의 원리, ❽ ( ) 금지의 원리, 선행의 원리, 정의의 원리

❶ 진리
❷ 사회
❸ 윤리 위원회
❹ 저작권 보호
❺ 정보 공유
❻ 익명성
❼ 허위 사실
❽ 해악

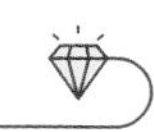

정답과 해설 64쪽

**6** 과학 기술자의 내적 책임에는 '내', 외적 책임에는 '외'를 쓰시오.

(1) 과학 기술자는 연구 자체에 대한 책임을 져야 한다. ( )

(2) 자신의 연구 결과가 사회에 미칠 영향에 대해 책임을 져야 한다. ( )

(3) 자신이 연구하는 어떠한 정보나 자료를 표절하거나 조작·날조해서는 안 된다. ( )

(4) 자신의 연구 활동이 인간의 존엄성을 구현하고 삶의 질 향상을 위한 것인지 성찰하는 자세를 가져야 한다. ( )

(5) 연구 윤리를 지키며 자신의 연구가 참 또는 거짓인지를 밝혀야 하고, 다른 연구자들이 신뢰할 수 있는 검증 과정을 거쳐야 한다. ( )

**7** 다음 내용이 옳으면 ○표, 틀리면 X표를 하시오.

(1) 과학 기술의 윤리적 문제를 해결하기 위한 사회적 차원의 접근이 필요하다. ( )

(2) 과학 기술의 연구·개발과 관련된 사회적 토론과 합의 과정에 시민들이 참여해서는 안 된다. ( )

**8** 저작권 문제를 바라보는 시각을 바르게 연결하시오.

(1) 정보 공유론 • 

(2) 정보 사유론 • 

• ㉠ 특정 개인이나 집단이 정보를 독점하면 정보 발전이 어렵다고 주장

• ㉡ 정보 생산에 필요한 시간과 노력에 대한 정당한 대가를 지불해야 한다고 주장

**9** 빈칸에 들어갈 알맞은 말을 쓰시오.

(1) 사생활 침해의 문제는 정보의 유통 과정 전체에서 개인이 결정하고 통제하는 권한을 가져야 한다는 정보 자기 결정권을 강조하는 방향으로 논의가 전개되면서 (                    )이/가 강조되고 있다.

(2) 가상 공간에서 누리는 (                    )은/는 활발한 사회 참여와 연대를 끌어낼 수 있다는 점에서 긍정적인 측면이 있지만, 이러한 자유에도 일정한 한계가 요구된다.

(3) 악성 댓글, 허위 사실 유포, 사이버 스토킹, 사이버 따돌림 등 가상 공간에서 타인에게 글, 영상 등을 이용해서 정신적·심리적 피해를 주는 것을 (                    )(이)라고 한다.

**10** 다음에서 설명하는 정보 윤리의 기본 원칙을 〈보기〉에서 골라 기호로 쓰시오.

> 스스로 도덕 원칙을 수립하여 행동하고 타인의 자기 결정 능력을 존중해야 한다.

보기

ㄱ. 정의의 원리
ㄴ. 선행의 원리
ㄷ. 자율성의 원리
ㄹ. 해악 금지의 원리

(          )

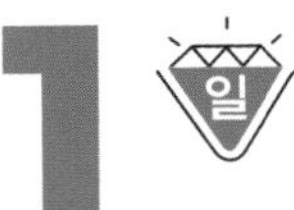

# 1일 내신 기출 베스트

## 대표 예제 1 과학 기술을 바라보는 관점

**갑, 을의 입장에 대한 설명으로 가장 적절한 것은?**

> 갑: 과학 기술은 인간 생명을 위협한다.
> 을: 과학 기술은 인류가 직면한 문제를 모두 해결할 수 있다.

① 갑은 과학 기술을 긍정적으로 바라본다.
② 갑은 과학 기술로 사회 문제를 해결할 수 있다고 본다.
③ 을은 과학 기술의 부정적 측면을 강조한다.
④ 을은 과학 기술의 혜택과 성과를 부정하고 있다.
⑤ 갑은 과학 기술 혐오주의, 을은 과학 기술 지상주의의 입장을 취하고 있다.

개념 가이드

과학 기술을 바라보는 관점에는 과학 기술 지상주의와 과학 기술 ❶ ______ 이/가 있다.

답 ❶ 혐오주의

## 대표 예제 2 과학 기술의 가치 중립성

**과학 기술의 가치 중립성을 강조하는 입장을 〈보기〉에서 모두 고르면?**

보기

ㄱ. 과학 기술은 특정한 발전 방향을 가지고 발전한다.
ㄴ. 과학 기술 연구 과정에서 윤리적 평가를 배제해야 한다.
ㄷ. 과학 기술은 객관적 사실을 탐구하고 발견하는 활동일 뿐이다.

① ㄱ ② ㄱ, ㄴ
③ ㄱ, ㄷ ④ ㄴ, ㄷ
⑤ ㄱ, ㄴ, ㄷ

개념 가이드

과학 기술의 ❷ ______ 을/를 강조하는 입장과 부정하는 입장이 있다.

답 ❷ 가치 중립성

## 대표 예제 3 과학 기술 시대의 윤리

**다음 질문의 답으로 옳지 않은 것은?**

> 현대 과학 기술의 발전에 있어서 윤리적 책임이 커지는 이유는 무엇일까?

① 현대 과학 기술은 적용의 강제성을 갖기 때문에
② 장기간에 걸쳐 광범위하게 영향을 행사하기 때문에
③ 과학 기술의 결과에 대한 예측이 분명하지 않기 때문에
④ 과학자의 의도와는 상관없는 부정적인 영향을 줄 수 있기 때문에
⑤ 과학 기술과 관련된 행위는 의도와 결과의 관계가 명료하기 때문에

개념 가이드

윤리적 책임이 커지는 이유는 결과의 ❸ ______, 적용의 ❹ ______, 시공간적 광역성 등에 있다.

답 ❸ 모호성 ❹ 강제성

## 대표 예제 4 요나스의 책임 윤리

**요나스가 주장한 입장으로 가장 적절한 것은?**

① 결과를 고려한 미래 책임이 인간에게 요구된다.
② 행위의 책임은 과거 행위에 대한 책임으로 충분하다.
③ 인간이 가지는 책임의 범위는 현재의 인류에 한정된다.
④ 기술의 결과에 대한 고려는 과학 기술 발전을 제한한다.
⑤ 과학 기술의 목적은 미래 세대의 이익과는 관련이 없다.

개념 가이드

요나스는 ❺ ______ 을/를 확립해야 한다고 주장한다.

답 ❺ 책임 윤리

1일

## 대표 예제 5 과학 기술자의 책임

**과학 기술자의 외적 책임을 〈보기〉에서 모두 고르면?**

보기

ㄱ. 과학자의 연구 윤리를 준수해야 한다.
ㄴ. 표절, 조작 등 연구 부정행위를 해서는 안 된다.
ㄷ. 연구 결과가 미칠 사회적 영향력을 인식해야 한다.
ㄹ. 과학 기술 활용에 대한 사회적 책임을 다해야 한다.

① ㄱ, ㄴ　② ㄱ, ㄷ　③ ㄱ, ㄹ
④ ㄴ, ㄷ　⑤ ㄷ, ㄹ

개념 가이드

과학 기술자의 내적 책임과 ❻ [　　　] 책임을 구분해야 한다.

답 ❻ 외적

## 대표 예제 6 저작권 문제

**저작권 보호를 주장하는 입장을 고르면?**

① 특정 집단이 정보를 독점하면 정보 발전이 어렵다.
② 정보가 지닌 공공재적 특성을 무시하지 말아야 한다.
③ 저작물은 모든 사람의 공동선을 위해 활용되어야 한다.
④ 정보에 대한 저작권자의 배타적 권리를 인정해야 한다.
⑤ 정보가 다른 사람과 공유되어야 정보의 가치가 높아짐을 알아야 한다.

개념 가이드

저작권 보호 문제에는 정보 ❼ [　　　] 과/와 정보 사유론이 있다.

답 ❼ 공유론

## 대표 예제 7 사이버 폭력

**다음에서 설명하는 것으로 볼 수 없는 것은?**

가상 공간에서 글, 영상 등을 이용하여 타인에게 정신적·심리적 피해를 주는 것으로, 시공간의 제약을 받지 않고 발생할 수 있고, 정보의 복제와 유포가 쉬우므로 광범위하고 빠르게 확산되며, 유포된 정보의 수정이나 회수가 거의 불가능하므로 피해자의 고통이 지속되고, 가해자들은 폭력의 심각성을 인식하지 못할 수 있다는 특징이 있다.

① 악성 댓글
② 정보 수집
③ 사이버 스토킹
④ 사이버 따돌림
⑤ 허위 사실 유포

❽ [　　　] 은/는 다른 사람에게 고통을 주고, 사회 혼란을 일으키기 때문에 바람직하지 않다.

답 ❽ 사이버 폭력

## 대표 예제 8 정보 윤리의 기본 원칙

**㉠~㉢에 해당하는 정보 윤리의 기본 원칙을 바르게 짝지은 것은?**

| | |
|---|---|
| ㉠ | 타인의 복지를 증진하는 방향으로 행동해야 함 |
| ㉡ | 남에게 해악을 끼치거나 상해를 입히는 일을 피해야 함 |
| ㉢ | 공정한 기준에 따라 혜택이나 부담을 공정하게 배분해야 함 |

① ㉠ - 선행의 원리　② ㉠ - 정의의 원리
③ ㉡ - 선행의 원리　④ ㉡ - 정의의 원리
⑤ ㉢ - 해악 금지의 원리

개념 가이드

정보 윤리의 ❾ [　　　] 에는 자율성의 원리, 해악 금지의 원리, 선행의 원리, 정의의 원리 등이 있다.

답 ❾ 기본 원칙

# 2일 Ⅳ-02. 정보 사회와 윤리 ~Ⅳ-03. 자연과 윤리

**Quiz** 정보를 인터넷을 통해 가공·전달·소비하는 포괄적 융합 매체를 ( 뉴 미디어, 사이버 폭력 )(이)라고 한다.

## 생활 속 다양한 매체들

## 정보의 생산·유통·소비

답 뉴 미디어

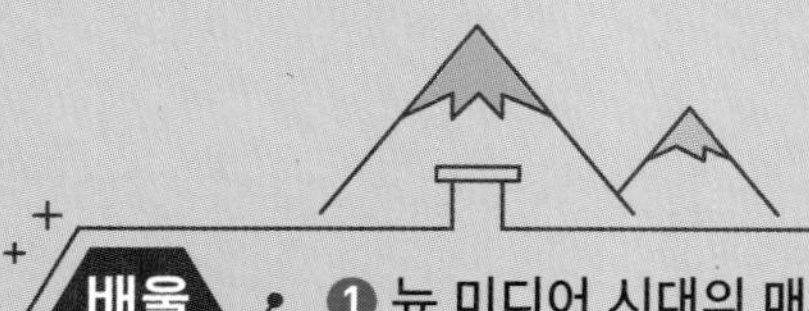

**배울 내용**

❶ 뉴 미디어 시대의 매체
❷ 현대인에게 요구되는 매체 윤리
❸ 인간과 자연의 관계에 대한 다양한 관점
❹ 환경 문제에 대한 윤리적 쟁점

**Quiz** ( 서양, 동양 )의 자연관은 인간과 자연의 상호 의존성 및 조화와 화합을 강조하고 자연과 공존을 모색하는 특징을 지닌다.

답 동양

# 2일 교과서 핵심 정리 ①

## 개념 1 뉴 미디어 시대의 매체

**1 뉴 미디어** 정보를 ❶ ______ 을/를 통해 가공·전달·소비하는 포괄적 융합 매체

**2 뉴 미디어의 기능**

(1) 정보 제공

(2) 정보의 의미 해석 및 평가

(3) 한 사회의 전통·가치·규범 등을 다음 세대에 전달

(4) 사회 구성원에게 휴식과 오락 제공

**3 뉴 미디어의 특징과 문제점**

| | |
|---|---|
| 특징 | • 정보 생산 주체와 소비 주체의 ❷ ______ 적인 의사소통<br>• 시간, 장소에 제한받지 않는 광범위한 사회적 연결망 형성<br>• 정보의 신속한 수집·전달 — 정보 발견과 동시에 취합·공개·수정<br>• 다수의 정보 이용자가 정보 제공과 감시 역할 수행 |
| 문제점 | 객관성과 ❸ ______ 부족 — 사회적 책임이 필요 |

**4 데이터 스모그** 인터넷의 급속한 발달로 쏟아져 나오는 많은 정보 중 필요 없는 정보나 허위 정보들이 마치 대기 오염의 주범인 ❹ ______ 처럼 가상 공간을 어지럽힌다는 뜻에서 유래된 용어

예 인터넷, 누리소통망 등 뉴 미디어는 정보를 생산하는 주체와 소비하는 주체의 쌍방향적인 의사소통이 이루어진다.

❶ 인터넷

❷ 쌍방향

❸ 신뢰성

❹ 스모그

## 개념 2 현대인에게 요구되는 매체 윤리

**1 정보 생산과 유통 과정에서 필요한 윤리** — 이해 관계를 조정하는 사회 제도적 장치도 필요함

(1) 진실한 태도: ❺ ______ 의 자의적 해석과 왜곡 금지, 의사 표명 시 객관성과 공정성 유지

(2) 개인의 인격권 보호: 특정 개인의 명예나 사생활, ❻ ______ 을/를 침해하지 않도록 유의

(3) 배려: 가상 공간에서 만나는 상대를 배려하는 자세가 필요

(4) 표현의 자유에 대한 한계 인식

(5) 표절 금지

**2 정보의 소비 과정에서 필요한 윤리**

(1) 미디어 리터러시 함양: ❼ ______ 매체를 이해하고 활용하는 능력을 갖추어야 함

(2) 사용자 상호 간의 소통 및 시민 의식: ❽ ______ 과/와 함께 사용자 상호 간의 협력할 수 있는 능력과 자세 필요

(3) 정보의 비판적·능동적 수용: 정보의 진위와 진실성을 판단하여 비판적·능동적으로 수용

예 정보 사회에서 매체를 사용하고 이해하는 데 필요한 기본적인 읽기, 쓰기 능력을 미디어 리터러시라고 한다.

❺ 정보

❻ 인격권

❼ 뉴 미디어

❽ 정보 교류

# 기초 확인 문제

정답과 해설 65쪽



**1** 괄호 안의 내용 중 알맞은 말을 골라 ○표를 하시오.

(1) 정보 통신 기술의 발전으로 다양한 유형의 뉴 미디어가 개발되어 누구나 ( 정보, 물건 )을/를 주체적으로 생산하고 소비할 수 있게 되었다.

(2) 뉴 미디어에서 정보의 생산자와 소비자는 비교적 ( 수직, 수평 )적인 관계를 바탕으로 의견을 주고받으며 활발하게 상호 작용할 수 있다.

**2** 다음 내용이 옳으면 ○표, 틀리면 X표를 하시오.

(1) 뉴 미디어 정보는 기존 매체 수준으로 신뢰하기는 어렵다. (　　)

(2) 뉴 미디어에서 정보 생산 주체와 소비 주체의 의사소통은 불가능하다. (　　)

(3) 뉴 미디어 시대에는 정보의 의미를 올바르게 해석하여 정확하게 전달해야 하는 사회적 책임이 요구된다. (　　)

**3** 다음에서 설명하는 용어를 쓰시오.

> 인터넷의 급속한 발달로 쏟아져 나오는 많은 정보 중 필요 없는 정보나 허위 정보들이 마치 대기 오염의 주범인 스모그처럼 가상 공간을 어지럽힌다는 뜻에서 유래된 용어이다.

(　　　　　　)

**4** 정보 생산 및 유통 과정에서 필요한 윤리를 〈보기〉에서 모두 골라 기호로 쓰시오.

보기

ㄱ. 표절 금지
ㄴ. 진실한 태도
ㄷ. 개인의 인격권 보호
ㄹ. 미디어 리터러시 함양
ㅁ. 상대방을 배려하는 자세
ㅂ. 정보의 비판적·능동적 수용
ㅅ. 사용자 상호 간의 소통 및 시민 의식

(　　　　　　)

**5** 다음에서 설명하는 것을 〈보기〉에서 골라 쓰시오.

> 정보 사회에서 매체를 사용하고 이해하는 데 필요한 기본적인 읽기, 쓰기 능력으로, 포괄적으로는 다양한 형태의 커뮤니케이션에 접근하고 분석하고 평가하고 발신하는 능력을 의미한다. '매체 이해력'이라고도 하며, 관련된 개념으로는 '정보 리터러시'가 있다.

보기

• 뉴 미디어　　• 대중 매체
• 사이버 폭력　　• 데이터 스모그
• 미디어 리터러시

(　　　　　　)

# 2일 교과서 핵심 정리 ②

## 개념 3 인간과 자연의 관계에 대한 다양한 관점

### 1 인간 중심주의 윤리 — 도구적 자연관은 환경 문제의 근본 원인이 됨

(1) 특징: ❶ [ ] 만이 도덕적 가치를 지님
(2) 대표적 사상가: 베이컨, 데카르트, 칸트

### 2 동물 중심주의 윤리 — 식물이나 무생물 등을 고려하지 않음

(1) 특징: 동물과 인간을 동등하게 도덕적으로 고려
(2) 대표적 사상가: 싱어(동물 해방론), 레건(❷ [ ])

### 3 생명 중심주의 윤리 — 무생물을 고려하지 않고, 실천 가능성이 낮음

(1) 특징: 도덕적 고려의 범위를 모든 ❸ [ ] (으)로 확대해야 함
(2) 대표적 사상가: 슈바이처, 테일러

### 4 생태 중심주의 윤리 — 환경 문제 해결을 위해 불특정 다수에게 과도한 책임 부과

(1) 특징: 생태계 전체를 도덕적 고려 대상으로 삼음
(2) 대표적 사상가: 레오폴드, 네스

### 5 동양의 자연관

| 구분 | 내용 |
|---|---|
| 유교 | • ❹ [ ] 은/는 본래적 가치를 지님<br>• 천인합일(天人合一)의 경지를 지향 |
| 불교 | • ❺ [ ] : 만물은 상호 의존 관계에 있음<br>• 생명을 소중히 여기며 자비를 베풀어야 함 |
| 도교 | • 자연은 무위의 체계로서 무목적의 질서임<br>• 인간의 자연에 대한 조작과 통제를 반대함 |

예 동양의 자연관은 인간과 자연이 상호 의존적 관계라는 것을 보여 줘 환경 문제 해결에 기여한다.

## 개념 4 환경 문제에 대한 윤리적 쟁점

### 1 환경 문제와 기후 변화

| 구분 | 내용 |
|---|---|
| 기후 변화 문제 | ❻ [ ] (으)로 인한 저지대 침수, 이상 기후, 사막화, 질병 발생 증가, 곡물 수확량 감소 등 |
| 국제적 노력 | 기후 변화 협약(1992), ❼ [ ] (1997), 파리 협정(2015) |

### 2 미래 세대에 대한 책임과 생태적 지속 가능성

(1) 미래 세대에 대한 책임: 현세대는 과거 세대로부터 이어받은 혜택을 미래 세대에게 전수해야 할 ❽ [ ] 을/를 지님
(2) 생태적 지속 가능성: 인간과 자연의 상호 의존 관계를 지속할 수 있도록 자신의 행위에 책임을 져야 함 — 개인적 노력, 사회·국가적 노력, 국제적 노력이 필요함

예 현대 환경 문제는 초국가적 성격, 다양한 원인으로 발생하여 책임 소재의 불명확성이 있다.

❶ 인간
❷ 동물 권리론
❸ 생명체
❹ 만물
❺ 연기론
❻ 지구 온난화
❼ 교토 의정서
❽ 도덕적 책임

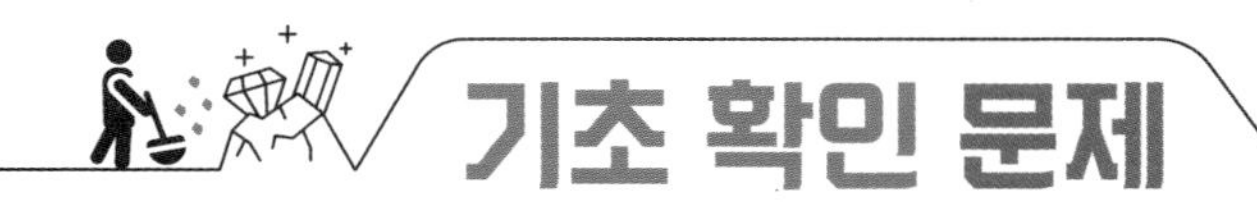

# 기초 확인 문제

정답과 해설 65쪽

**6** **괄호 안의 내용 중 알맞은 말을 골라 ○표를 하시오.**

(1) 인간 중심주의 윤리를 강조한 사상가로는 ( 네스, 베이컨 ), 데카르트, 칸트 등이 있다.

(2) 도덕적 고려의 범위를 모든 생명체로 확대해야 한다고 보는 입장이 ( 동물 , 생명 ) 중심주의 윤리이다.

**7** **싱어의 동물 해방론으로 알맞은 것을 〈보기〉에서 모두 골라 기호로 쓰시오.**

보기

ㄱ. 동물은 자기의 삶을 영위하는 삶의 주체이다.
ㄴ. 동물의 이익과 인간의 이익을 평등하게 고려해야 한다.
ㄷ. 동물도 인간처럼 쾌고 감수 능력이 있으므로, 동물을 고통에서 해방해야 한다.
ㄹ. 동물을 수단으로 취급하는 행위가 비윤리적인 이유는 동물이 지닌 가치와 권리를 부정하기 때문이다.

(　　　　　　)

**8** **다음에서 설명하는 인간과 자연의 관계에 대한 관점을 쓰시오.**

무생물을 포함한 생태계 전체를 도덕적 고려 대상으로 삼는 입장이다. 레오폴드는 도덕 공동체의 범위를 토양, 물, 식물, 동물 등을 포함한 대지까지 확대하는 '대지의 윤리'를 주장하였다.

(　　　　　　)

**9** **동양의 자연관을 바르게 연결하시오.**

(1) 유교 •　　• ㉠ 생명을 소중히 여기며 자비를 베풀어야 함

(2) 불교 •　　• ㉡ 만물은 본래적 가치를 지니며 천인합일(天人合一)의 경지를 지향함

(3) 도교 •　　• ㉢ 인간의 자연에 대한 조작과 통제를 반대하며 자연은 무위의 체계로서 무목적의 질서임

**10** **다음 내용이 옳으면 ○표, 틀리면 X표를 하시오.**

(1) 온실가스는 자연 상태에서 존재하는 것으로 농도가 증가하지 않는다. (　　)

(2) 자연적 요인 또는 인간 활동의 결과로 장기적으로 기후가 변하는 현상을 기후 변화라고 한다. (　　)

(3) 세계 각국은 기후 변화와 지구 온난화에 대응하기 위하여 국제적 협력이 필요하다고 인식하고 '기후 변화 협약(1992)'을 채택하였다. (　　)

# 내신 기출 베스트

**대표 예제 1** 뉴 미디어의 특징

**다음 중 뉴 미디어의 특징으로 적절하지 않은 것은?**

① 소수가 다수에게 일방적으로 정보를 전달한다.
② 시간과 공간의 물리적 제약으로부터 벗어날 수 있다.
③ 정보 이용자들이 정보의 제공과 함께 감시하는 역할을 한다.
④ 허위 정보가 급속하게 확산되어 사회 문제가 발생할 수 있다.
⑤ 정보를 생산하는 주체와 소비하는 주체가 양방향적으로 소통한다.

개념 가이드

뉴 미디어는 ❶ [　　　] 을/를 인터넷을 통해 가공·전달·소비하는 포괄적 융합 매체이다.

답 ❶ 정보

**대표 예제 2** 뉴 미디어의 문제점

**㉠에 해당하는 내용으로 옳지 않은 것은?**

> 뉴 미디어상의 표현의 자유에는 ㉠ 한계가 있다는 것을 인식해야 한다.

① 공공복리를 침해한다면 통제되어야 한다.
② 타인의 권리를 침해한다면 통제되어야 한다.
③ 다른 사람에게 해를 끼치면 통제되어야 한다.
④ 사회 질서를 혼란하게 한다면 통제되어야 한다.
⑤ 대부분의 사람들과 다른 의견이면 통제되어야 한다.

개념 가이드

뉴 미디어는 ❷ [　　　] 을/를 점검할 감시 장치가 기존 매체에 비해 부족하다.

답 ❷ 객관성

**대표 예제 3** 데이터 스모그

**밑줄 친 '이것'에 대한 설명으로 옳은 것은?**

> 이것은 인터넷의 급속한 발달로 쏟아져 나오는 많은 정보 중에서 필요 없는 정보나 허위 정보들이 가상 공간을 어지럽힌다는 의미로 붙여진 용어이다. 생크(Shenk, D.)는 "더 많은 정보는 반드시 좋은 것인가?"라는 의문을 제기하고 정보 과잉의 시대에서 올바른 정보를 찾을 수 있는 능력을 갖춰야 한다고 주장한다.

① 산업 혁명 시기에 등장한 용어이다.
② 기존 매체에서 얻을 수 있는 정보를 말한다.
③ 사람들에게 필요한 잘 정리된 정보를 말한다.
④ 오늘날 점점 줄어드는 정보의 양을 표현한 것이다.
⑤ 허위 정보를 대기 오염의 주범인 스모그에 빗대어 표현한 것이다.

개념 가이드

❸ [　　　] 의 급속한 발달로 많은 정보가 쏟아져 나오고 있다.

답 ❸ 인터넷

**대표 예제 4** 정보의 소비 과정에서 필요한 윤리

**정보의 소비 과정에서 필요한 윤리로 볼 수 없는 것은?**

① 정보의 비판적 수용이 필요하다.
② '미디어 리터러시' 함양이 필요하다.
③ 사용자 상호 간의 정보 단절이 필요하다.
④ 시민 의식 확보 등의 윤리적 자세가 필요하다.
⑤ 매체가 공정하고 객관적인 정보를 제공하는지 적극적으로 감시한다.

개념 가이드

정보 사회에서 ❹ [　　　] 을/를 사용하고 이해하는 데 필요한 기본적인 읽기, 쓰기 능력을 미디어 리터러시라고 한다.

답 ❹ 매체

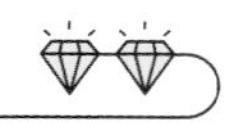

정답과 해설 65쪽

## 대표 예제 5 동물 중심주의 윤리

**다음을 주장한 사상가는?**

> 고통이나 쾌락을 느낄 수 있는 능력은 적어도 이익을 갖는다는 것의 전제 조건이다. 만약, 한 존재가 고통을 느낀다면 그와 같은 고통을 고려의 대상으로 삼기를 거부하는 자세를 옹호하는 도덕적인 논증은 있을 수 없다.

① 싱어　② 네스
③ 칸트　④ 테일러
⑤ 레오폴드

**개념 가이드**

싱어는 ❺ [　　　] 을/를 주장하고, 레건은 ❻ [　　　] 을/를 주장했다.

답 ❺ 동물 해방론 ❻ 동물 권리론

## 대표 예제 6 생태 중심주의 윤리

**다음은 레오폴드의 주장이다. ㉠에 공통으로 들어갈 가장 적절한 것은?**

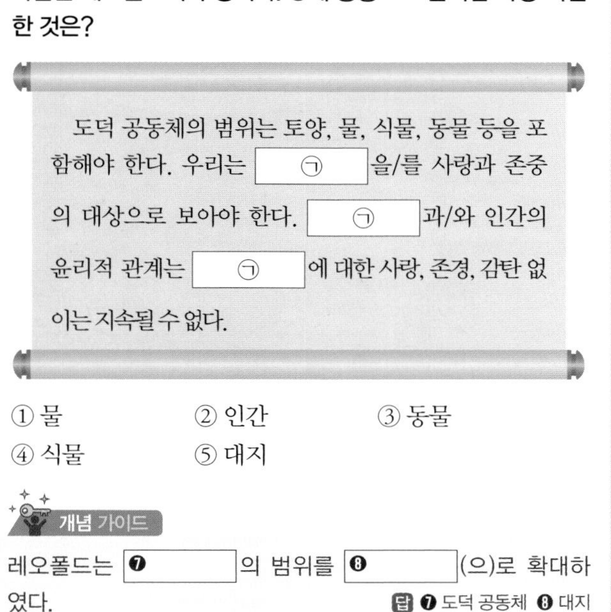

> 도덕 공동체의 범위는 토양, 물, 식물, 동물 등을 포함해야 한다. 우리는 [ ㉠ ] 을/를 사랑과 존중의 대상으로 보아야 한다. [ ㉠ ] 과/와 인간의 윤리적 관계는 [ ㉠ ] 에 대한 사랑, 존경, 감탄 없이는 지속될 수 없다.

① 물　② 인간　③ 동물
④ 식물　⑤ 대지

**개념 가이드**

레오폴드는 ❼ [　　　] 의 범위를 ❽ [　　　] (으)로 확대하였다.

답 ❼ 도덕 공동체 ❽ 대지

## 대표 예제 7 유불도의 자연관

**㉠~㉤ 중 옳지 않은 것은?**

> **서술형 평가**
>
> • 문제
> 불교와 유교 사상의 자연에 대한 관점을 비교하여 서술하시오.
>
> • 학생 답안
> 불교는 ㉠ 자연에 고정된 실체가 없다고 보며, ㉡ 모든 생명에 대한 존중을 강조한다. 이에 비해 유교는 ㉢ 하늘을 도덕 원리의 원천으로 보며, ㉣ 만물이 무위의 자연스러움을 따라야 함을 강조한다. 한편 ㉤ 불교, 유교 모두 자연 만물을 상의와 화해의 관계로 본다.

① ㉠　② ㉡　③ ㉢　④ ㉣　⑤ ㉤

**개념 가이드**

❾ [　　　] 에서는 천인합일(天人合一)의 경지를 지향한다.

답 ❾ 유교

## 대표 예제 8 기후 정의 문제

**다음 협약들에 대한 설명으로 옳은 것은?**

> • 기후 변화 협약(1992)　• 교토 의정서(1997)
> • 파리 협정(2015)

① 경제적 효율성을 중시한다.
② 환경 문제를 지역 문제라 생각한다.
③ 환경 문제를 해결하기 위한 국제적 협약이다.
④ 모두의 경제적 풍요를 위해 자연 개발을 중시한다.
⑤ 기후 변화 문제를 해결할 수 없는 현상으로 간주한다.

**개념 가이드**

세계 각국은 기후 변화와 ❿ [　　　] 에 대응하기 위하여 국제적 협력이 필요하다고 인식하였다.

답 ❿ 지구 온난화

# 3일 V-01. 예술과 대중문화 윤리 ~V-02. 의식주 윤리와 윤리적 소비

**Quiz** 예술 지상주의는 순수 예술론을 지지하며, 예술의 ( 자율성, 사회성 )을 강조한다.

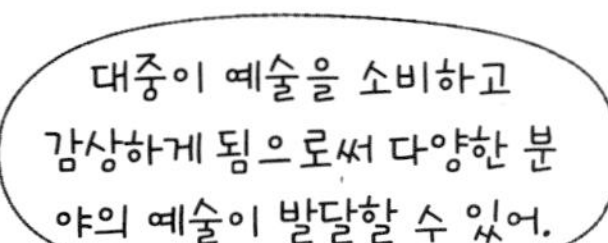

예술의 상업화란 상품을 사고파는 행위를 통해 이윤을 얻는 일이 예술 작품에도 적용되는 현상이다.

예술의 본질이 왜곡될 수 있고,
예술의 질적 저하로 이어질 수 있어.

## 대중문화의 윤리적 문제

답 자율성

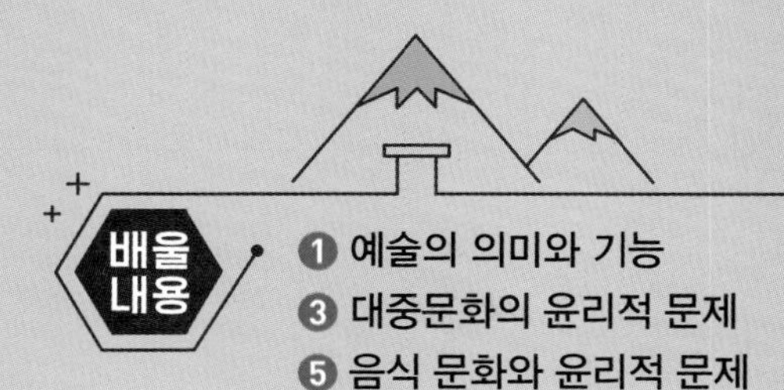

**배울 내용**

① 예술의 의미와 기능
② 예술과 윤리의 관계
③ 대중문화의 윤리적 문제
④ 의복 문화와 윤리적 문제
⑤ 음식 문화와 윤리적 문제
⑥ 주거 문화와 윤리적 문제

**Quiz** 인간이 사람다운 삶을 살아갈 수 있는 여건이자 문화의 출발점이 바로 ( 인터넷, 의식주 )이다.

## 명품 선호 현상에 대한 입장

긍정적인 입장

부정적인 입장

## 의식주와 윤리

답 의식주

# 3일 교과서 핵심 정리 ①

## 개념 1 예술의 의미와 기능

**1 예술에 대한 다양한 정의** — 아름다움을 표현하고 창조하는 인간의 활동과 그 산물

| | |
|---|---|
| 아리스토텔레스의 모방론 | 예술은 대상의 아름다움을 돋보이게 하는 능동적인 ❶ ______을/를 의미함 |
| 톨스토이의 표현론 | ❷ ______의 유발을 중요하게 생각함 |
| 칸트의 형식론 | 예술의 본질은 예술 자체의 형식에서 찾아야 한다고 봄 |

**2 예술의 기능** 사람의 마음 정화, 인간의 ❸ ______ 확장, 의식과 사회 개혁

예 예술은 아름다움을 표현하고 창조하는 인간의 활동과 그 산물이다.

❶ 모방
❷ 공감
❸ 사고

## 개념 2 예술과 윤리의 관계

**1 도덕주의** 도덕적 가치가 미적 가치보다 우위에 있으므로 예술은 ❹ ______의 인도를 받아야 하며, 예술이 도덕적 선을 지향하도록 적절한 윤리적 규제가 필요함

**2 예술 지상주의** ❺ ______은/는 도덕적 가치와 관련성이 낮으며, 윤리적 가치를 기준으로 예술을 평가하고 규제해서는 안 됨

**3 예술의 상업화** — 상품을 사고파는 행위를 통해 이윤을 얻는 일이 예술 작품에도 적용되는 현상

| | |
|---|---|
| 긍정적 측면 | • 예술에 대한 일반 대중의 접근성 확대<br>• 경제적 이익 창출로 예술가의 안정적 창작 활동 기반 제공 |
| 부정적 측면 | • 예술의 본질 왜곡: 예술 작품이 ❻ ______의 축적 수단으로 전락<br>• 예술의 질적 저하 |

❹ 윤리
❺ 미적 가치
❻ 부

## 개념 3 대중문화의 윤리적 문제

**1 대중문화의 의미** 대중 사회를 기반으로 다수가 쉽게 소비하고 향유하는 문화

**2 대중문화의 특징** 대중성, 오락성, ❼ ______, 대량 문화 등

└ 대중 매체와 뉴 미디어를 통해 불특정 다수에게 전파됨

**3 대중문화와 관련된 윤리적 문제** 선정성과 폭력성, 자본에의 종속

**4 대중문화에 대한 제도적 차원의 규제**

| | |
|---|---|
| 찬성 | 미풍양속과 청소년 보호 등을 위해 유해 요소의 규제 필요 |
| 반대 | 불공정한 규제 가능성, ❽ ______의 자유와 문화 향유권의 제한 우려 |

예 대중 사회를 기반으로 다수가 쉽게 소비하고 향유하는 문화를 대중문화라고 한다.

❼ 상업성
❽ 표현

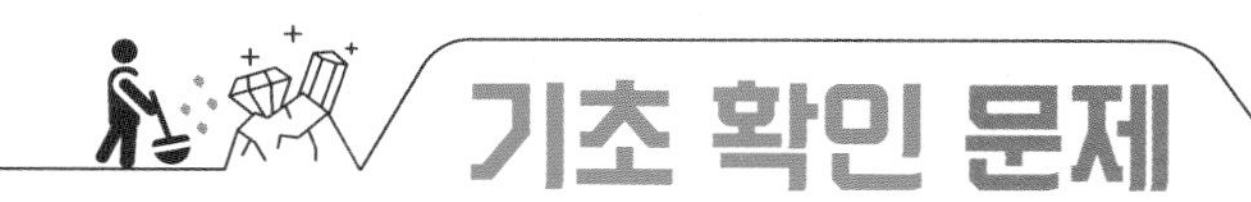

# 기초 확인 문제

정답과 해설 66쪽

**1** 예술에 대한 다양한 정의를 바르게 연결하시오.

(1) 칸트 • • ㉠ 예술은 스스로 반짝이는 거울이다.

(2) 톨스토이 • • ㉡ 예술은 개인의 감정을 표현하여 다른 사람에게 전하는 모든 것이다.

(3) 아리스토텔레스 • • ㉢ 예술은 자연의 모방이며 자연이 성공하지 못한 것을 완성하는 것을 목표로 한다.

**2** 다음 내용이 옳으면 ○표, 틀리면 X표를 하시오.

(1) 도덕주의에 따르면, 예술 작품도 도덕적 가치 평가의 대상이다. ( )

(2) 예술 지상주의를 주장한 사상가들은 예술이 인간과 사회에 미치는 영향력을 간과하고 있다. ( )

(3) "예술은 사물의 실재보다 외관을 아름답게 모방해야 한다."라는 주장은 도덕주의 사상가들의 입장에 부합한다. ( )

(4) 예술 지상주의를 지향하는 사람은 "음악은 인간의 도덕성 함양에 기여해야 하는가?"라는 질문에 긍정적인 대답을 할 것이다. ( )

**3** 도덕주의에 대한 설명을 〈보기〉에서 모두 골라 기호로 쓰시오.

보기

ㄱ. 참여 예술론을 지지한다.
ㄴ. 순수 예술론을 지지한다.
ㄷ. 예술은 윤리의 인도를 받아야 한다.
ㄹ. 예술의 목적은 미적 가치의 구현이다.
ㅁ. 미적 가치는 도덕적 가치와 관련성이 낮다.

( )

**4** 예술의 상업화에 긍정적인 측면이면 '긍', 부정적인 측면이면 '부'를 쓰시오.

(1) 예술에 대한 일반 대중의 접근성이 확대된다. ( )

(2) 예술 작품이 부의 축적 수단으로 전락할 수 있다. ( )

**5** ㉠에 공통으로 들어갈 알맞은 말을 쓰시오.

대중 사회를 기반으로 다수가 쉽게 소비하고 향유하는 문화를 [ ㉠ ](이)라고 한다. [ ㉠ ]의 특징으로는 대량 문화, 대중성, 오락성, 상업성 등을 들 수 있다.

( )

3일

# 3일 교과서 핵심 정리 ②

## 개념 4 의복 문화와 윤리적 문제

**1 의복의 윤리적 의미**

(1) 자아 및 ❶ [　　　] 형성: 개성과 가치관 표현, 가치관 형성에 영향을 주기도 함

(2) 예의에 관한 사회적 기준 반영: 때와 장소, 의식에 맞는 예의 표현

**2 의복과 관련된 윤리적 쟁점**

| | |
|---|---|
| 유행 추구 현상 (동조 소비) | ❷ [　　　] 과/와 결합하여 획일화, 자원 낭비, 환경 오염, 노동 착취 등의 문제 초래 |
| 명품 선호 현상 (과시 소비) | 사치 풍조 조장 → 과소비 ··· 계층 간 분열을 촉진함 |
| 생태 윤리적 문제 | ❸ [　　　] 의 고통을 기반으로 생산된 모피나 가죽옷의 착용 문제 |

예 의복은 자연이나 추위 등으로부터 신체를 보호하는 기능을 하며, 개성 표현 수단이나 공동체의 정체성과 유대감 표출 수단이기도 하다.

❶ 가치관

❷ 패스트 패션

❸ 동물

## 개념 5 음식 문화와 윤리적 문제

**1 음식과 관련된 윤리적 쟁점** ❹ [　　　] 문제(유전자 조작 식품, 식품 첨가물 유해성, 오염된 식재료 사용 등), 환경 문제(대량 생산을 위한 무분별한 개발과 화학 비료, 농약 사용 등), 동물 ❺ [　　　] 문제, 식량 불평등 문제

**2 해결 노력**

(1) 개인적 차원: 음식물 쓰레기 줄이기, 육류 소비 줄이기, ❻ [　　　] 운동 동참하기, 로컬 푸드 운동 동참하기

(2) 사회적 차원: 안전한 먹거리 인증, 성분 표시 의무화, 육류 사육 방식 개선 등

예 슬로푸드란 가공하지 않고 전통적인 방식으로 만든 음식을 말한다.

❹ 식품 안정성

❺ 복지

❻ 슬로푸드

## 개념 6 주거 문화와 윤리적 문제

**1 주거와 관련된 윤리적 쟁점** 주거의 불안정성과 불평등 문제, 주거 형태의 ❼ [　　　] 과/와 규격화 문제 ··· 낙후된 구도심이 활성화되어 중산층 이상의 계층이 유입되면서 저소득층 원주민을 대체하는 현상임

**2 해결 노력** 주거의 ❽ [　　　] 회복, 주거 환경의 균형적 발전과 주거 정의 추구, 공동체를 고려하는 주거 문화 형성

예 주거는 신체적 안전과 정서적 안정, 휴식을 누릴 수 있는 내적 공간이면서 공동체의 유대감을 형성하고 관계성을 회복하는 공간이다.

❼ 획일화

❽ 본질적 가치

정답과 해설 66쪽

**6** 다음 내용이 옳으면 ○표, 틀리면 X표를 하시오.

(1) 공동체를 고려하는 주거 문화에는 셰어 하우스, 코하우징 등이 있다. ( )

(2) 의복은 다양한 의미와 기능을 지니기 때문에 '무언의 언어'라고 볼 수 있다. ( )

(3) 불교에서 술과 고기, 마늘, 파 등을 먹지 말라고 하는 것은 먹는 것과 수행을 연계하고 있음을 보여 준다. ( )

(4) 명품 선호 현상을 긍정하는 사람들은, 고가의 명품 소비가 사람들의 박탈감을 유발해 사회 계층 간의 분열을 촉진한다고 본다. ( )

**7** 음식과 관련된 윤리적 쟁점을 〈보기〉에서 골라 기호로 쓰시오.

보기

ㄱ. 패스트 패션과 결합하여 문제를 초래할 수 있다.
ㄴ. 개성을 표현하는 수단이며 때로는 사치 풍조를 조장한다.
ㄷ. 아파트 같은 공동 주택의 경우 폐쇄성으로 인해 주민 간 소통이 단절된다.
ㄹ. 육류 소비가 증가하면서 공장식 축산업의 보편화로 동물 학대가 발생하고 있다.

( )

**8** 다음에서 설명하는 것을 쓰시오.

낙후된 구도심이 활성화되어 중산층 이상의 계층이 유입됨으로써 기존의 저소득층 원주민을 대체하는 현상을 가리킨다.

( )

**9** 빈칸에 들어갈 알맞은 말을 쓰시오.

(1) 주거는 공동체의 ( )을/를 형성하고 관계성을 회복하는 공간이다.

(2) 빚을 낸 무리한 내 집 마련으로 경제적 어려움에 처한 사람, 집을 소유하지 못해 자주 이사해야 하는 사람 등 주거의 ( )이/가 커지는 문제가 발생한다.

**10** 다음에서 설명하는 것을 〈보기〉에서 골라 쓰시오.

우리 시대의 인간은 고향을 잃고 지구상 어떤 곳에도 매여 있지 않은 영원한 망명자이다. 하지만 집은 이러한 위험과 희생의 공간인 외부 공간과 구분되는 안정과 평화의 공간이다.

보기

• 의복 • 음식 • 주거

( )

# 내신 기출 베스트

## 대표 예제 1 예술에 대한 다양한 정의

**다음 사상가들이 강조하는 예술의 공통적인 특징으로 적절한 것은?**

- 공자: 예(禮)에서 사람이 서고 악(樂)에서 사람이 완성된다.
- 톨스토이: 예술은 만인에게 없어서는 안 될 정신적 복지이다.

① 예술의 심미성 ② 예술의 순수성
③ 예술의 자율성 ④ 예술의 상징성
⑤ 예술의 사회성

개념 가이드

❶ [　　　] 은/는 예술에 대한 도덕주의 입장을 가지고 있다.

답 ❶ 톨스토이

## 대표 예제 2 도덕주의

**갑, 을의 입장에 대한 설명으로 옳지 않은 것은?**

갑: 예술 작품을 엄격한 윤리적 잣대로 평해서는 안 된다고 생각해.
을: 하지만 예술 작품이 미치는 사회적 영향력을 보면 윤리적 기준은 반드시 필요해.

① 갑은 예술 작품에 대한 검열이 정당하다고 본다.
② 갑은 예술성이 도덕적 가치와 무관한 것이라고 본다.
③ 갑은 윤리의 개입이 예술적 가치를 떨어뜨릴 수 있다고 본다.
④ 을은 예술보다 윤리가 우선해야 한다고 주장한다.
⑤ 을은 예술 작품의 소재를 일부 제한할 수 있다고 본다.

개념 가이드

도덕주의는 ❷ [　　　] 이/가 미적 가치보다 우위에 있으므로 예술은 윤리의 인도를 받아야 한다고 주장한다.

답 ❷ 도덕적 가치

## 대표 예제 3 예술 지상주의

**예술과 윤리의 관계를 바라보는 관점이 다른 하나는?**

① 예술의 사회성을 강조한다.
② 예술은 윤리의 인도를 받아야 한다.
③ 예술이 가치 있는 것은 그것이 지닌 윤리적 가치 때문이다.
④ 예술의 목적은 올바른 품성을 기르고 도덕적 교훈을 제공하는 것이다.
⑤ 예술의 목적은 미적 가치를 추구하는 데 있고 그것 자체로 가치를 지닌다.

개념 가이드

❸ [　　　] 은/는 미적 가치가 도덕적 가치와 관련성이 낮다고 주장한다.

답 ❸ 예술 지상주의

## 대표 예제 4 대중문화의 윤리적 문제

**대중문화의 부정적 영향을 〈보기〉에서 모두 고른 것은?**

보기

ㄱ. 폭력 미화
ㄴ. 다양한 문화의 향유
ㄷ. 인간의 수단화, 몰개성화

① ㄱ ② ㄴ ③ ㄷ
④ ㄱ, ㄷ ⑤ ㄴ, ㄷ

개념 가이드

문화의 접근성 확대, 대중의 사회 참여 활성화 등 ❹ [　　　] 의 긍정적 효과도 있다.

답 ❹ 대중문화

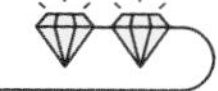





## 대표 예제 5 의복 문화와 윤리적 문제

**다음 글의 내용과 부합하는 진술로 가장 적절한 것은?**

의복은 시각적 혹은 비언어적 상징을 사용함으로써 의사를 전달한다.

① 의복은 신체를 보호한다.
② 의복은 '제2의 피부'이다.
③ 의복은 '무언의 언어'이다.
④ 의복은 환경 오염을 유발한다.
⑤ 의복은 몸을 가리기 위한 것이다.

개념 가이드

❺ [ ]의 기능에는 신체 보호, 개성 표현의 수단, 신분이나 지위 등 표현 등이 있다.

답 ❺ 의복

## 대표 예제 6 패스트 패션

**'패스트 패션'에 대해 비판적으로 바라볼 것으로 예상되는 주장을 〈보기〉에서 모두 고른 것은?**

보기

ㄱ. 상품 생산 과정이 윤리적인지 고려해야 한다.
ㄴ. 자신의 욕구에 부합하는 상품들을 효율적으로 구입해야 한다.
ㄷ. 환경을 고려하여 건전하고 지속 가능한 소비를 실천해야 한다.
ㄹ. 합리적인 소비를 하는 존재로서의 경제적인 삶을 추구해야 한다.

① ㄱ, ㄴ　② ㄱ, ㄷ　③ ㄴ, ㄹ
④ ㄱ, ㄷ, ㄹ　⑤ ㄴ, ㄷ, ㄹ

개념 가이드

저렴하게 사서 입고 빨리 버리는 의류 소비 패턴을 ❻ [ ](이)라고 한다.

답 ❻ 패스트 패션

## 대표 예제 7 음식 문화와 윤리적 문제

**음식 문화와 관련된 (가), (나) 개념을 바르게 짝지은 것은?**

(가) 자기 집 주변에서 생산된 먹거리를 소비할 것을 권하는 운동
(나) 패스트푸드의 문제를 해결하고자 전통적인 방식으로 만든 음식을 섭취하자는 운동

| | (가) | (나) |
|---|---|---|
| ① | 로컬푸드 운동 | 정크푸드 운동 |
| ② | 로컬푸드 운동 | 슬로푸드 운동 |
| ③ | 정크푸드 운동 | 로컬푸드 운동 |
| ④ | 정크푸드 운동 | 슬로푸드 운동 |
| ⑤ | 슬로푸드 운동 | 로컬푸드 운동 |

음식 문화와 관련하여 ❼ [ ], 슬로푸드 운동 등이 있다.

답 ❼ 로컬푸드 운동

## 대표 예제 8 주거 문화와 윤리적 문제

**다음 글에서 중시하는 주거 문화로 가장 적절한 것은?**

한국의 옛집들은 자연을 손상하지 않으면서 가장 기능적이고 그러면서 자연 속에 안기는 태도를 지녔다. 한마디로 우리나라의 옛집은 마당에 서 있으나, 방 안에 앉아 있으나, 위대한 자연에 대한 외경과 신뢰와 친밀을 느끼게 한다.

① 집의 역사성　② 집의 경제성
③ 집의 기능성　④ 환경의 극복
⑤ 집과 자연의 조화

개념 가이드

집은 공동체의 ❽ [ ]을/를 형성하고 관계성을 회복하는 공간이다.

답 ❽ 유대감

# 4일 V-02. 의식주 윤리와 윤리적 소비 ~V-03. 다문화 사회의 윤리

**Quiz** 도덕적 가치 판단에 따라 재화나 서비스를 구매하고 사용하는 소비는?

**오늘날의 소비 특징**

- 대량 소비와 과소비가 나타났다.
- 사회적 욕구나 자아실현의 욕구를 충족하려는 소비가 확대되었다.
- 소비자의 영향력이 확대됨에 따라 생산자에 영향력을 행사하는 경우가 증가하였다.

답 윤리적 소비

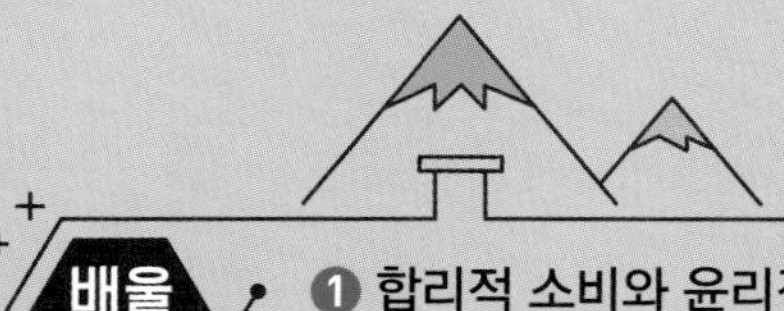

배울 내용

❶ 합리적 소비와 윤리적 소비
❷ 소비의 유형
❸ 문화 다양성
❹ 관용과 다문화 사회의 정책
❺ 종교의 의미와 본질

Quiz 한 국가 안에 다양한 인종과 문화적 배경을 지닌 사람들이 공존하는 사회를 ( 국제, 다문화 ) 사회라고 한다.

다문화 사회를 설명하는 여러 모델

답 다문화

# 4일 교과서 핵심 정리 ①

## 개념 1 합리적 소비와 윤리적 소비

| | |
|---|---|
| 합리적 소비 | • 의미: 소비자가 가격과 품질을 고려하여 최소의 ❶ [    ](으)로 최대의 ❷ [    ]을/를 얻기 위한 소비<br>• 특징: 경제적 편익에만 치중한 소비를 하게 됨 — 인권 침해, 동물 학대, 환경 오염을 유발할 수 있음 |
| 윤리적 소비 | • 의미: 윤리적인 가치 판단에 따라 재화나 ❸ [    ]을/를 구매하고 사용하는 소비<br>• 특징: 환경 보호, 인권 향상을 선택 기준으로 고려함 |

❶ 비용
❷ 만족
❸ 서비스

## 개념 2 소비의 유형

### 1 윤리적 소비의 유형

(1) 인권과 정의를 생각하는 소비: 노동자의 인권과 복지를 보장하는 기업의 상품 구매, 아동 노동 착취 없이 제3 세계 노동자에게 정당한 임금을 지불한 공정 무역 상품 구매

(2) 공동체적 가치를 생각하는 소비: 지역 공동체의 지속 가능한 발전을 도모하는 소비

(3) ❹ [    ]을/를 생각하는 소비: 동물의 생명을 존중하고 고통을 최소화하는 방식으로 생산된 상품 소비

(4) 환경 보전을 생각하는 소비: 생태계의 보존과 지속 가능한 소비가 가능하도록 하는 친환경 소비

### 2 사회적 기업

(1) 의미: 이윤과 사회적 목적을 모두 추구하는 기업 — 창출된 수익을 사회적 목적으로 환원함

(2) 특징: ❺ [    ]의 고용 및 복지 문제 해결에 도움을 주고, 발생한 이윤을 공익을 위해 사용하기도 함

❹ 동물 복지
❺ 취약 계층

## 개념 3 문화 다양성

### 1 다문화 사회

한 국가 안에 다양한 ❻ [    ]과/와 문화적 배경을 지닌 사람들이 공존하는 사회

### 2 다양한 문화를 바라보는 태도 — 다문화에 대한 존중과 관용이 필요함

| | |
|---|---|
| 자문화 중심주의 | 자신의 문화를 기준으로 다른 문화를 무조건 낮게 평가하는 태도 |
| 문화 사대주의 | 자신의 문화를 ❼ [    ]하게 여겨 다른 문화를 숭배하고 추종하는 태도 |
| 문화 상대주의 | 각 문화가 지닌 ❽ [    ]과/와 상대적 가치를 이해하고 존중하는 태도 |

예 다문화 사회는 새로운 문화 요소의 도입으로 문화 선택의 폭과 발전 기회 확대, 갈등 요소 증대 등의 특징을 지닌다.

❻ 인종
❼ 열등
❽ 고유성

# 기초 확인 문제

정답과 해설 67쪽

**1** 다음 내용이 옳으면 ○표, 틀리면 X표를 하시오.

(1) 자율적 선택권과 최적의 효용은 윤리적 소비의 필수 요소이다. ( )

(2) 현대 사회에서 소비는 인간의 삶과 경제 성장에 큰 영향을 미친다. ( )

(3) 인권 침해, 사회 부정의, 동물 학대, 환경 문제 등은 합리적 소비와 관련이 없다. ( )

(4) 취약 계층의 고용 및 복지 문제를 해결하는 과정에서 사회적 기업이 등장하였다. ( )

(5) 합리적 소비의 한계를 인식하고 이를 보완하는 과정에서 윤리적 소비가 등장하였다. ( )

(6) 윤리적 소비를 실천하는 사람은 자신의 선호보다는 공공성을 상품 선택의 기준으로 삼을 것이다. ( )

**2** ㉠에 공통으로 들어갈 알맞은 말을 쓰시오.

| ㉠ |은/는 합리적 소비의 한계를 인식하고 이를 보완하는 과정에서 등장하였다. | ㉠ |은/는 소비자의 영향력 확대와 다양한 사회 문제에 대한 관심 속에서 도덕적 가치에 따라 재화나 서비스를 구매하고 사용하며 처리하는 소비이다.

( )

**3** 윤리적 소비를 실천하려는 사회적 차원의 노력을 〈보기〉에서 모두 골라 기호로 쓰시오.

보기

ㄱ. 일회용품 구매 자제
ㄴ. 사회적 기업 지원법 제정
ㄷ. 적극적인 재활용·재사용 노력
ㄹ. 동물 복지 축산 인증 제도 마련

( )

**4** 빈칸에 들어갈 알맞은 말을 쓰시오.

[ ]은/는 인간이 이루어 놓은 유형 또는 무형의 산물로, 독특한 자연환경과 사회적 상황을 고려하여 형성된다.

( )

**5** 문화를 바라보는 태도를 바르게 연결하시오.

(1) 문화 사대주의 •  • ㉠ 각 문화가 지닌 고유성과 상대적 가치를 이해하고 존중하는 태도

(2) 문화 상대주의 •  • ㉡ 자신의 문화를 열등하게 여겨 다른 문화를 숭배하고 추종하는 태도

# 4일 교과서 핵심 정리 ②

## 개념 4 관용과 다문화 사회의 정책

**1 관용의 필요성** 문화적 차이에 따른 편견과 ❶ [    ]을/를 예방하고, 자유의 가치와 인간 존중을 실현하기 위해 필요함

**2 다문화 사회의 정책**

| | |
|---|---|
| 동화주의 | 이민자를 주류 사회의 언어나 문화에 ❷ [    ]시켜 이들에게 국민이라는 정체성을 부여함 — 용광로 모형 |
| 다문화주의 | 이민자들이 그들의 고유한 문화를 유지하도록 인정하면서 동화가 아닌 공존을 지향함 — 샐러드 그릇 모형, 모자이크 모형 |
| 문화 다원주의 | 문화의 다양성을 인정하지만 주류 사회의 문화를 바탕으로 문화적 ❸ [    ]을/를 수용함 — 국수 대접 모형 |

**3 다문화 사회의 시민 의식** 문화적 편견 극복, 윤리적 상대주의 지양, 바람직한 문화적 정체성, 관용 등

예 다문화 사회에서 경계해야 할 태도는 문화적 편견, 윤리적 상대주의 등이 있다.

## 개념 5 종교의 의미와 본질

**1 종교의 의미** ❹ [    ]에 대한 인간의 믿음이 구체적인 형태로 표현된 것

**2 종교의 본질**

| | |
|---|---|
| 내용적 측면 | 성스럽고 거룩한 것에 대한 체험과 믿음 |
| 형식적 측면 | 경전과 ❺ [    ], 의례와 형식, 교단 |

**3 종교와 윤리의 관계**

| | |
|---|---|
| 공통점 | 인간의 ❻ [    ] 중시 — 모든 종교는 보편적 윤리를 포함하고 있음 |
| 차이점 | • 종교: 초월적 세계, 궁극적 존재에 근거한 종교적 신념이나 교리 제시<br>• 윤리: 인간의 이성, 상식, 양심에 근거한 규범 제시 |

**4 종교의 갈등**

(1) 발생 원인: 타 종교에 대한 ❼ [    ], 무지와 편견

(2) 종교 간 갈등 양상: 인종, 민족, 자원 등 다른 요소가 결합되어 갈등이 더 깊어지기도 하고, 심한 경우 ❽ [    ], 전쟁 등의 폭력적인 모습을 보이기도 함

(3) 해결 방안: 종교의 자유 인정, 타 종교에 대한 관용적인 태도, 종교 간의 대화 등

예 종교적 진리에 대한 인간의 의식은 상대적이고 오류가 있을 수 있기 때문에 관용의 자세가 필요하다.

❶ 차별
❷ 동화
❸ 다원성
❹ 초월적 존재
❺ 교리
❻ 도덕성
❼ 배타적 태도
❽ 테러

정답과 해설 67쪽



**6** **괄호 안의 내용 중 알맞은 말을 골라 ○표를 하시오.**

(1) ( 다문화주의, 차별적 배제 )는 이주민을 특정 목적으로만 받아들이고 내국인과 동등한 권리를 인정하지 않는 것을 말한다.

(2) 소수의 문화를 주류 사회의 문화에 편입시켜야 한다고 생각하는 이론이 ( 용광로 , 샐러드 그릇 ) 이론이다.

(3) ( 동화주의 , 다문화주의 )는 주류 문화를 중심으로 다른 문화를 통합한다는 점에서 획일적인 사회로 나가기 쉽다.

(4) 문화의 다양성은 인정하지만, 주류 사회의 문화를 바탕으로 비주류 문화가 공존해야 한다고 보는 정책이 ( 다문화주의 , 문화 다원주의 )이다.

**7** **관용에 대한 설명으로 옳은 것을 〈보기〉에서 모두 골라 기호로 쓰시오.**

보기

ㄱ. 종교 전쟁 직후에는 종교의 자유를 의미하였다.
ㄴ. 본래 가지지 못한 자에게 베푸는 가진 자의 덕목을 뜻하였다.
ㄷ. 근대 이후 의미가 확장되어 일반적인 도덕 원리로 인식되기 시작하였다.
ㄹ. 관용의 범위는 제한할 수 없기 때문에 우리는 인간으로서의 의무와 양심에 어긋나는 행위에 대해서도 관용해야 한다.

(　　　　)

**8** **다음 내용이 옳으면 ○표, 틀리면 X표를 하시오.**

(1) 다른 종교에 대한 배타적인 태도는 종교 간의 갈등을 낳을 수 있다. (　　)

(2) 윤리 문제에 대해 서로 다른 종교가 내리는 윤리적 판단은 항상 같다. (　　)

(3) 종교의 자유란 자신이 믿고 싶은 종교를 믿을 자유와 자신의 종교를 강요할 수 있는 자유를 의미한다. (　　)

**9** **다음에서 설명하는 것은 무엇인지 쓰시오.**

> 고대 사회부터 세계 곳곳에서 공통으로 발견되는 애니미즘, 샤머니즘, 토테미즘 등을 말한다.

(　　　　)

**10** **㉠, ㉡에 들어갈 알맞은 말을 쓰시오.**

> [ ㉠ ]이/가 성스러움이나 초월적인 문제를 다룬다면 [ ㉡ ]은/는 도덕규범이나 그 규범의 근거에 관하여 탐구한다. [ ㉠ ]이/가 신앙심을 바탕으로 신에 대한 의존을 강조한다면, [ ㉡ ]은/는 이성이나 양심, 도덕 감정 등을 근거로 도덕적 행위의 실천에 관심을 둔다.

㉠ (　　　　) ㉡ (　　　　)

# 내신 기출 베스트

## 대표 예제 1 윤리적 소비

다음 글의 입장에서 지지할 내용으로 옳지 않은 것은?

> 소비자가 소비를 하는 것만으로도 세상을 바꿀 수 있는 소비, 물건 그 이상의 가치를 창출하는 소비를 통해 세상을 변화시켜야 합니다.

① 아동 노동 금지에 기여하는 소비를 해야 한다.
② 과시 소비로부터 벗어나 동조 소비를 해야 한다.
③ 친환경적이며 지속 가능한 소비 생활을 해야 한다.
④ 동물 학대를 초래하는 의류 소비는 지양해야 한다.
⑤ 개발 도상국의 생산자를 고려하는 소비를 해야 한다.

윤리적 소비는 환경 보호, 인권 향상을 ❶ (으)로 고려한다.

답 ❶ 선택 기준

## 대표 예제 2 합리적 소비와 윤리적 소비

윤리적 소비의 유형으로 볼 수 없는 것은?

① 동물 복지를 생각하는 소비
② 환경 보전을 생각하는 소비
③ 인권과 정의를 생각하는 소비
④ 공동체적 가치를 생각하는 소비
⑤ 최소한의 비용으로 최대의 만족감을 얻는 소비

개념 가이드

❷ 은/는 소비자가 가격과 품질을 고려하여 최소의 비용으로 최대의 만족을 얻기 위한 소비이다.

답 ❷ 합리적 소비

## 대표 예제 3 윤리적 소비

윤리적 소비 입장에서 긍정의 대답을 할 질문을 〈보기〉에서 고른 것은?

보기

ㄱ. 윤리적인 성찰이 배제된 식품의 소비는 바람직한가?
ㄴ. 식품 생산 과정에서 동물의 복지를 고려해야 하는가?
ㄷ. 식품 관련 기업은 노동자의 권리를 보장해야 하는가?
ㄹ. 식품을 선택하는 유일한 기준은 개인의 미적 선호인가?

① ㄱ, ㄴ ② ㄱ, ㄷ
③ ㄴ, ㄷ ④ ㄴ, ㄹ
⑤ ㄷ, ㄹ

개념 가이드

❸ 은/는 노동자의 인권, 환경 문제, 원료의 재배·가공·유통 등 전 과정을 고려한다.

답 ❸ 윤리적 소비

## 대표 예제 4 다양한 문화를 바라보는 태도

다음 글에서 강조하는 문화에 대한 관점으로 가장 적절한 것은?

> 각 사회의 구성원은 서로 다른 환경과 상황에 적응해 가면서 독특한 생활 방식을 구축해 왔다. 또한, 각 사회 구성원이 추구하는 가치관도 다르다. 문화는 독특한 자연환경과 사회적 상황 등을 고려하여 형성된 것이므로 각각의 문화가 지닌 고유성과 상대적 가치를 이해하고 존중하는 태도나 관점이 필요하다.

① 문화 사대주의 ② 문화 상대주의
③ 문화 절대주의 ④ 윤리 상대주의
⑤ 자문화 중심주의

개념 가이드

❹ 이해 태도에는 자문화 중심주의, 문화 사대주의, 문화 상대주의 등이 있다.

답 ❹ 문화

### 대표 예제 5 다문화 사회의 정책

**다문화 사회의 정책에 대한 설명으로 옳지 않은 것은?**

① 동화주의는 사회의 동일한 문화적 정체성 유지를 추구한다.
② 다문화주의는 이주자의 문화에 대해 차별하는 것을 금지한다.
③ 동화주의, 다문화주의는 주류 문화 중심의 사회 통합을 추구한다.
④ 다문화주의는 동화주의와 달리 이주민들의 문화적 권리를 존중한다.
⑤ 동화주의는 다문화주의에 비해 소수 문화 보호를 위한 지원에 소극적이다.

다문화 정책에는 차별적 배제, ❺ [　　　], 다문화주의, 문화 다원주의 등이 있다.　답 ❺ 동화주의

### 대표 예제 6 관용

**관용에 대한 설명으로 옳은 것을 〈보기〉에서 모두 고른 것은?**

보기
ㄱ. 다른 문화에 대해서는 무제한적인 관용의 자세를 지녀야 한다.
ㄴ. 관용을 확대하기 위해서 불관용이 필요할 때도 있어야 한다.
ㄷ. 관용의 역설을 통해서 다문화 사회의 문제를 해결해 나갈 수 있다.
ㄹ. 관용은 인간의 존엄성과 인류의 보편적 가치 안에서 적용될 수 있다.

① ㄱ, ㄴ　② ㄱ, ㄷ
③ ㄴ, ㄷ　④ ㄴ, ㄹ
⑤ ㄷ, ㄹ

개념 가이드

인류 보편적 가치와 사회 전체 질서의 측면을 고려하여 관용을 ❻ [　　　]할 수 있다.　답 ❻ 제한

### 대표 예제 7 종교와 비종교

**종교와 비종교를 나누는 기준으로 적절하지 않은 것은?**

① 죽음과 내세에 대한 답
② 윤리적 계율이나 도덕 규범
③ 일상적인 것에 대한 초월성
④ 종교 지도자에 대한 무조건적 복종 여부
⑤ 세상에 대하여 설명할 수 있는 교리 체계

개념 가이드

❼ [　　　]이/가 신앙심을 바탕으로 신에 대한 의존을 강조한다면, 윤리는 도덕적 행위의 실천에 관심을 둔다.　답 ❼ 본질

### 대표 예제 8 종교의 갈등

**종교의 갈등을 해결하기 위한 자세로 가장 적절한 것은?**

① 각 종교가 지닌 차이점을 알고 다양성을 존중한다.
② 소수가 믿는 종교를 세계 종교로 점차 편입시킨다.
③ 종교 간의 공통된 교리를 추출하여 종교 통합을 추구한다.
④ 동일한 정치 공동체의 구성원들은 동일한 종교를 가지도록 강제한다.
⑤ 각각의 종교들이 지닌 권위와 전통을 버리고, 종교의 단일화를 추구한다.

개념 가이드

종교적 진리에 대한 인간의 인식은 상대적이고 오류가 있을 수 있기 때문에 ❽ [　　　]의 자세가 필요하다.　답 ❽ 관용

# 5일 VI－01. 갈등 해결과 소통의 윤리 ~ VI－03. 지구촌 평화의 윤리

**Quiz** 어떤 규범의 타당성을 그 규범의 영향을 받은 사람들이 합리적인 토론을 통해 도달한 자유로운 동의에서 찾는 윤리를 ( 과학, 담론 ) 윤리라고 한다.

### 소통과 담론의 윤리

### 통일에 대한 입장

답 담론

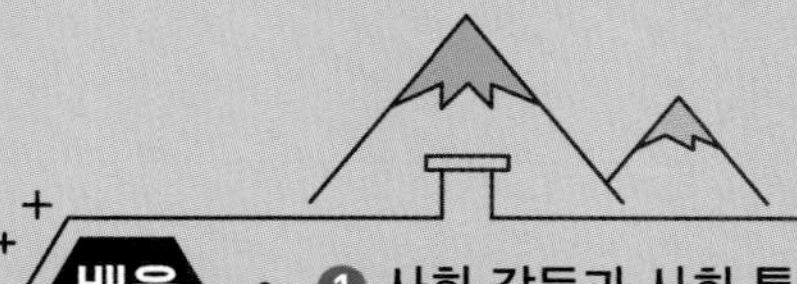

배울 내용

❶ 사회 갈등과 사회 통합
❷ 소통과 담론의 윤리
❸ 통일 문제를 둘러싼 쟁점
❹ 국제 분쟁의 해결과 평화
❺ 국제 사회에 대한 책임과 기여

**Quiz** ( 칸트, 갈퉁 )은/는 국제법을 따르는 평화 연맹 구성을 요구하는 영구 평화론을 주장하였다.

## 국제 분쟁 해결의 다양한 입장

## 세계화에 대한 입장

답 칸트

# 5일 교과서 핵심 정리 ①

## 개념 1 사회 갈등과 사회 통합

### 1 사회 갈등의 유형

| | |
|---|---|
| 이념 갈등 | 특정한 ❶ [  ], 믿음, 견해 등이 다를 경우 발생함 — 이분법적 사고로 갈등이 심화됨 |
| 지역 갈등 | 특정 지역에 대한 ❷ [  ](이)나 차별 의식으로 인해 발생함 — 연고주의, 지역 이기주의, 지역감정 등이 작용함 |
| 세대 갈등 | 연령과 시대별 경험의 차이로 나타남 — 사회 변화에의 적응 속도 차이로 갈등이 심화됨 |

### 2 사회 통합을 위한 노력

| | |
|---|---|
| 주체별 역할 | • 개인: 자신의 ❸ [  ]을/를 유지하면서 다름을 포용하는 열린 자세<br>• 시민 사회: 집단 간 소통과 상호 존중을 통한 신뢰 형성<br>• 국가: 통합의 정치 지향, 민주적 절차 마련 |
| 내용별 분류 | • 제도적 차원: 공정하고 투명한 분배 절차와 기준 확립<br>• 의식적 차원: 다양성 인정, 민주 시민 의식 및 양보와 관용의 정신 함양 |

예 사회 갈등은 개인 또는 집단 간 이해관계가 달라 충돌하는 상황을 말한다.

❶ 가치관
❷ 특권 의식
❸ 정체성

## 개념 2 소통과 담론의 윤리

**1 소통과 담론 과정에서 필요한 윤리적 자세** 소통과 담론에 참여할 수 있는 사람들의 권리 인정, 대화의 상대방을 존중하는 태도, 진실한 ❹ [  ], 자신의 오류 가능성을 인정하는 겸허한 태도, 공적 의사 결정 과정에 적극 참여

**2 담론 윤리**

(1) 동양의 소통과 담론의 윤리: 공자의 ❺ [  ], ❻ [  ]의 화쟁 사상

(2) 서양의 소통과 담론의 윤리: 하버마스의 담론 윤리(대화의 필요성을 주장함), 아펠의 담론 윤리, 밀의 오류 가능성 인정

❹ 대화
❺ 화이부동
❻ 원효

## 개념 3 통일 문제를 둘러싼 쟁점

### 1 통일에 대한 입장

| | |
|---|---|
| 적극적 입장 | 당위적 차원, ❼ [  ]의 실현, 실용적 차원 |
| 소극적 입장 | • 통일보다 평화와 공존을 우선시함<br>• 서로 다른 체제, 생활 방식 차이 등으로 이질화 심화 |

**2 통일과 관련한 비용** 통일 과정과 통일 이후에 소요되는 통일 비용, ❽ [  ](으)로 인해 발생하는 모든 분단 비용 — 남북통일이 된다면 더 큰 통일 편익을 기대할 수 있음

예 통일 한국이 지향할 가치에는 평화, 자유, 정의 등이 있다.

❼ 보편적 가치
❽ 분단

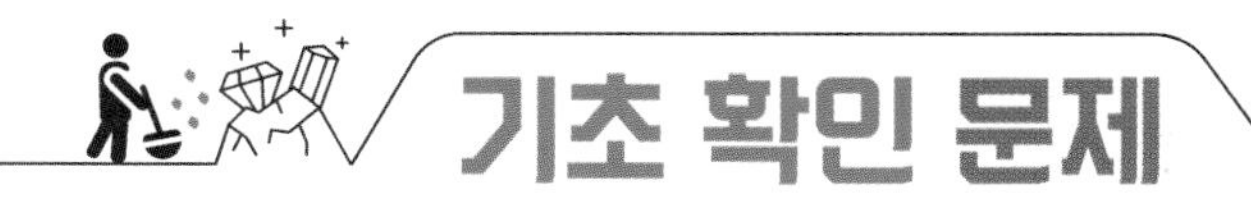

정답과 해설 69쪽

**1** 사회 갈등의 유형을 바르게 연결하시오.

(1) 지역 갈등 •　　• ㉠ 한 사회나 집단이 지닌 특정한 가치관, 믿음, 견해 등이 다를 경우 발생함

(2) 이념 갈등 •　　• ㉡ 경제적 요인, 특정 지역에 대한 특권 의식이나 차별 의식으로 발생함

(3) 세대 갈등 •　　• ㉢ 연령과 시대별 경험의 차이로 어느 사회에서나 나타나는 보편적인 현상임

**2** 담론 윤리를 말한 밑줄 친 이 사람은 누구인지 〈보기〉에서 골라 쓰시오.

이 사람은 개인의 주관적인 도덕 판단만으로는 규범이 성립될 수 없으므로 대화가 필요하다고 주장한다. 대화의 당사자들이 합의한 결과를 수용하고 그것을 의무로 받아들이기 위해서는 대화가 합리적인 의사소통의 과정을 거쳐야만 한다. 그래서 이 사람은 합리적인 대화가 이루어지기 위한 과정을 중요시한다.

보기

- 밀
- 원효
- 아펠
- 공자
- 뒤르켐
- 하버마스

(　　　　)

**3** ㉠, ㉡에 들어갈 알맞은 소통과 담론의 윤리를 쓰시오.

| | |
|---|---|
| ㉠ 공자 | 남과 사이 좋게 지내되 의를 굽혀 따르지는 않는다는 의미로 조화의 중요성을 강조함 |
| ㉡ 원효 | 편견과 집착을 넘어 소통하면서 대립을 극복하고, 궁극적 진리로 나아가야 함 |

㉠ (　　　　) ㉡ (　　　　)

**4** 다음 내용이 옳으면 ○표, 틀리면 X표를 하시오.

(1) 통일 편익은 통일로 인해 발생하는 불편과 손실을 의미한다. (　　)

(2) 분단 비용은 남북한 분단에 따른 대결과 갈등으로 지출되는 유·무형의 비용이다. (　　)

**5** 통일을 위한 개인적, 국가적 차원의 노력을 〈보기〉에서 고르시오.

보기

ㄱ. 북한에 대한 올바른 인식, 통일에 대한 관심

ㄴ. 통일 기반 조성, 문화 교류, 이산가족 상봉 등 인도적 노력

(1) 개인적 차원 (　　)

(2) 국가적 차원 (　　)

# 5일 교과서 핵심 정리 ②

## 개념 4 국제 분쟁의 해결과 평화

### 1 국제 분쟁

(1) 원인: ❶ [　　　] 분쟁, 인종·민족 분쟁, 종교 분쟁, 자원 분쟁 등 다양함

(2) 특징: 이해관계가 얽혀 복잡하고 다양하게 나타나고 있으며, 오늘날 국제 평화와 정의를 해치는 ❷ [　　　]이/가 증가하고 있음 — 예 르완다 내전, 보스니아 내전 등

(3) 해결 방안: 문명의 다양성과 차이 존중, 국제적 분배 정의 실현, 형사적 정의 실현

### 2 국제 관계를 바라보는 관점

| | |
|---|---|
| 현실주의<br>(모겐소) | • 국가의 이익과 도덕성 충돌 시 ❸ [　　　]의 이익 우선<br>• 국가의 힘을 키워 세력 균형을 유지해야 분쟁 해결 가능 |
| 이상주의<br>(칸트) | • 국가의 이익보다 인간의 존엄성, 자유, 평등 등 보편적인 가치 우선<br>• 국제기구, 국제법 등 도덕성에 근거한 ❹ [　　　] 형성을 통해 분쟁 해결 |
| 구성주의<br>(웬트) | • 상대국과의 관계 정립, 상호 작용이 국익 좌우<br>• 국가 간 긍정적인 상호 작용을 통해 분쟁 해결 |

### 3 국제 평화를 이루기 위한 노력 ❺ [　　　]의 영구 평화론, 갈퉁의 적극적 평화론

예 국제 분쟁은 평화, 정의, 인권 등 보편적 가치 훼손이라는 윤리적 문제가 발생한다.

## 개념 5 국제 사회에 대한 책임과 기여

### 1 세계화에 대한 입장

(1) 세계화의 긍정적 영향: 생활 공간의 확장, 국가 간 자유로운 경쟁과 교류 확대, 다양한 문화 교류

(2) 세계화의 부정적 영향: ❻ [　　　] 심화, 국가 간 경제 의존도 심화, 각 나라 고유의 정체성 약화 및 문화의 획일화

### 2 해외 원조의 윤리적 근거

| | |
|---|---|
| 의무의<br>관점 | • 싱어: ❼ [　　　]적 관점에서 원조의 필요성 강조 — 적극적 기부를 제안함<br>• 칸트: 타인을 돕는 것은 보편적인 윤리적 의무<br>• 롤스: 불리한 여건에 처해 있는 사회의 국민들을 질서 정연한 사회로 이행하도록 원조해야 함 — 빈곤국의 자생력을 키워 주는 것이 진정한 원조라고 주장 |
| 자선의<br>관점 | 노직: 해외 원조는 의무가 아닌 ❽ [　　　](이)라고 주장 |

예 세계화는 세계 전체가 긴밀하게 연결된 사회 체계로 통합되어 가는 현상이다.

❶ 영토
❷ 반인도적 범죄
❸ 국가
❹ 집단 안보
❺ 칸트
❻ 남북문제
❼ 공리주의
❽ 자선

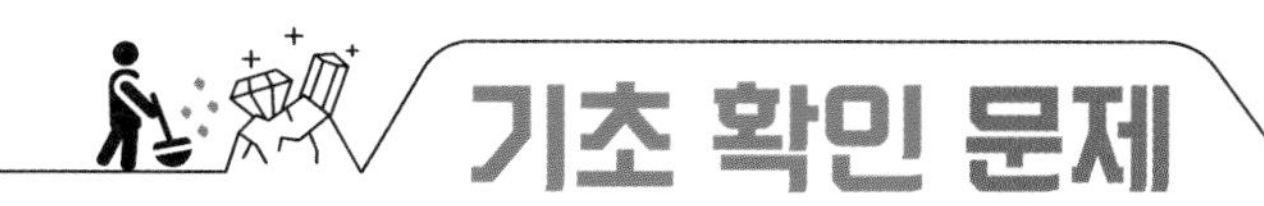

정답과 해설 69쪽

**6** 빈칸에 들어갈 알맞은 말을 쓰시오.

(1) 국제 분쟁은 국제 형사 경찰 기구나 국제 형사 재판소(ICC) 등 (　　　　　　)을/를 통한 처벌로도 해결할 수 있다.

(2) (　　　　　　)(이)란 지구의 공간이 상대적으로 축소되고 국제 사회의 상호 의존성이 증가하고 세계 전체가 긴밀하게 연결된 사회 체계로 통합되어 가는 현상을 말한다.

**7** 모겐소가 주장한 국제 관계를 바라보는 관점을 쓰시오.

> 국가의 이익과 도덕성 충돌 시 국가의 이익이 우선이며, 국가의 힘을 키워 세력 균형을 유지해야 분쟁 해결이 가능하다.

(　　　　　　)

**8** 국제 평화를 이루기 위한 노력을 바르게 연결하시오.

(1) 칸트 • 　　　• ㉠ 영구 평화론

(2) 갈퉁 • 　　　• ㉡ 적극적 평화론

**9** 다음 내용이 옳으면 ○표, 틀리면 X표를 하시오.

(1) 세계화로 인해 각 지역, 각 나라 고유의 정체성이 약화되는 문제도 발생할 수 있다. (　　)

(2) 세계화로 판매 시장이 확대되고 소비 선택의 기회가 증가하는 것은 세계화의 부정적 영향이다. (　　)

(3) 남북문제는 자본과 기술력을 보유한 선진국은 주로 남반구에 있고 그렇지 못한 개발 도상국은 주로 북반구에 위치해 있기 때문이다. (　　)

**10** 해외 원조의 윤리적 근거를 〈보기〉에서 골라 의무의 관점과 자선의 관점으로 각각 구분하시오.

**보기**

ㄱ. 타인을 돕는 것은 보편적인 윤리적 의무이다.
ㄴ. 고통을 감소하게 하고 쾌락을 추구하는 것이 인류의 의무이다.
ㄷ. 개인의 배타적 소유권에 따라서 해외 원조는 개인의 자유로운 선택의 영역이다.
ㄹ. 질서 정연한 사회에 살고 있는 국민들이 불리한 여건에 처해 있는 사회의 국민들을 질서 정연한 사회로 이행하도록 원조해야 한다.

(1) 의무의 관점 (　　　　　　)

(2) 자선의 관점 (　　　　　　)

# 내신 기출 베스트

## 대표 예제 1 사회 갈등

㉠, ㉡에 들어갈 사회 갈등의 유형을 바르게 짝지은 것은?

| | |
|---|---|
| ㉠ | 전통 사회에서 기성세대가 가졌던 권위와 존경심 상실 |
| ㉡ | 사회 현상에 대한 가치관이나 믿음, 사상, 신념 등의 차이로 인해 발생 |

| | ㉠ | ㉡ |
|---|---|---|
| ① | 세대 갈등 | 이념 갈등 |
| ② | 이념 갈등 | 세대 갈등 |
| ③ | 세대 갈등 | 지역 갈등 |
| ④ | 이념 갈등 | 지역 갈등 |
| ⑤ | 지역 갈등 | 이념 갈등 |

개념 가이드

❶ [ ]의 유형에는 이념 갈등, 지역 갈등, 세대 갈등 등이 있다.

답 ❶ 사회 갈등

## 대표 예제 2 소통과 담론의 윤리

소통과 담론 과정에서 필요한 윤리적 자세에 대해 바르게 설명한 것은?

① 맹자는 화쟁 사상을 강조한다.
② 아펠은 자신의 오류 가능성을 인정하는 겸허한 태도를 강조한다.
③ 하버마스는 누구나 자유롭게 소통에 참여할 자격이 있음을 강조한다.
④ 원효는 소통을 방해하는 그릇된 언사로 피사, 음사, 사사, 둔사를 제시한다.
⑤ 밀은 담론에 참여할 책임과 의사소통 공동체를 유지해야 할 책임을 강조한다.

개념 가이드

소통과 ❷ [ ](으)로 ❸ [ ]의 자발적·적극적 참여를 유도할 수 있다.

답 ❷ 담론 ❸ 사회 구성원

## 대표 예제 3 담론 윤리

다음에서 설명하는 것은?

> 어떤 규범의 타당성을 그 규범의 영향을 받은 사람들이 합리적인 토론을 통해 도달한 자유로운 동의에서 찾는 윤리이다.

① 관용　② 독선
③ 편견　④ 담론 윤리
⑤ 사회 갈등

주로 토론의 형태로 이루어지는 이성적 의사소통 행위를 ❹ [ ](이)라고 한다.

답 ❹ 담론

## 대표 예제 4 통일 비용과 분단 비용

밑줄 친 '분단 비용'이 아닌 것은?

> 통일과 관련한 비용에는 통일 비용과 분단 비용이 있다.

① 전쟁 발발 공포
② 이산가족의 고통
③ 통일 이후 위기 관리 비용
④ 분단으로 인해 발생하는 군사비
⑤ 분단 상황에서 들어가는 외교 비용

개념 가이드

통일과 관련된 비용에는 ❺ [ ]과/와 통일 비용이 있다.

답 ❺ 분단 비용

## 대표 예제 5 국제 분쟁 해결

**(가)~(다)에 대한 설명으로 옳지 않은 것은?**

> (가) 국제 분쟁 해결에는 힘이 필요하다.
> (나) 인간은 상호 협력할 수 있는 존재이다.
> (다) 국제 관계는 상호 작용을 통해 구성된다.

① (가)는 국가 간 힘의 균형을 강조할 것이다.
② (나)는 국제 기구를 통한 해결을 강조할 것이다.
③ (다)는 국제 질서의 규범은 상대적일 수 있다고 본다.
④ (가)보다 (나)는 인간 본성에 대해 긍정적인 입장이다.
⑤ (가)보다 (다)는 군사 동맹을 통한 국제 분쟁 해결을 강조한다.

**개념 가이드**

국제 관계를 바라보는 관점에는 ❻ [ ], 이상주의적 입장, 구성주의적 입장이 있다.

답 ❻ 현실주의적 입장

## 대표 예제 6 국제 분쟁의 해결에 관한 다양한 입장

**다음 글에서 알 수 있는 국제 분쟁의 해결 방안은?**

> 인간은 근본적으로 상호 협력할 수 있는 존재이므로 국가 간 이해관계도 협력을 통해 조정함으로써 평화를 달성할 수 있다.

① 힘의 균형이 달성되면 분쟁 해결이 가능하다.
② 국제 정치의 주체는 최종적으로 국가가 되어야 한다.
③ 국가 간 관계는 문화적·경제적 요소에 따라 상대적이다.
④ 국제기구를 통한 해결은 중립성·공정성에 한계가 있다.
⑤ 인간의 이성적 판단 능력에 따라 평화 상태는 지속될 수 있다.

**개념 가이드**

❼ [ ] 관점은 국가의 이익보다 보편적 가치를 우선한다.

답 ❼ 이상주의

## 대표 예제 7 세계화

**㉠~㉤ 중 옳지 않은 것은?**

> [학습 주제] 세계화의 영향
> 세계화의 긍정적 영향
> • ㉠ 국가 간 자유로운 경쟁
> • ㉡ 각 나라 고유의 정체성 약화
> • ㉢ 판매 시장 확대 및 소비 선택 기회 증가
> 세계화의 부정적 영향
> • ㉣ 남북문제 심화
> • ㉤ 국가 간 경제 의존도 심화

① ㉠　② ㉡　③ ㉢
④ ㉣　⑤ ㉤

**개념 가이드**

세계화는 생활 공간의 확장, 교류 확대 등의 ❽ [ ] 영향을 가지고 있다.

답 ❽ 긍정적

## 대표 예제 8 약소국 원조의 이유

**약소국에 대한 원조 이유 중 나머지 넷과 그 성격이 다른 것은?**

① 부유한 나라는 약소국의 빈곤에 책임이 있다.
② 인간은 타인의 곤경에 무관심하지 않을 의무가 있다.
③ 어려운 처지의 이웃을 돕는 것은 당연한 도덕적 의무이다.
④ 부유한 나라가 약소국을 도와주는 것은 선의를 베푸는 자선 행위이다.
⑤ 약소국의 어려운 처지는 전적 혹은 부분적으로 부유한 나라에 의해서 초래되었다.

해외 ❾ [ ]의 윤리적 근거에는 의무의 관점과 자선의 관점이 있다.

답 ❾ 원조

# 누구나 100점 테스트 1회

**1** 과학 기술의 가치 중립성에 관한 입장으로 다른 하나는?

① 과학 기술 연구의 자유를 보장해야 한다.
② 윤리적 규제는 과학 기술의 발달을 저해한다.
③ 과학 기술과 도덕적 가치는 분리가 불가능하다.
④ 사실성 여부를 판단할 때 가치가 개입되면 안 된다.
⑤ 과학 기술 연구는 객관적인 진리를 탐구하는 학문적 목적에서 이루어진다.

**2** 과학 기술의 가치 중립성을 부정하는 입장을 〈보기〉에서 고른 것은?

보기

ㄱ. 과학 기술도 가치 판단의 대상이므로 윤리적 검토나 통제가 필요하다.
ㄴ. 과학 기술 연구는 객관적인 진리를 탐구하는 학문적 목적에서 이루어져야 한다.
ㄷ. 과학 기술은 인간의 삶과 불가분의 관계이므로 과학 기술을 연구·활용하는 모든 과정은 독립적이지 않다.

① ㄱ　② ㄱ, ㄴ
③ ㄱ, ㄷ　④ ㄴ, ㄷ
⑤ ㄱ, ㄴ, ㄷ

**3** ㉠, ㉡에 들어갈 알맞은 말을 쓰시오.

과학자에게 요구되는 [ ㉠ ]은/는 과학적·윤리적 절차와 방법에 따라 학문을 연구하며 위조, 변조, 표절 등의 연구 부정행위를 해서는 안 된다는 책임이다. 또 [ ㉡ ]은/는 자신의 연구나 개발 활동이 사회에 미칠 영향력을 인식하여 연구와 개발, 그 활용에 관해 지속적인 성찰을 해야 하는 책임이다.

㉠ (　　　　) ㉡ (　　　　)

**4** 다음 글에서 강조하는 내용으로 가장 적절한 것은?

누구나 개인 정보를 비롯하여 자신이 원하지 않는 민감한 정보들에 대한 삭제 및 확산 방지를 요구할 수 있는 정보 주체로 인정해야 한다.

① 정보 자기 결정권과 잊힐 권리를 보장해야 한다.
② 지적 재산에 대한 독점적 소유권을 보장해야 한다.
③ 개인의 정보를 인류 공동의 자산이라고 간주해야 한다.
④ 개인의 사생활보다는 사람들의 알 권리 보장을 중시해야 한다.
⑤ 누구나 평등하게 정보에 접근할 기회를 가질 수 있어야 한다.

**5** 대중 매체의 역기능에 대한 설명을 〈보기〉에서 모두 고른 것은?

보기

ㄱ. 사회 문제에 무관심한 대중을 낳는다.
ㄴ. 편견이 개입된 정보를 불공정하게 보도한다.
ㄷ. 대중에게 심리적 긴장감이나 공포를 유발한다.
ㄹ. 부정부패를 고발하는 공적인 역할을 수행한다.

① ㄱ, ㄷ　② ㄱ, ㄹ
③ ㄴ, ㄷ　④ ㄱ, ㄴ, ㄷ
⑤ ㄴ, ㄷ, ㄹ

**6** '뉴 미디어'에 대한 옳은 설명만을 〈보기〉에서 고른 것은?

보기

ㄱ. 누구나 정보를 생산, 소비, 유통할 수 있다.
ㄴ. 소수가 다수에게 정보를 일방적으로 전달한다.
ㄷ. 정보 제공자가 정보 수신자와 달리 자발성을 갖추게 된다.
ㄹ. 모든 정보를 디지털화하여 신속한 정보 처리가 가능하다.

① ㄱ, ㄴ ② ㄱ, ㄷ
③ ㄱ, ㄹ ④ ㄴ, ㄷ
⑤ ㄷ, ㄹ

**7** 다음 주장들이 전제하고 있는 윤리관으로 가장 적절한 것은?

• 식물은 동물의 생존을 위해 존재하고, 동물은 인간의 생존을 위해서 존재한다.
• 인간이 동물을 이용하는 것은 신의 섭리이므로, 인간이 동물을 죽이거나 이용하는 것은 그릇된 일이 아니다.
• 이성적 능력을 지닌 인간만이 도덕의 주체이며, 인간은 동물에 대해서 간접적인 도덕적 의무만을 지닌다.

① 인간 중심주의 윤리
② 동물 중심주의 윤리
③ 생명 중심주의 윤리
④ 생태 중심주의 윤리
⑤ 자연 중심주의 윤리

**8** 다음과 같은 주장을 한 사상가는?

도덕 공동체의 범위를 대지까지 확대하는 '대지의 윤리'를 주장하였다. 그에게 대지란 인간을 비롯한 자연의 모든 존재들이 한데 어울려 살아가는 생명 공동체이며, 인간은 대지의 지배자가 아니라 한 구성원이다.

① 레건 ② 싱어 ③ 테일러
④ 슈바이처 ⑤ 레오폴드

**9** 대중문화의 윤리적 규제에 대한 찬성과 반대 입장의 근거를 연결하시오.

(1) 찬성 • • ㉠ 성 상품화 예방
(2) 반대 • • ㉡ 대중의 문화적 권리

**10** 다음 사상가의 주장에 대한 비판으로 가장 적절한 것은?

원래 인간의 본성에는 웃음을 자아내는 면이 있네. 그러나 체면상 이성으로 이것을 억제하고 있는 걸세. 그런데 희극을 보게 되면 이 감정의 사슬이 풀리게 되네. …… 음욕과 분노, 그 밖의 모든 감정에 대해서나, 모든 행동에 수반되는 열망, 고통, 쾌락에 대해서도 같은 말을 할 수 있네. 이 모든 일에 시(詩)는 정열을 고갈시키는 대신에 물을 주어 기르고 있네. 행복과 덕을 증진시키려면 이것을 제거해야 하는데, 시는 반대로 그 지배를 방임하네.

① 예술의 자율성을 간과한다.
② 예술의 사회적 영향과 책임을 간과한다.
③ 예술이 미풍양속을 해칠 수 있다는 점을 간과한다.
④ 예술의 도덕적 가치가 곧 예술적 가치임을 간과한다.
⑤ 예술의 목적은 옳은 행동의 장려에 있음을 간과한다.

# 누구나 100점 테스트 2회

**1** 다음 글이 설명하는 의복의 기원으로 옳은 것은?

> 추운 날씨로 인해 아픈 사람이 늘어나 옷을 입기 시작하였다.

① 정숙설　② 미용설
③ 장식설　④ 신체 보호설
⑤ 실용적 기능설

**2** 다음에서 설명하는 패션의 문제점으로 옳지 않은 것은?

> 요즘 유행을 빨리 좇으려는 심리에 따른 패션이 인기를 끌고 있다.

① 옷을 쉽게 사고 쉽게 버린다.
② 소비 수준의 양극화를 불러온다.
③ 유행이 끝나고 버려진 옷 때문에 쓰레기 문제가 발생한다.
④ 유행이 지난 옷을 소각할 때 환경 오염 물질이 나올 수 있다.
⑤ 새로운 유행에 맞는 옷을 끊임없이 만들어야 하므로 자원 낭비가 발생한다.

**3** 집의 의미에 대한 옳은 설명에만 표시를 한 학생은?

| 구분 | 갑 | 을 | 병 | 정 | 무 |
|---|---|---|---|---|---|
| 거주자의 특성을 반영하지 않는다. | ✓ | | ✓ | | |
| 거주자의 정체성을 드러낸다. | | ✓ | | ✓ | ✓ |
| 인간 삶의 중심이다. | ✓ | ✓ | ✓ | | |
| 개인의 과거와 현재의 정보를 담고 있다. | | ✓ | ✓ | ✓ | ✓ |

① 갑　② 을　③ 병　④ 정　⑤ 무

**4** 다음 주장이 가져올 수 있는 문제점을 〈보기〉에서 모두 고른 것은?

> 각 사회의 문화 사이에 존재하는 차이는 상대적으로 이해해야 하므로 도덕적 평가 역시 내릴 수 없다.

> 보기
> ㄱ. 자문화에 대한 비판이 어렵다.
> ㄴ. 다른 문명에 대한 편견과 고정 관념을 강화시킨다.
> ㄷ. 인간 존엄성을 해치는 제도에 대해서 평가하지 못한다.

① ㄱ　② ㄱ, ㄴ
③ ㄱ, ㄷ　④ ㄴ, ㄷ
⑤ ㄱ, ㄴ, ㄷ

**5** 다음 내용과 관련된 인간의 특성으로 가장 적절한 것은?

> • 인간은 누구나 죽는다.
> • 인간은 누구나 불로장생을 원한다.
> • 인간은 초월자를 믿고 의지하려 한다.

① 도덕적 존재　② 창의적 존재　③ 종교적 존재
④ 문화적 존재　⑤ 도구적 존재

**6** 종교 간의 갈등을 극복하기 위한 방법으로 적절하지 않은 것은?

① 독단적 태도를 탈피한다.
② 다수결의 원칙으로 문제를 해결한다.
③ 세계 평화를 위한 책임 의식을 가진다.
④ 끊임없는 성찰을 통해 타 종교와 조화를 추구한다.
⑤ 다른 종교에 대한 관심과 이해를 통해 관용의 태도를 가진다.

**7** 다음 글에서 알 수 있는 담론 윤리에 대한 설명으로 옳지 않은 것은?

> 사회 통합을 위해서는 행정 및 경제 체계와 생활 세계가 균형을 이루어야 한다. 그런데 시민이 공적 의사 결정에서 배제되면 이러한 균형이 무너지게 된다. 이 문제를 해결하기 위해서는 공론장에서 시민이 이성적으로 보편화 가능한 합의에 도달할 수 있도록 의사소통의 합리성이 실현되어야 한다.

① 사회 통합을 위해서는 사익만을 추구해야 한다.
② 모든 사람에게 담론에 참여할 기회를 개방해야 한다.
③ 합리적인 대화가 이루어지기 위한 과정이 중요하다.
④ 규범에 의해 영향을 받는 사람들은 합리적인 토론을 통해 자유롭게 동의할 수 있도록 한다.
⑤ 자유롭고 평등한 담론 참여자들이 합리적인 담론 상황에서 상호 이해와 관용의 태도를 갖도록 한다.

**8** 사회 갈등의 원인에 알맞은 유형을 짝지은 것은?

| | |
|---|---|
| ㉠ | 한 사회나 집단이 지닌 특정한 가치관, 믿음, 견해 등이 다를 경우 발생함 |
| ㉡ | 연령과 시대별 경험의 차이로 어느 사회에서나 나타나는 보편적인 현상임 |
| ㉢ | 경제적 요인, 특정 지역에 대한 특권 의식이나 차별 의식으로 인해 발생함 |

| | ㉠ | ㉡ | ㉢ |
|---|---|---|---|
| ① | 이념 갈등 | 지역 갈등 | 세대 갈등 |
| ② | 이념 갈등 | 세대 갈등 | 지역 갈등 |
| ③ | 지역 갈등 | 이념 갈등 | 세대 갈등 |
| ④ | 지역 갈등 | 세대 갈등 | 이념 갈등 |
| ⑤ | 세대 갈등 | 이념 갈등 | 지역 갈등 |

**9** 다음 대화에서 마지막 질문에 대한 답변 ㉠으로 가장 적절한 것은?

> 갑: 오늘 수업 시간에 배운 공리주의에 대해 간단히 말해 볼 수 있니?
> 을: 최대 다수의 최대 행복을 중시하는 윤리적 입장이야.
> 갑: 그렇다면 공리주의의 입장에서 남북통일을 해야 할 이유는 무엇일까?
> 을: ______㉠______

① 우리 민족 최대의 역사적 의무이니까.
② 손상된 민족의 자긍심을 되찾아야 하니까.
③ 우리는 역사와 전통이 같은 한 핏줄이니까.
④ 분단보다 통일이 우리에게 더 큰 이익을 주니까.
⑤ 남북 간의 이질화를 막고 동질성을 회복해야 하니까.

**10** 갑이 을의 주장에 대하여 할 수 있는 조언으로 적절하지 않은 것은?

> 갑: 만민은 정의롭거나 적정 수준의 사회 체제로 나아가는 데 있어서 불리한 여건으로 인해 고통받고 있는 사회의 국민을 도와야 한다.
> 을: 빈곤은 단순히 자원이나 기회의 부족만으로 발생하지 않는다. 무능하고 부패한 정부나 정치로 인해 빈곤한 나라에 대한 원조는 오히려 무능과 부패의 자원으로 이용될 수 있다.

① 해외 원조는 정부 차원에서 하는 것이 효율적이다.
② 물질적 원조뿐 아니라 정치 구조의 개선도 요구된다.
③ 해외 원조는 독재 정권의 유지 수단으로 전용될 수 있다.
④ 질서 정연한 사회가 고통받는 사회를 돕는 것은 의무이다.
⑤ 해외 원조는 인간을 수단이 아닌 목적으로 대우하는 것이다.

## 6일 서술형·사고력 테스트

**1** 다음 근거를 보고, 알맞은 토론 주제를 쓰시오.

[토론 주제]: ____________

◎ 찬성 팀 주장의 근거

근거 1: 과학 기술은 인간을 시공간적 제약에서 벗어날 수 있게 하였다.

근거 2: 과학 기술의 발전은 물질적으로 풍요로운 생활을 가능하게 하였다.

근거 3: 과학 기술은 인류의 건강을 증진하고 생명을 연장할 수 있게 하였다.

**2** ㉠에게 책임 윤리학자 요나스가 제시할 수 있는 조언을 서술하시오.

1954년 ㉠ 일리노이 주 농무부는 일리노이 주를 향해 진격해 오는 장수풍뎅이를 제거하기 위해 방제 프로그램을 시행했다. 첫 번째 '박멸'은 그해 공중에서 1,400에이커에 이르는 땅에 알드린을 살포했다. 이듬해 2,600에이커에 이르는 땅에 이와 유사한 살충제가 뿌려졌다. 풍뎅이를 없애는 데는 성과를 거두었으나, 방제 프로그램을 시행한 첫해에 야생 동물과 가축이 심한 피해를 보았다.

**3** 다음 사례를 근거로 결론을 도출한다고 할 때 빈칸에 들어갈 알맞은 말을 쓰시오.

- 상대성 이론의 발견은 원자 폭탄 및 원자력 기술 시대의 도래를 가져왔다.
- 이미 발명된 증기 기관을 이해하려는 노력이 열역학을 탄생시켰다.

결론: 과학과 기술은 ____________

**4** 미디어 리터러시와 관련하여 ㉠에 들어갈 적절한 내용을 서술하시오.

뉴 미디어가 만들어 내는 정보 중에는 거짓 정보도 포함되어 있다. 이러한 거짓 정보를 무비판적으로 받아들이고, 이를 뉴 미디어상에 유포하면 광범위한 피해가 발생할 수 있다.

따라서 ______㉠______

## 5 다음 주장을 보고 물음에 답하시오.

(1) ㉠~㉣에 들어갈 알맞은 관점을 쓰시오.

(2) ㉠~㉣의 특징을 쓰시오.

㉠ ______________________

㉡ ______________________

㉢ ______________________

㉣ ______________________

## 6 다음 글을 읽고 물음에 답하시오.

> 생명은 그 자체로 신성한 것이다. 인간은 도와줄 수 있는 모든 생명을 도와주라는 명령에 따르고, 살아 있는 것은 어떤 것이건 해치지 않을 때에만 진정으로 윤리적으로 된다.

(1) 위 내용과 관련 깊은 환경 윤리 관점을 쓰시오.

______________________

(2) 위와 같은 입장에서 다음 사례를 도덕적으로 평가하시오.

> 얼마 전, 팔리지 않은 새끼 고양이를 양파 망에 넣어 상자에 보관한 판매상의 실태가 SNS를 통해 유포되어 충격을 안겨 주었다.

______________________

## 7 다음 예술가의 예술관이 지니는 한계를 서술하시오.

> 어떤 예술가는 "예술은 예술 안에서 완벽함을 추구할 뿐, 예술 밖에서 완벽함을 찾지는 않는다. 왜냐하면 예술의 눈은 아름답고 불멸하는 것에 고정되어야 하기 때문이다."라고 주장한다.

______________________

6일

**8** 다음을 읽고 물음에 답하시오.

(가) 우리는 자신만을 위한 소비에서 벗어나 공동체와 자연을 고려하는 새로운 소비를 실천해야 한다.
(나) 소비의 목적은 소비를 통한 만족감의 극대화에 있다. 소비자가 생각해야 할 것은 오직 최소의 비용으로 최대의 만족을 얻기 위한 경제적 원리뿐이다.

(1) (가), (나)에 해당하는 소비의 개념을 각각 쓰시오.

(2) (나)에 해당하는 소비의 문제점을 '인권'이라는 용어를 사용하여 서술하시오.

**9** 다음 선언이 전제하는 문화의 특성을 기반으로 타 문화를 대하는 바람직한 태도를 서술하시오.

점차 다양화되는 우리 사회에서는 공존에 대한 의지와 더불어 다원적이고 역동적인 문화 정체성을 지닌 사람들과 집단 사이의 조화로운 상호 작용을 보장해야 한다. 모든 시민을 포용하고 그들을 참여시키는 정책은 사회적 단결과 시민 사회의 역동성 및 평화를 위한 선행 조건이므로 문화 다원주의는 문화 다양성 실현을 위한 기반인 것이다.

**10** ㉠~㉢에 들어갈 알맞은 다문화 이론을 쓰시오.

㉠ (　　　　　　)
소수의 문화를 주류 사회의 문화에 편입시켜야 한다.

㉡ (　　　　　　)
다양한 문화가 공존하면서 각각의 색깔을 지니는 조화가 필요하다.

㉢ (　　　　　　)
문화의 다양성은 인정하지만, 주류 사회 문화를 바탕으로 비주류 문화가 공존해야 한다.

정답과 해설 73쪽

**11** 다음 글을 읽고 물음에 답하시오.

> 정치, 경제, 사회, 문화 등 인간의 다양한 활동 영역에서의 교류와 협력이 지구 전체로 확대되어 특정 장소에서 일어나는 일들이 세계의 다른 곳으로 즉각적으로 알려지고 영향을 미친다.

(1) 윗글에 나타난 현상을 가리키는 용어를 쓰시오.

(2) (1)의 현상에 대한 찬성과 반대 입장의 근거를 각각 두 가지씩 서술하시오.

찬성:

반대:

**12** 다음 제시된 단어를 이용하여 통일 한국의 미래상을 네 가지 쓰시오.

• 문화 • 자주 • 정의 • 자유

**13** 다음 빈칸에 들어갈 알맞은 말을 낱말 퍼즐 속에서 찾아 쓰시오.

| 국 | 현 | 실 | 주 | 의 | 존 |
|---|---|---|---|---|---|
| 제 | 지 | 구 | 촌 | 평 | 화 |
| 분 | 자 | 선 | 폭 | 구 | 공 |
| 쟁 | 의 | 존 | 도 | 성 | 리 |
| 종 | 교 | 원 | 조 | 주 | 주 |
| 의 | 세 | 계 | 화 | 의 | 의 |
| 무 | 영 | 구 | 평 | 화 | 론 |
| 이 | 상 | 주 | 의 | 쾌 | 락 |

(1) 국제 분쟁의 의미와 특징
- 원인: (                ) 분쟁, 자원 분쟁, 영토 분쟁 등
- 특징: 다양한 정치적·경제적·종교적 이해관계가 얽혀 복잡하고 다양하게 나타난다.

(2) 국제 관계를 바라보는 관점

(                ): 국제 정치는 국가 이익의 관점에서 정의된 권력을 위한 투쟁이다.

(                ): 국제 관계는 국가 간 상호 작용을 통해서 구성된다.

(                ): 국제 분쟁은 국가 간 도덕성을 확보해야 해결된다.

(3) 국제 평화를 이루기 위한 노력
- 칸트의 (                )
- 갈퉁의 적극적 평화론

(4) 해외 원조의 윤리적 근거
- (                )의 관점: 싱어, 칸트, 롤스
- (                )의 관점: 노직

6일

# 7일 학교 시험 기본 테스트 1회

**1** 다음 주장의 이유로 옳은 것을 〈보기〉에서 고른 것은?

> 우리는 과학 기술 발전 방향에 대한 반성적 성찰을 해야 한다.

보기

ㄱ. 과학 기술은 객관성이 유지되기 때문이다.
ㄴ. 과학 기술이 인간과 자연에 미치는 영향이 매우 크기 때문이다.
ㄷ. 과학자가 연구 목적을 설정할 때 가치 판단이 개입될 수 있기 때문이다.
ㄹ. 과학 기술이 사회적으로 활용되는 과정에서 중립성이 보장되기 때문이다.

① ㄱ, ㄴ ② ㄱ, ㄷ ③ ㄴ, ㄷ
④ ㄴ, ㄹ ⑤ ㄷ, ㄹ

**2** 다음 서양 사상가의 입장으로 가장 적절한 것은?

> 기존의 전통적 윤리관으로는 과학 기술 시대에 발생하는 문제를 해결하는 데 한계가 있다. 새롭게 요구되는 윤리는 과학 기술로 인한 상황을 적극적으로 반성하는 책임 윤리로서 두려움, 겸손, 검소, 절제, 성스러운 것에 대한 외경심 등의 덕목들이다.

① 책임의 범위는 현재의 인류에 한정된다.
② 과학 기술의 목적은 미래 세대와는 관련이 없다.
③ 결과를 고려한 미래적 책임이 인간에게 요구된다.
④ 기술의 결과에 대한 고려는 과학 기술 발전을 제한한다.
⑤ 행위의 책임은 과거 행위에 대한 책임만으로도 충분하다.

**3** 현대 과학 기술의 발전에 있어서 윤리적 책임이 커지는 이유 중 결과의 모호성에 대한 설명을 〈보기〉에서 찾아 기호를 쓰시오.

보기

ㄱ. 현대 과학 기술은 적용의 강제성을 갖는다.
ㄴ. 과학 기술의 결과에 대한 예측이 분명하지 않다.
ㄷ. 현대 과학 기술의 결과가 장기간에 걸쳐 광범위하게 영향력을 행사한다.

(                )

**4** 정보 기술 발달에 따른 다양한 문제로 볼 수 <u>없는</u> 것은?

① 영토 분쟁 ② 저작권 문제
③ 사이버 폭력 ④ 표현의 자유
⑤ 사생활 침해 문제

**5** 다음에서 강조하는 뉴 미디어 시대의 바람직한 자세로 볼 수 <u>없는</u> 것은?

> 뉴 미디어는 개인적인 생각을 자유롭게 표현할 수 있는 소통의 장이 될 수 있지만, 다수에게 영향을 끼칠 수 있는 영역이다. 따라서 정보를 생산·유통·소비하는 주체들은 일정한 능력과 바람직한 이용 태도를 갖추어야 한다.

① 표현의 자유에는 한계가 있음을 인식한다.
② 공익을 실현하기 위한 알 권리를 존중한다.
③ 정보 생산자로서 주관적인 정보만 전파한다.
④ 공정성을 가지고 균형 있는 의견을 표명한다.
⑤ 있는 그대로의 사실을 진실한 태도로 전달한다.

정답과 해설 75쪽

**6** 밑줄 친 정보 윤리의 기본 원칙을 두 가지만 쓰시오.

> 정보 사회의 윤리적 문제를 예방하려면 정보 윤리가 정립되어야 한다.

( )

**7** 인간 중심주의 윤리관에서 지지할 주장만을 〈보기〉에서 고른 것은?

보기
ㄱ. 인간과 동물의 가치를 동등하게 고려해야 한다.
ㄴ. 모든 생명체는 내재적 가치를 지니는 삶의 중심이다.
ㄷ. 인간에게 필요한 삶의 도구로서 자연을 대우해야 한다.
ㄹ. 동물에 대한 잔인성은 인간 자신에 대한 의무에 어긋난다.

① ㄱ, ㄴ ② ㄱ, ㄷ ③ ㄴ, ㄷ
④ ㄴ, ㄹ ⑤ ㄷ, ㄹ

**8** 다음에서 알 수 있는 자연관을 쓰시오.

> • 무생물을 포함한 생태계 전체를 도덕적 고려 대상으로 삼는다.
> • 생태계 전체의 상호 의존성을 강조하는 전체론 혹은 전일주의를 주장한다.

( )

**9** ㉠, ㉡에 들어갈 알맞은 말을 쓰시오.

〈예술에 대한 다양한 정의〉

| | |
|---|---|
| ㉠ | 예술은 대상의 아름다움을 돋보이게 하는 능동적인 모방을 의미함 |
| 표현론 | 공감의 유발을 중요하게 생각함 |
| ㉡ | 예술의 본질은 예술 자체의 형식에서 찾아야 한다고 봄 |

㉠ ( )
㉡ ( )

**10** 다음 사상가의 입장에서 부정의 대답을 할 질문으로 가장 적절한 것은?

> 원래 인간의 본성에는 웃음을 자아내는 면이 있네. 그러나 체면상 이성으로 이것을 억제하고 있는 걸세. 그런데 희극을 보게 되면 이 감정의 사슬이 풀리게 되네. ……음욕과 분노, 그 밖의 모든 감정에 대해서나, 모든 행동에 수반되는 열망, 고통, 쾌락에 대해서도 같은 말을 할 수 있네. 이 모든 일에 시는 정열을 고갈시키는 대신에 물을 주어 기르고 있네. 행복과 덕을 증진시키려면 이것을 제거해야 하는데, 시는 반대로 그 지배를 방임하네.

① 예술은 인격 완성에 도움을 주어야 하는가?
② 예술은 도덕적 가치 평가를 받아야 하는가?
③ 예술은 예술 자체를 위한 것이어야 하는가?
④ 예술은 사회적 검열의 대상이 될 수 있는가?
⑤ 예술은 윤리적 교화의 기능을 지녀야 하는가?

**11** 의복의 윤리적 의미로 적절하지 않은 것은?

① 내면세계를 드러낸다.
② 정체성 및 가치관을 표현한다.
③ 예의에 대한 사회적 기준을 반영한다.
④ 개인의 선호나 취향 등 개성을 표현한다.
⑤ 유행을 반영하여 과시의 수단으로 이용한다.

**12** 빈칸에 공통으로 들어갈 알맞은 말을 쓰시오.

( )은/는 국가 구성원으로서 적정한 주택에 살 수 있는 권리로, 최근 이 권리를 둘러싼 공간 정의에 대한 논의가 주목을 받고 있다. ( )은/는 대표적 인권 단체인 국제앰네스티가 21세기 활동 영역의 핵심 분야로 선정하기도 하였다.

**13** 밑줄 친 '나'라는 사람이 중시하는 소비 생활의 모습으로 가장 적절한 것은?

나는 인류의 보편적 가치를 소중하게 생각하는 윤리적 소비를 실천하고 있다.

① 외국 과일을 선호한다.
② 제품의 탄소 배출량을 확인하고 구매한다.
③ 아동들의 노동력에 의해 생산된 저가 상품을 선택한다.
④ 광고를 통해 널리 알려진 해외의 고가 명품을 선호한다.
⑤ 상품 가격이 저렴하면 비윤리적인 기업의 상품이라도 구매한다.

**14** 다음 주장이 가져올 수 있는 문제점을 〈보기〉에서 고른 것은?

각 사회의 문화 사이에 존재하는 차이는 상대적으로 이해해야 하므로 도덕적 평가 역시 내릴 수 없다.

보기

ㄱ. 자문화에 대한 성찰과 비판이 어렵다.
ㄴ. 다른 문명에 대한 고정 관념을 강화시킨다.
ㄷ. 인간 존엄성을 해치는 전족, 노예 제도 등에 대해서도 평가하지 못한다.
ㄹ. 문화의 선악이나 우열을 판가름하여 특정한 가치를 일방적으로 강요한다.

① ㄱ, ㄴ ② ㄱ, ㄷ ③ ㄴ, ㄷ
④ ㄴ, ㄹ ⑤ ㄷ, ㄹ

**15** ㉠~㉤ 중 옳지 않은 것은?

[학습 주제] 관용의 의미
1. 관용: 타인의 생각이나 문화가 나와 다를지라도 이를 존중하려는 태도 ---------- ㉠
2. 관용의 역사적 변천: 강자가 약자에게 베푸는 차원에서 '타자의 자연적 권리를 인정하라.'라는 도덕적 명령으로 변화함 ---------- ㉡
3. 소극적 의미와 적극적 의미
(1) 소극적 의미: 자신이 싫어하고 거부하는 것에 대해 반대나 간섭을 하지 않는 것 ---------- ㉢
(2) 적극적 의미
① 모든 문화에 관해 무조건적 관용을 베푸는 것 -- ㉣
② 인권을 존중하는 데 필요한 조건을 창출하기 위해 책임 있는 행동을 하는 것 ---------- ㉤

① ㉠ ② ㉡ ③ ㉢ ④ ㉣ ⑤ ㉤

정답과 해설 75쪽

**16** 다음 기사에 나타난 문제를 해결하기 위한 자세로 가장 적절한 것은?

> ○○ 신문
> △△ 지역에서는 지난주 불교도와 이슬람 교도 간에 종교 분쟁이 발생해 최소 7명이 숨지고, 500여 채의 가옥이 파괴되었다.

① 각 종교가 지닌 차이점을 알고 다양성을 존중한다.
② 소수가 믿는 종교를 세계 종교로 점차 편입시킨다.
③ 종교 간의 공통된 교리를 추출하여 종교 통합을 추구한다.
④ 동일한 정치 공동체의 구성원들은 동일한 종교를 가지도록 강제한다.
⑤ 각각의 종교들이 지닌 권위와 전통을 버리고, 종교의 단일화를 추구한다.

**17** 다음에서 설명하는 개념이 무엇인지 쓰시오.

> 사회 구성원 상호 간 또는 구성원과 사회 간의 상호 의존을 지행하는 의식, 또는 같은 사회의 구성원으로서 공통적으로 나누어 가지는 귀속 의식이다. 개인의 소외를 극복할 수 있는 공존의 기반이 된다.

( )

**18** 다음과 같은 주장을 한 사람은?

> 의사소통 공동체의 모든 구성원은 숙고적인 책임이 있다. 또 의사소통 공동체의 구성원으로서 개인은 사회·문화적인 조건을 개선하는 데 협력할 의무를 지닌다.

① 밀 ② 원효 ③ 공자
④ 아펠 ⑤ 하버마스

**19** 국제 관계를 바라보는 현실주의와 이상주의에 대한 설명으로 옳지 않은 것은?

① 이상주의는 국제기구를 통해 평화를 실현할 수 있다고 본다.
② 현실주의는 국가 간 세력 균형을 통해 평화를 실현할 수 있다고 본다.
③ 현실주의와 이상주의는 모두 평화를 위해 단일 세계 정부의 수립을 주장한다.
④ 현실주의는 국가들이 자국의 이익만을 추구하기에 분쟁이 발생한다고 본다.
⑤ 이상주의는 국가 간 이해관계의 조정을 통해 국제 평화가 달성될 수 있다고 본다.

**20** 다음과 같이 주장한 사상가의 입장으로 옳지 않은 것은?

> 자기 가족의 기본적인 욕구를 충족하고도 남는 소득이 있는 사람들은 세계의 극빈자들을 돕기 위한 단체에 자신의 소득 중에서 최소한 1%를 기부해야 한다. 이런 기준을 충족하지 못하는 사람들은 전 지구적인 의무를 공정하게 나누지 않은 것이며, 따라서 심각하게 도덕적으로 잘못된 일을 행하는 것으로 간주되어야 한다.

① 모든 사람의 고통을 감소시키고 쾌락을 증진시키는 것이 인류의 의무이다.
② 세계 전체의 공동 이익을 목표로 하는 '전 지구 공동체적 윤리'를 지켜야 한다.
③ 기아로 고통받는 사람들이 있다면 민족, 국가, 인종을 초월하여 원조해야 한다.
④ 내 주변의 이웃을 돕는 일을 먼저 시작하여 점차 먼 거리에 사는 외국인을 도와야 한다.
⑤ 다른 사람의 굶주림이나 죽음을 내버려 두는 것은 인류 전체의 고통을 증가시키는 옳지 않은 행동이다.

7일

# 7일 학교 시험 기본 테스트 2회

**1** 다음의 견해를 가진 사람이 할 수 있는 주장으로 가장 적절한 것은?

> 과학이란 대상을 주관의 개입 없이 사실 그대로 파악하는 것입니다. 과학은 있는 그대로의 사실을 드러내 주는 것이기 때문에, 과학 연구에 대해서는 가치 판단을 할 수 없습니다.

① 과학 기술은 인간의 존엄성 실현에 이바지해야 한다.
② 과학 기술은 그 자체로 좋은 것도 나쁜 것도 아니다.
③ 과학 연구는 인간 삶을 풍요롭게 하는 데 이바지해야 한다.
④ 과학자는 윤리적 테두리 안에서 연구 목적을 설정해야 한다.
⑤ 과학자는 과학 연구의 결과가 가져올 수 있는 부작용에 주의해야 한다.

**2** ㉠의 사례로 적절한 것을 〈보기〉에서 고른 것은?

> 과학 기술에 대한 낙관적 견해는 과학 기술의 성과를 일방적으로 높게 평가하여 ㉠ 과학 기술의 한계와 위험을 간과하게 한다는 문제점이 있다.

보기
ㄱ. 무분별한 개발로 인한 자원 고갈 문제
ㄴ. 과학 기술에 종속되는 인간 소외 현상 발생
ㄷ. 자유로운 경쟁 체제로 인한 약육강식의 사회 질서
ㄹ. 정보 통신 기술을 이용한 지방 자치적 권력 체제 확립

① ㄱ, ㄴ　② ㄱ, ㄷ　③ ㄴ, ㄷ
④ ㄴ, ㄹ　⑤ ㄷ, ㄹ

**3** 과학 기술의 가치 중립성을 부정하는 입장으로 가장 적절한 것은?

① 윤리적 규제에서 벗어나 탐구해야 한다.
② 과학 기술 연구는 자율성을 확보해야 한다.
③ 과학 기술은 사회와 무관한 독립적인 영역이다.
④ 윤리적 가치와 과학 기술은 불가분의 관계이다.
⑤ 과학 기술은 객관적인 사실 탐구를 주된 활동으로 한다.

**4** '기술 영향 평가 제도'를 시행하는 이유로 가장 적절한 것은?

① 과학자의 연구의 자율성을 높이기 위해서이다.
② 과학 기술 연구의 성과를 극대화하기 위해서이다.
③ 과학 기술의 부정적 영향을 최소화하기 위해서이다.
④ 과학 기술 전문가의 전문성을 확보하기 위해서이다.
⑤ 정부가 주도하는 과학 기술 정책을 추진하기 위해서이다.

**5** 정보의 자기 결정권에 관한 주요 쟁점을 〈보기〉에서 고른 것은?

보기
ㄱ. 정보를 누구에게 공개할 것인가?
ㄴ. 공개한 정보를 언제 폐기할 것인가?
ㄷ. 생산한 정보의 소유권은 누구에게 있는가?
ㄹ. 정보를 생산하는 데에 대중의 취향을 얼마나 반영할 것인가?

① ㄱ, ㄴ　② ㄱ, ㄷ　③ ㄴ, ㄷ
④ ㄴ, ㄹ　⑤ ㄷ, ㄹ

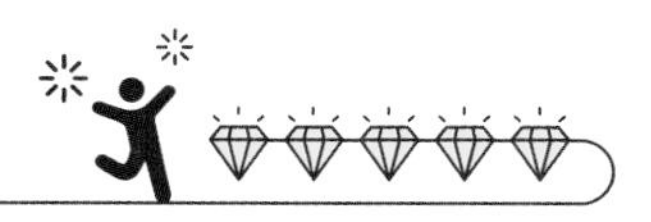

정답과 해설 78쪽

**6** ㉠에 들어갈 내용으로 가장 적절한 것은?

> 사이버 공간에서는 자신이 원하는 바를 행하고 다양한 즐거움을 얻을 수 있다. 이때 사람들은 다른 사람들로부터 관심과 애정을 받고, 성취감이나 만족감을 느끼기 때문에 사이버 공간에의 몰입도가 높은 편이다. 이러한 몰입의 과정은 자존감을 높이거나 지식과 창의성을 향상할 수 있는 장점이 있다. 그러나 ___㉠___ 문제점이 나타날 수도 있다.

① 인터넷 중독으로 이어지는
② 도덕적 자기 규제가 불가능한
③ 사이버 공간에서의 자아를 부정하는
④ 사이버 공간에서 공동체 의식을 와해하는
⑤ 자기 행동에 대한 책임을 집단에 전가하는

**7** 정보 공유론을 지지하는 논거를 〈보기〉에서 모두 고르시오.

보기

ㄱ. 어떤 프로그램도 무(無)에서 창조되지 않는다.
ㄴ. 저작물은 기존의 정보를 활용한 사회 공유 자산이다.
ㄷ. 창작자의 재산권은 침해될 수 없는 개인의 기본권이다.
ㄹ. 질 높은 정보의 개발은 지적 재산권 보장에서 비롯된다.

( )

**8** 다음과 같은 자연관을 가리키는 말을 쓰시오.

- 방황하고 있는 자연을 사냥해서 노예로 만들어 인간의 이익에 봉사하도록 해야 한다.
- 식물은 동물의 생존을 위해 존재하고, 동물은 인간의 생존을 위해 존재한다.

( )

**9** 예술의 윤리적 의미로 적절하지 않은 것은?

① 인간의 의식과 사회를 개혁한다.
② 인간의 감정과 생각을 자유롭게 표현한다.
③ 인간의 억압된 욕망을 풀어내어 정신을 정화한다.
④ 개성의 표현을 강조해 문화적 다양성을 촉진한다.
⑤ 인간의 모방 욕구를 불러일으켜 공격성을 심화시킨다.

**10** 다음 대화에 나타난 갑, 을의 견해에 대한 옳은 설명을 〈보기〉에서 고른 것은?

> 갑: 예술가는 아름다운 사물을 창조해야 하지만, 자기 삶에 속하는 그 무엇도 작품 속에 들어가게 해서는 안 되네. 우리는 사람들이 예술을 마치 일종의 자서전으로 대하는 시대에 살고 있네. 우리는 아름다움에 대한 추상적인 감각을 잃어버렸네.
> 을: 좋은 리듬, 좋은 말씨, 조화로움, 우아함이 담겨 있는 예술 작품은 청소년들에게 좋은 성격을 갖게 하지만, 나쁜 말씨, 부조화, 꼴사나움은 나쁜 성격을 갖게 하네.

보기

ㄱ. 갑은 도덕적 가치보다 심미적 가치를 중시해야 한다고 본다.
ㄴ. 갑은 예술이 올바른 성품을 형성하는 데 이바지해야 한다고 본다.
ㄷ. 을은 예술 작품은 도덕적 본보기를 제공해야 한다고 본다.
ㄹ. 을은 예술 작품은 도덕적 평가로부터 자유로워야 한다고 본다.

① ㄱ, ㄴ ② ㄱ, ㄷ ③ ㄴ, ㄷ
④ ㄴ, ㄹ ⑤ ㄷ, ㄹ

**11** 대중문화와 관련된 윤리적 문제로 가장 적절한 것은?

① 폭력성이나 성의 상품화를 예방한다.
② 짧은 시간에 많은 사람에게 전파된다.
③ 대중에게 다양한 문화를 접할 기회를 준다.
④ 대중의 정서에 부정적 영향을 미칠 수 있다.
⑤ 문화를 대량으로 생산하고 소비하는 대중 지향적 문화이다.

**12** ㉠에 대한 대답으로 가장 적절한 것은?

> 갑: 장례식장에 화려한 옷을 입고 오면 어떡하니?
> 을: ㉠ 그러면 안 되는 이유가 뭐죠?

① 의복은 개인의 선호나 기호를 표현하기 때문이야.
② 의복은 사회적 계층, 신분 등을 표현하기 때문이야.
③ 의복 선택은 사회적 예절 표현과 관련되기 때문이야.
④ 의복이 만들어지는 과정이 윤리적이어야 하기 때문이야.
⑤ 의복은 더위, 추위 또는 동물로부터 신체를 보호하기 때문이야.

**13** 현대 소비문화의 문제점으로 적절하지 않은 것은?

① 자원 고갈 및 환경 파괴를 가속화한다.
② 자신의 개성과 정체성을 표현하고자 한다.
③ 가격을 낮추기 위해서 노동력을 착취한다.
④ 물질적 가치를 최우선으로 하는 행태를 보인다.
⑤ 개인의 무분별한 과소비로 사회적 위화감이 발생한다.

**14** 다음 글과 일치하는 관점을 〈보기〉에서 고른 것은?

> 문화 다양성은 인류의 공동 유산이며, 현세대와 미래 세대를 위한 혜택으로 인식하고 보장해야 한다.

보기

ㄱ. 각각의 문화는 그 문화의 환경과 전통 속에서 이해해야 한다.
ㄴ. 각각의 문화가 지닌 고유성과 상대적 가치를 존중하는 태도나 관점이 필요하다.
ㄷ. 자국의 문화를 문화적 우월성에 관한 절대적인 기준으로 삼으며, 다른 문화를 비하한다.
ㄹ. 자국 문화의 우월성을 증명하기 위하여 다른 국가나 세력을 공격하는 태도가 필요하다.

① ㄱ, ㄴ ② ㄱ, ㄷ ③ ㄴ, ㄷ
④ ㄴ, ㄹ ⑤ ㄷ, ㄹ

**15** ㉠의 입장에서 ㉡에 대해 제기할 수 있는 비판의 근거로 가장 적절한 것은?

> ㉠ 보편 윤리에 따라 문화를 평가해야 한다고 보는 사람들은 ㉡ 윤리 상대주의의 관점에서 문화를 이해해야 한다고 보는 사람들에게 "노예 제도나 인종 차별 정책도 하나의 문화로 인정하고 존중해야만 하는가?"라고 되묻는다.

① 각기 다른 문화적 차이를 인정해야 한다.
② 도덕적 옳음과 그름은 사회에 따라 다양하다.
③ 구체적 규범은 다양하지만, 기본 원리는 보편적이다.
④ 문화는 자연환경, 사회 상황 등을 고려하여 형성되었다.
⑤ 다른 사회의 문화에 대해 평가하고 우열을 가릴 수 있어야 한다.

정답과 해설 78쪽

**16** 다음 글에서 알 수 있는 종교의 역할로 가장 적절한 것은?

> 종교는 우리 내면의 법칙이 입법자와 심판자를 통하여 우리에게 압력을 행사하는 한에서의 법칙이며, 신에 대한 인식에 적용된 도덕이다.

① 심리적 안정을 제공한다.
② 인류의 문화를 발전시킨다.
③ 사회 정의나 사회 개혁에 기여한다.
④ 선악의 기준을 제시하고, 선한 삶의 지침이 된다.
⑤ 폭력과 인권 침해 등으로 많은 사람에게 고통을 준다.

**17** ㉠~㉤ 중 옳지 않은 것은?

> [학습 주제] 열린 민족주의
> 1. 의미: 민족의 주체성을 유지하면서 동시에 다른 민족의 문화와 삶의 양식을 포용하는 입장 ........ ㉠
> 2. 중요성: 세계화와 다문화 시대에 요청되는 민족 정체성의 모습 ........ ㉡
> 3. 특징
> (1) 배타적 민족주의와 구별됨 ........ ㉢
> (2) 세계 시민주의와 일맥상통함 ........ ㉣
> (3) 극단적 세계주의와 일맥상통함 ........ ㉤

① ㉠ ② ㉡ ③ ㉢ ④ ㉣ ⑤ ㉤

**18** 다음과 같은 형태의 국제 정치의 주체를 쓰시오.

> 국경을 넘어 활동하는 시민 개개인 또는 민간단체에 의해 조직된 국제적 기구이다. 넓은 의미로는 기업과 시민 단체를 모두 포괄하며, 좁은 의미로는 비영리 민간단체를 가리킨다.

( )

**19** ㉠~㉣ 중 옳은 것만을 고른 것은?

> 해외 원조를 의무의 관점에서 강조한 사상가는 다음과 같다. 우선 ㉠ 싱어는 다른 사람의 굶주림을 방치하는 것은 인류 전체의 고통을 증가시키는 옳지 않은 행동이라고 비판하며, ㉡ 칸트는 공리주의적 관점에서 해외 원조를 윤리적 의무라고 주장한다. ㉢ 롤스는 고통받는 사회를 질서 정연한 사회로 만들어야 함을 주장하며, ㉣ 노직은 개인의 재산권보다 해외 원조 의무가 우선한다고 여긴다.

① ㉠, ㉡ ② ㉠, ㉢
③ ㉡, ㉢ ④ ㉡, ㉣
⑤ ㉢, ㉣

**20** 다음 대화에서 병에 비해 갑과 을이 강조할 내용으로 가장 적절한 것은?

> 갑: 어떤 경우에도 전쟁은 안 됩니다.
> 을: 무력은 정의를 수행하기 위한 수단이 될 수 있습니다.
> 병: 자국의 이익을 위한 전쟁은 불가피합니다.

① 국가 간에 도덕적 관계는 성립할 수 없다.
② 전쟁에 대한 도덕적 제한 조치를 수용한다.
③ 무력 사용은 도덕적으로 정당화될 수 없다.
④ 침입 방어를 위한 자국의 무력 사용은 가능하다.
⑤ 전쟁은 불가피한 경우에 도덕적으로 정당화될 수 있다.

Memo

7일 끝!

# 정답과 해설

## 정답과 해설 활용 안내

- 정답 박스로 빠르게 정답 확인하기!
- 정답과 오답의 이유, 한 번 더 짚고 넘어가기!
- 서술형 답안의 평가 요소는 직접 체크해 보며, 주관식 문제 꼼꼼히 대비하기!

# 7일 끝! 정답과 해설

## 1일 기초 확인 문제 9~11쪽

**1** (1) ㉡ (2) ㉠ **2** (1) 가치 중립성 (2) 인간 (3) 규제 **3** ㄱ **4** 결과의 모호성 **5** (1) × (2) ○ **6** (1) 내 (2) 외 (3) 내 (4) 외 (5) 내 **7** (1) ○ (2) × **8** (1) ㉠ (2) ㉡ **9** (1) 잊힐 권리 (2) 표현의 자유 (3) 사이버 폭력 **10** ㄷ

## 1일 내신 기출 베스트 12~13쪽

**1** ⑤ **2** ④ **3** ⑤ **4** ① **5** ⑤ **6** ④ **7** ② **8** ①

**1 과학 기술을 바라보는 관점**

갑은 과학 기술 혐오주의, 을은 과학 기술 지상주의 입장이다. 과학 기술 지상주의는 과학 기술의 발전을 지나치게 낙관적으로 바라보는 입장으로, 인류가 과학 기술을 이용하여 사회의 모든 문제를 해결하고 무한한 부와 행복을 누릴 것이라고 본다. 이에 반해 과학 기술 혐오주의는 과학 기술의 발전을 비관적으로 바라보는 입장으로, 이 입장은 과학 기술의 비인간적이며 비윤리적인 측면을 부각하거나, 과학의 합리성 자체를 문제 삼는다.

**2 과학 기술의 가치 중립성**

ㄱ은 과학 기술의 가치 중립성을 부정하는 입장이고, ㄴ, ㄷ은 가치 중립성을 강조하는 입장이다. 가치 중립성을 강조하는 입장은 과학 기술의 연구는 객관적인 진리 탐구를 주된 활동으로 하는 학문적 목적에서 이루어진다고 본다. 특히 과학 기술 이론의 사실성 여부를 판단하는 경우에는 특정 가치가 개입해서는 안 되며, 연구 결과를 미리 판단할 수 없으므로 과학 기술에 대한 윤리적 평가와 비판을 유보해야 한다고 주장한다.

오답 피하기

ㄱ. 과학 기술이 특정한 발전 방향을 가지고 발전한다고 보는 것은 가치 중립성을 부정하는 입장으로, 과학 기술도 가치 판단에서 자유로울 수 없으므로 윤리적 검토나 통제가 필요하다고 본다.

더 알아보기 + 가치 중립성에 대한 입장

| | |
|---|---|
| 강조 | • 과학 기술 연구의 자유 보장<br>• 과학 기술의 사실성 판단 시 가치 개입 안 됨<br>• 윤리적 규제는 과학 기술 발달 저해 |
| 부정 | • 과학 기술에 대한 윤리적 검토나 통제 필요<br>• 과학 기술과 도덕적 가치의 분리 불가능 |

**3 윤리적 책임**

현대 과학 기술의 발전에 있어서 윤리적 책임이 커지는 이유는 결과의 모호성, 적용의 강제성, 시공간적 광역성 등을 들 수 있다. 과학 기술의 결과에 대한 예측은 분명하지 않고, 현대 과학 기술은 적용의 강제성이 있으며, 그 결과가 장기간에 걸쳐 광범위하게 영향력을 행사하기 때문이다. 과학 기술과 관련된 행위는 의도와 결과의 관계가 매우 복합이다. 행위가 의도하지 않은 부수적 결과를 낳을 수도 있고, 부수적 결과가 의도된 결과를 압도하는 상황이 벌어질 수도 있다. 그러므로 과학 기술을 개발하고 활용할 때에는 신중한 접근이 필요하며 윤리적 책임 의식이 요구된다.

더 알아보기 + 윤리적 책임이 커지는 이유

| | |
|---|---|
| 결과의 모호성 | 과학 기술 결과에 대한 예측이 분명하지 않음 |
| 적용의 강제성 | 과학 기술 적용에 대한 적용 요구가 커짐 |
| 시공간적 광역성 | 과학 기술의 결과가 장기간에 걸쳐 광범위하게 영향력을 행사함 |

**4 요나스의 책임 윤리**

요나스는 과학 기술이 발전한 시대에 새로운 책임 윤리를 확립해야 한다고 주장한다. 과학 기술자는 과학 기술의 발전이 사회에 미치게 될 결과를 예측하여 이에 대한 도덕적 책임을 져야 한다고 강조한다.

선택지 바로 보기

① 결과를 고려한 미래 책임이 인간에게 요구된다. (○)
② 행위의 책임은 과거 행위에 대한 책임으로 충분하다. (×)
→ 미래의 가능한 결과에 대해 두려움으로 갖고 적극적으로 대응하려는 노력이 필요함
③ 인간이 가지는 책임의 범위는 현재의 인류에 한정된다. (×)
→ 책임의 범위를 현세대로 한정하는 기존의 전통적 윤리관으로는 과학 기술 시대에 발생하는 문제를 해결하는 데 한계가 있음
④ 기술의 결과에 대한 고려는 과학 기술 발전을 제한한다. (×)
→ 과학 기술의 발전이 사회에 미치게 될 결과를 예측하여 이에 대한 도덕적 책임을 져야 함
⑤ 과학 기술의 목적은 미래 세대의 이익과는 관련이 없다. (×)
→ 자연환경과 미래 세대가 존속할 수 있는 범위 내에서 과학 기술의 발전을 추구해야 함

**5 과학 기술자의 책임**

ㄱ, ㄴ은 과학 기술자의 내적 책임이고, ㄷ, ㄹ은 과학 기술자의 외적 책임이다. 과학 기술자의 외적 책임은 자신의 연구 결과가 사회적 위기를 가져올 수 있음을 인식하여 사회적 책임 의식을 가져야 하며, 자신의 연구 활동이 인간의 존엄성을 구현하고 삶의 질 향상을 위한 것인지 성찰하는 자세를 가져야 한다는 것이다.

더 알아보기 + 과학 기술자의 책임

| | |
|---|---|
| 내적 책임 | • 연구 자체에 대한 과학 기술자의 책임<br>• 연구 윤리 준수, 연구의 참과 거짓 규명, 신뢰할 수 있는 검증 과정, 발견한 진리의 공표 및 검토 등 |
| 외적 책임 | • 연구 결과가 사회에 미칠 영향에 대한 과학 기술자의 책임<br>• 사회적 책임 의식: 인간의 존엄성 구현, 삶의 질 향상, 미래 세대의 존속 및 인간 생존 등 |

**6 저작권**

저작권 보호를 주장하는 입장은 창작자의 노력에 대한 경제적 이익을 보장함으로써 창작 의욕을 높여 정보의 질적 수준을 높이고 더 많은 지적 산물을 생산할 수 있으며, 정보 생산에 필요한 시간과 노력, 비용에 대하여 대가를 지불해야 한다는 것이다.

더 알아보기 + 지적 재산권과 저작권

| | |
|---|---|
| 지적 재산권 | 지식, 정보, 기술 등 재산적 가치가 실현될 수 있는 지적 창작물에 부여된 재산에 대한 권리 |
| 저작권 | • 지적 재산권 중에서 문학, 학술 또는 예술의 범위에 속하는 저작물에 대하여 창작자가 가지는 권리<br>• 저작물에 대한 경제적 대가를 보호하는 재산적 측면과 저작권자의 의사를 존중하는 인격적 측면을 포함 |

**7 사이버 폭력**

사이버 폭력은 가상 공간에서 타인에게 글, 영상 등을 이용해서 정신적·심리적 피해를 주는 것으로, 사이버 폭력에는 악성 댓글, 허위 사실 유포, 사이버 스토킹, 사이버 따돌림 등이 있다.

오답 피하기

② 정보 수집과 정보 분석 능력은 정보 통신 기술이 발전한 시대에 필요한 능력이자 기능이다.

**8 정보 윤리의 기본 원칙**

정보 사회에서는 거짓된 정보라고 할지라도 그것이 많은 사람에게 유포되고 재생산되면 파급 효과가 크고, 해악성이 심각하다. 이러한 허위 정보를 그대로 수용할 경우 진실을 파악하는 데 어려움을 겪을 수 있으므로 가상 공간의 다양한 정보를 비판적으로 분석하는 능력을 길러야 한다.

자료 분석 +

㉠ 타인의 복지를 증진하는 방향으로 행동해야 함 → 선행의 원리
㉡ 남에게 해악을 끼치거나 상해를 입히는 일을 피해야 함 → 해악 금지의 원리
㉢ 공정한 기준에 따라 혜택이나 부담을 공정하게 배분해야 함 → 정의의 원리

## 2일 기초 확인 문제 17~19쪽

**1** (1) 정보 (2) 수평 **2** (1) O (2) X (3) O **3** 데이터 스모그 **4** ㄱ, ㄴ, ㄷ, ㅁ **5** 미디어 리터러시 **6** (1) 베이컨 (2) 생명 **7** ㄴ, ㄷ **8** 생태 중심주의 윤리 **9** (1) ㉡ (2) ㉠ (3) ㉢ **10** (1) X (2) O (3) O

## 2일 내신 기출 베스트 20~21쪽

**1** ① **2** ⑤ **3** ⑤ **4** ③ **5** ① **6** ⑤ **7** ④ **8** ③

**1 뉴 미디어의 특징**

뉴 미디어는 정보를 생산하는 주체와 소비하는 주체의 쌍방향적인 의사소통이 이루어지는 특징이 있다. 정보의 생산자와 소비자는 비교적 수평적인 관계를 바탕으로 의견을 주고받으며 활발하게 상호 작용할 수 있다.

오답 피하기

① 뉴 미디어는 정보 생산 주체와 소비 주체의 쌍방향적인 의사소통이 이루어진다.

**2 뉴 미디어의 문제점**

다수의 정보 이용자가 정보의 제공과 감시의 역할까지 하며 능동적으로 활동할 수 있지만, 대부분의 사람들과 의견이 다르다고 해서 통제해서는 안 된다.

**3 데이터 스모그**

데이터 스모그는 인터넷의 급속한 발달로 쏟아져 나오는 많은 정보 중 필요 없는 정보나 허위 정보들이 마치 대기 오염의 주범인 스모그처럼 가상 공간을 어지럽힌다는 뜻에서 유래되었다.

오답 피하기

① 정보 사회에서 등장한 용어이다. ②, ③ 많은 정보 중 필요 없는 정보나 허위 정보를 빗대어 표현한 것이다. ④ 오늘날 정보의 양은 더욱 증가하고 있다.

선택지 바로 보기

① 산업 혁명 시기에 등장한 용어이다. (×)
→ 정보 사회에서 등장한 용어임
② 기존 매체에서 얻을 수 있는 정보를 말한다. (×)
→ 정보 사회에서는 주로 뉴 미디어를 통해 대량으로 정보가 생산되고 소비됨
③ 사람들에게 필요한 잘 정리된 정보를 말한다. (×)
→ 많은 정보 중 필요 없는 정보나 허위 정보를 말함
④ 오늘날 점점 줄어드는 정보의 양을 표현한 것이다. (×)
→ 오늘날에는 정보의 양이 점점 증가하고 있음
⑤ 허위 정보를 대기 오염의 주범인 스모그에 빗대어 표현한 것이다. (○)

정답

**4 정보의 소비 과정에서 필요한 윤리**

정보의 소비 과정에서는 정보를 비판적이고 능동적인 자세로 수용하려는 태도가 필요하다. 정보를 바탕으로 대화하고 교류함으로써 공동으로 체험하고 협력할 수 있는 능력과 자세를 갖추어야 한다.

**5 동물 중심주의 윤리**

싱어는 동물도 쾌고 감수 능력을 가지고 있으므로 동물을 고통에서 해방할 것을 주장하였다.

더 알아보기 + **동물 중심주의 사상가**

| | |
|---|---|
| 싱어 | • 동물도 인간처럼 쾌고 감수 능력을 지니고 있음<br>• 동물도 고통에서 해방해야 함<br>• 이익의 평등한 고려 원칙 강조 |
| 레건 | • 동물은 자기 삶을 영위하는 삶의 주체이므로 그 자체로 본래적 가치를 지닌 목적적 존재<br>• 동물을 수단으로 취급하는 행위는 동물의 가치와 권리를 부정하므로 비윤리적임 |

**6 생태 중심주의 윤리**

레오폴드는 도덕 공동체의 범위를 대지까지 확대하는 대지의 윤리를 주장하였다. 여기서 대지란 인간을 비롯한 자연의 모든 존재들이 한데 어울려 살아가는 생명 공동체이며, 인간은 대지의 지배자가 아니라 한 구성원이다.

**7 동양의 자연관**

불교에서는 인간과 자연은 분리되어 존재하는 것이 아니라 하나의 그물망으로 긴밀하게 연결되어 있기 때문에 이를 깨닫고 모든 생명을 소중히 여기면서 자비를 베풀며 살아가야 함을 강조한다.

오답 피하기

ⓔ 만물이 무위의 자연스러움을 따라야 함을 강조한 것은 도교이다.

**8 기후 변화에 대한 국제적 노력**

기후 변화 협약(1992), 교토 의정서(1997), 파리 협정(2015)은 세계 각국이 기후 변화와 지구 온난화에 대응하기 위하여 국제적 협력이 필요하다고 인식하고 마련한 것이다.

자료 분석 +

- 기후 변화 협약(1992) → 지구 온난화에 대응하기 위하여 채택하였음
- 교토 의정서(1997) → 기후 변화 협약의 내용을 의무적으로 이행하기 위하여 마련하였음
- 파리 협정(2015) → 탄소 배출 감축 의무가 선진국뿐만 아니라 개발 도상국에까지 확대 적용되었음

## 3일 기초 확인 문제 25~27쪽

**1** (1) ㉠ (2) ㉡ (3) ㉢ **2** (1) O (2) O (3) X (4) X **3** ㄱ, ㄷ
**4** (1) 긍 (2) 부 **5** 대중문화 **6** (1) O (2) O (3) O (4) X **7** ㄹ
**8** 젠트리피케이션 **9** (1) 유대감 (2) 불안정성 **10** 주거

## 3일 내신 기출 베스트 28~29쪽

**1** ⑤ **2** ① **3** ⑤ **4** ④ **5** ③ **6** ② **7** ② **8** ⑤

**1 예술의 정의**

공자와 톨스토이는 모두 예술에 대한 도덕주의 입장을 가지고 있다. 도덕주의는 도덕적 가치가 미적 가치보다 우위에 있으며, 예술 작품은 인간의 성품을 순화하고 도덕적 교훈이나 본보기를 제공해야 한다고 본다. 즉 도덕주의는 예술의 사회성을 강조한다.

더 알아보기 + **예술에 대한 다양한 정의**

| | |
|---|---|
| 아리스토텔레스 | • "예술은 자연의 모방이며 자연이 성공하지 못한 것을 완성하는 것을 목표로 한다."<br>• 예술은 대상의 아름다움을 한층 돋보이게 하는 능동적인 모방을 의미함 |
| 톨스토이 | • "예술은 개인의 감정을 표현하여 다른 사람에게 전하는 모든 것이다."<br>• 공감의 유발을 중요하게 생각함 |
| 칸트 | • "예술은 다른 무엇을 비추는 거울이 아니라 스스로 반짝이는 거울이다."<br>• 예술의 본질은 예술 자체의 형식에서 찾아야 한다고 봄 |

**2 예술과 윤리의 관계**

갑은 미적 가치는 도덕적 가치와 관련성이 낮다고 보는 예술 지상주의 시각이고, 을은 도덕적 가치가 미적 가치보다 우위에 있으므로 예술은 윤리의 인도를 받아야 한다고 주장하는 도덕주의의 시각이다.

선택지 바로 보기

① 갑은 예술 작품에 대한 검열이 정당하다고 본다. (○)
→ 예술이 도덕적 선을 지향하도록 적절한 규제가 필요하다고 보는 도덕주의의 시각임

② 갑은 예술성이 도덕적 가치와 무관한 것이라고 본다. (×)
→ 예술 지상주의는 미적 가치는 도덕적 가치와 관련성이 낮다고 봄

③ 갑은 윤리의 개입이 예술적 가치를 떨어뜨릴 수 있다고 본다. (×) → 예술의 목적은 미적 가치 구현이라고 봄

④ 을은 예술보다 윤리가 우선해야 한다고 주장한다. (×)
→ 도덕적 가치가 미적 가치보다 우위에 있다고 봄

⑤ 을은 예술 작품의 소재를 일부 제한할 수 있다고 본다. (×)
→ 예술이 도덕적 선을 지향하도록 적절한 규제가 필요하다고 봄

3 **예술과 윤리의 관계를 바라보는 관점**

예술 지상주의 혹은 심미주의는 예술이 가치가 있는 것은 미적 가치 때문이라고 보며, 미적 가치를 추구하는 것을 예술의 목적으로 본다.

오답 피하기

①, ②, ③, ④는 예술의 사회성을 강조하는 도덕주의 관점이다.

4 **대중문화의 영향**

ㄴ. 다양한 문화의 향유는 대중문화의 긍정적 효과이다. 과거에는 소수의 사람이 문화적 자산을 독점하였으나, 대중문화가 다양한 문화를 비교적 저렴한 비용으로 풍부하게 공급함으로써 더 많은 사람이 문화를 향유할 수 있게 되었다.

더 알아보기 + **대중문화의 윤리적 문제**

| | |
|---|---|
| 선정성, 폭력성 | 인간의 육체와 성, 폭력에 대한 그릇된 인식 생성 우려 |
| 자본에의 종속 | '자본'이 대중문화 주도 → 예술가의 자율성, 독립성 제약 → 대중문화의 획일화, 규격화, 몰개성화 |

5 **의복 문화와 윤리적 문제**

제시문은 의복이 다양한 의미와 기능을 지니고 있음을 나타내고 있다. 의복은 사람의 신분이나 지위, 성별 또는 직업 등을 나타내기도 한다.

선택지 바로 보기

① 의복은 신체를 보호한다. (×)
→ 추위나 더위 등으로부터 신체를 보호하는 수단
② 의복은 '제2의 피부'이다. (×)
→ 인간이 태어나서 죽을 때까지 옷을 입는다는 의미
③ 의복은 '무언의 언어'이다. (○)
④ 의복은 환경 오염을 유발한다. (×)
→ 버려진 옷이 소각될 때 각종 유해 물질을 배출하여 환경 오염을 유발한다는 의복과 관련된 윤리 문제
⑤ 의복은 몸을 가리기 위한 것이다. (×)
→ 의복의 기능 중 하나이며, 의복의 기원 중 정숙설과 관련이 있음

6 **패스트 패션**

ㄱ, ㄷ은 저렴하게 사서 입고 빨리 버리는 패스트 패션에 대해 비판적으로 바라볼 수 있다. 패스트 패션은 최신 유행과 변화하는 소비자의 취향에 즉각적으로 대응함으로써 생산과 소비가 빠르게 이루어지는데, 이 과정에서 과소비뿐만 아니라 환경 오염을 유발하기도 한다.

오답 피하기

ㄴ, ㄹ은 합리적 소비를 강조하는 입장으로, 패스트 패션의 효율성을 높이 평가하여 옹호할 가능성이 높다.

7 **로컬푸드 운동과 슬로푸드 운동**

음식 문화와 관련된 윤리적 문제를 해결하기 위해 로컬푸드 운동, 슬로푸드 운동 등을 할 수 있다.

오답 피하기

정크푸드는 열량은 높지만 영양가는 낮은 패스트푸드나 인스턴트 식품을 의미한다.

더 알아보기 + **로컬푸드와 슬로푸드**

| 로컬푸드 | 슬로푸드 |
|---|---|
| 장거리 운송을 거치지 않은 안전하고 건강한 지역 농산물 | 가공하지 않고 사람의 손맛이 들어간 음식, 자연적인 숙성이나 발효를 거친 음식 등 전통적인 방식으로 만든 음식 |

8 **주거 문화와 윤리적 문제**

제시문에서 우리나라 조상들은 자연과의 조화를 이루는 주거 형태를 추구하였음을 알 수 있다.

더 알아보기 + **주거의 윤리적 의미**

| | |
|---|---|
| 개인적 측면 | 신체적 안전과 정서적 안정, 휴식을 누릴 수 있는 내적 공간 |
| 사회적 측면 | 공동체의 유대감을 형성하고 관계성을 회복하는 공간 |

## 4일 기초 확인 문제 33~35쪽

**1** (1) X (2) O (3) X (4) O (5) O (6) O **2** 윤리적 소비 **3** ㄴ, ㄹ **4** 문화 **5** (1) ㉡ (2) ㉠ **6** (1) 차별적 배제 (2) 용광로 (3) 동화주의 (4) 문화 다원주의 **7** ㄱ, ㄴ, ㄷ **8** (1) O (2) X (3) X **9** 원시 신앙 **10** ㉠ 종교 ㉡ 윤리

## 4일 내신 기출 베스트 36~37쪽

**1** ② **2** ⑤ **3** ③ **4** ② **5** ③ **6** ④ **7** ④ **8** ①

1 **윤리적 소비**

제시문은 윤리적 소비에 관한 내용이다. 윤리적 소비는 합리적 소비의 한계를 인식하고 이를 보완하는 과정에서 등장하였으며, 소비자의 영향력 확대와 다양한 사회 문제에 대한 관심 속에서 도덕적 가치에 따라 재화나 서비스를 구매하고 사용하며 처리하는 소비이다.

정답

## 2 합리적 소비와 윤리적 소비

최소한의 비용으로 최대의 만족감을 얻는 소비는 합리적 소비이다. 합리적 소비는 의도하지 않게 인권 침해, 사회 부정의, 동물 학대, 환경 문제 등을 조장할 수 있다.

오답 피하기

①, ②, ③, ④는 도덕적 가치 실현을 중시하는 윤리적 소비이다.

더 알아보기 + 합리적 소비와 윤리적 소비

| | |
|---|---|
| 합리적 소비 | • 소비자가 가격과 품질을 고려하여 최소의 비용으로 최대의 만족을 얻기 위한 소비<br>• 경제적 편익에만 치중한 소비를 할 수 있음 |
| 윤리적 소비 | • 윤리적인 가치 판단에 따라 재화나 서비스를 구매하고 사용하는 소비<br>• 환경 보호, 인권 향상을 선택 기준으로 고려함 |

## 3 윤리적 소비

윤리적 소비를 주장하는 입장에서는 동물의 복지, 노동자의 권리 보장 등을 고려해 식품을 선택한다.

자료 분석 +

ㄱ. 윤리적인 성찰이 배제된 식품의 소비는 바람직한가?
→ 윤리적 성찰을 통한 소비를 해야 함

ㄴ. 식품 생산 과정에서 동물의 복지를 고려해야 하는가?
→ 동물 복지를 생각하는 윤리적 소비임

ㄷ. 식품 관련 기업은 노동자의 권리를 보장해야 하는가?
→ 인권과 정의를 생각하는 윤리적 소비임

ㄹ. 식품을 선택하는 유일한 기준은 개인의 미적 선호인가?
→ 동물의 복지, 노동자의 권리 등 도덕적 가치 판단에 의한 소비가 이루어져야 함

## 4 문화 상대주의

제시문은 각 문화가 지닌 고유성과 상대적 가치를 이해하고 존중하는 문화 상대주의에 관한 것이다. 문화 상대주의는 보편 윤리를 인정하며, 윤리적 상대주의에는 반대한다.

더 알아보기 + 다양한 문화를 바라보는 태도

| | |
|---|---|
| 자문화 중심주의 | 자신의 문화를 기준으로 다른 문화를 무조건 낮게 평가하는 태도 |
| 문화 사대주의 | 자신의 문화를 열등하게 여겨 다른 문화를 숭배하고 추종하는 태도 |
| 문화 상대주의 | 각 문화가 지닌 고유성과 상대적 가치를 이해하고 존중하는 태도 |

## 5 다문화 정책

주류 문화 중심의 사회 통합을 추구하는 것은 동화주의이며, 다문화주의는 다양한 문화가 상호 공존하면서 각각의 색깔을 지니면서도 조화를 이루는 것을 말한다.

더 알아보기 + 다양한 문화를 바라보는 태도

| | |
|---|---|
| 동화주의 | 소수의 문화를 주류 사회의 문화에 편입시켜야 함 |
| 다문화 주의 | 다양한 문화가 상호 공존하면서 각각의 색깔을 지니면서도 조화를 이룸 |
| 문화 다원주의 | 문화의 다양성은 인정하지만, 주류 사회의 문화를 바탕으로 비주류 문화가 공존해야 한다고 봄 |

## 6 관용

관용은 인류의 보편적 가치 안에서 적용될 수 있고, 받아들일 수 없는 상대방의 주장이나 가치관을 이해하려고 노력하며 타자의 인권을 존중하고 평화를 실현하려는 자세이다.

자료 분석 +

ㄱ. 다른 문화에 대해서는 무제한적인 관용의 자세를 지녀야 한다.
→ 보편적 가치를 훼손하거나 사회 정의를 해치는 행위는 불관용해야 함

ㄴ. 관용을 확대하기 위해서 불관용이 필요할 때도 있어야 한다.
→ 인간으로서의 의무와 양심에 어긋나는 행위에 대해서는 불관용해야 함

ㄷ. 관용의 역설을 통해서 다문화 사회의 문제를 해결해 나갈 수 있다.
→ 관용과 불관용의 경계를 명확히 하려는 노력으로 다문화 사회의 문제를 해결할 수 있음

ㄹ. 관용은 인간의 존엄성과 인류의 보편적 가치 안에서 적용될 수 있다.
→ 인간의 존엄성과 같은 보편적 가치 안에서 적용됨

## 7 종교와 비종교를 나누는 기준

종교 지도자에 대한 무조건적 복종이 요구된다고 보기는 어렵다. 종교를 구체화하고 종교 행위를 이성적으로 규명하기 위하여 종교와 비종교를 구분하는 기준을 세우게 된다. 이러한 기준에는 육체나 일상적인 것에 대한 초월성, 세상에 대하여 설명할 수 있는 교리 체계, 죽음과 내세에 대한 대답, 믿음을 구체화하는 종교 의례, 윤리적 계율이나 도덕 규범, 절대적 존재로서의 신 등이 있다.

더 알아보기 + 종교의 의미와 본질

| | |
|---|---|
| 의미 | 초월적 존재에 대하여 인간의 믿음이 구체적인 형태로 표현된 것 |
| 본질 | • 내용적인 측면: 성스럽고 거룩한 것에 대한 체험과 믿음<br>• 형식적인 측면: 경전과 교리, 의례와 형식, 교단 |

## 8 종교의 갈등

종교 사회에서 종교 간의 갈등을 해결하기 위해서는 다양한 종교의 특징과 차이점을 이해하고 다양성을 존중하는 자세가 중요하다.

선택지 바로 보기

① 각 종교가 지닌 차이점을 알고 다양성을 존중한다. (○)
② 소수가 믿는 종교를 세계 종교로 점차 편입시킨다. (×)
→ 타 종교에 대한 관용적인 태도가 필요함
③ 종교 간의 공통된 교리를 추출하여 종교 통합을 추구한다. (×)
→ 종교는 통합의 대상이 아님
④ 동일한 정치 공동체의 구성원들은 동일한 종교를 가지도록 강제한다. (×)
→ 종교에 대한 신앙을 강요받지 않을 권리가 있음
⑤ 각각의 종교들이 지닌 권위와 전통을 버리고, 종교의 단일화를 추구한다. (×)
→ 종교는 통합이나 단일화의 대상이 아님

## 5일 기초 확인 문제 41~43쪽

**1** (1) ㉡ (2) ㉠ (3) ㉢ **2** 하버마스 **3** ㉠ 화이부동 ㉡ 화쟁 사상 **4** (1) X (2) O **5** (1) ㄱ (2) ㄴ **6** (1) 국제 기구 (2) 세계화 **7** 현실주의 **8** (1) ㉠ (2) ㉡ **9** (1) O (2) X (3) X **10** (1) ㄱ, ㄴ, ㄹ (2) ㄷ

## 5일 내신 기출 베스트 44~45쪽

**1** ① **2** ③ **3** ④ **4** ③ **5** ⑤ **6** ⑤ **7** ② **8** ④

### 1 사회 갈등

㉠은 세대 갈등, ㉡은 이념 갈등에 대한 설명이다. 연령과 시대별 경험의 차이로 어느 사회에서나 나타나는 보편적인 현상이 세대 갈등이고, 한 사회나 집단이 지닌 특정한 가치관, 믿음, 견해 등이 다를 경우 발생하는 것이 이념 갈등이다.

자료 분석 +

㉠ 전통 사회에서 기성세대가 가졌던 권위와 존경심 상실
→ 기술이나 규범의 변화에 빠르게 적응하는 신세대와 상대적으로 그렇지 못한 기성세대의 갈등이 심화되고 있음
㉡ 사회 현상에 대한 가치관이나 믿음, 사상, 신념 등의 차이로 인해 발생
→ 한 사회의 구성원이 추구하는 이념이 다를 경우 갈등이 일어나기 쉬움

### 2 소통과 담론의 윤리

하버마스는 개인의 주관적인 도덕 판단만으로는 규범이 성립될 수 없으므로 대화가 필요하다고 주장한다.

선택지 바로 보기

① 맹자의 화쟁 사상을 강조한다. (×) → 원효의 화쟁 사상
② 아펠은 자신의 오류 가능성을 인정하는 겸허한 태도를 강조한다. (×) → 밀은 인간의 오류 가능성 검증을 위한 토론의 중요성을 강조함
③ 하버마스는 누구나 자유롭게 소통에 참여할 자격이 있음을 강조한다. (○)
④ 원효는 소통을 방해하는 그릇된 언사로 피사, 음사, 사사, 둔사를 제시한다. (×)
→ 맹자는 소통을 방해하는 그릇된 언사로 피사, 음사, 사사, 둔사를 제시함
⑤ 밀은 담론에 참여할 책임과 의사소통 공동체를 유지해야 할 책임을 강조한다. (×)
→ 아펠은 의사소통 공동체의 모든 구성원이 져야 하는 숙고적인 책임을 강조함

### 3 담론 윤리

제시문은 담론 윤리를 설명하고 있다. 담론 윤리는 현대 사회의 다양한 문제를 구성원들의 합리적인 의사소통을 통해 해결하고자 한다는 점에서 의미가 있다. 보편적인 규범을 부정하는 극단적 상대주의나 보편타당한 진리에 도달할 수 없다고 보는 도덕적 회의주의와 달리 담론 윤리는 담론의 과정을 통해 규범의 정당성을 확보하고자 노력한다.

### 4 통일 비용과 분단 비용

③ 통일 이후 위기 관리 비용은 통일과 관련된 통일 비용이다. 분단 비용은 분단으로 인해 남북한이 부담하는 유·무형의 모든 비용을 말한다.

더 알아보기 + 통일 비용과 분단 비용

| | |
|---|---|
| 통일 비용 | 통일 이후 남북한 간 격차 해소 및 이질적 요소 통합에 필요한 비용 |
| 분단 비용 | 분단으로 인해 남북한이 부담하는 유·무형의 모든 비용 |

### 5 국제 분쟁 해결에 관한 다양한 입장

(다)는 국제 분쟁 해결에 관한 구성주의적 입장이다. 구성주의적 입장은 국제 관계가 국가 간 상호 작용을 통해 구성된다고 본다.

자료 분석 +

(가) 국제 분쟁 해결에는 힘이 필요하다. → 현실주의적 입장
(나) 인간은 상호 협력할 수 있는 존재이다. → 이상주의적 입장
(다) 국제 관계는 상호 작용을 통해 구성된다. → 구성주의적 입장

### 6 칸트의 이상주의적 관점

제시문은 칸트의 이상주의적 관점에 대한 설명이다. 칸트는 분쟁 관계에서 국가는 도덕성을 고려해야 하며, 국가의 이익보다 인간의 존엄성, 자유, 평등 등 보편적인 가치를 우선하여 달성해야 한다고 주장한다.

정답

**7 세계화**

㉡ 각 나라 고유의 정체성 약화는 세계화의 부정적 영향이다. 세계화로 인해 다양한 문화가 나타나기도 하지만 선진국 중심의 문화가 전 세계적으로 확대되기도 한다. 강대국 중심으로 이루어지는 시장과 자본의 독점은 국가 간의 빈부 격차를 가져왔다.

더 알아보기 + 세계화의 영향

| | |
|---|---|
| 긍정적 영향 | • 판매 시장 및 소비 선택의 기회 증가<br>• 자유 경쟁과 교류 확대로 인류의 공동 번영 여건 조성<br>• 다양한 교류로 문화 공존 기대 상승 |
| 부정적 영향 | • 남북문제 심화<br>• 국가 간 경제 의존도 심화로 경제 위기 연대<br>• 각국의 정체성 약화 및 문화의 획일화 |

**8 약소국 원조의 이유**

④는 자선의 관점에서 약소국에 대한 지원 이유를 밝히고 있다. 약소국을 지원해야 하는 이유에 대한 논의는 크게 '자선'과 '의무'의 관점에서 다룰 수 있다. 자선의 관점에 따르면, 부유한 나라가 약소국을 도와준다면 좋은 일이지만 돕지 않았다고 해서 그릇된 것은 아니다. 원조는 선의를 베푸는 행위일 뿐이며, 따라서 의무가 아닌 '선물'을 주는 것이라는 입장이다.

오답 피하기

①, ②, ③, ⑤는 모두 의무의 관점에서 약소국에 대한 지원 이유를 밝히고 있다. 어려운 처지의 이웃을 돕는 것은 당연하고도 자연스러운 도덕적 의무로 본다. 약소국 사람들의 어려운 처지는 전적으로 혹은 부분적으로 부유한 나라에 의해 초래되었기 때문에 원조는 선택이 아니라 반드시 이행되어야 하는 의무이다.

## 6일 누구나 100점 테스트 1회 46~47쪽

1 ③ 2 ③ 3 ㉠ 내적 책임 ㉡ 외적 책임 4 ① 5 ④
6 ③ 7 ① 8 ⑤ 9 (1) ㉠ (2) ㉡ 10 ①

**1 과학 기술의 가치 중립성**

과학 기술의 연구·발견·발명 주체는 인간이므로 과학 기술과 도덕적 가치는 분리가 불가능하다는 것은 과학 기술의 가치 중립성을 부정하는 입장이다. 과학 기술도 가치 판단의 대상이므로 윤리적 검토나 통제가 필요하고 정치·경제 등 사회적 요인과 결합하여 발전하고 내용적 제약을 받는다.

오답 피하기

①, ②, ④, ⑤는 과학 기술의 가치 중립성을 강조하는 입장이다.

**2 과학 기술의 가치 중립성**

가치 중립성을 부정하는 입장은 과학 기술도 가치 판단의 대상이므로 윤리적 검토나 통제가 필요하다고 본다. 또한 과학 기술은 인간의 삶과 불가분의 관계이므로 과학 기술을 연구·활용하는 모든 과정은 독립적이지 않다고 본다.

오답 피하기

객관적인 진리 탐구가 과학 기술 연구의 주된 활동이라고 보는 것은 가치 중립성을 강조하는 입장이다.

**3 과학 기술자의 책임**

과학 기술의 바람직한 활용을 위해 과학 기술자의 내적 책임과 외적 책임이 필요하다. 내적 책임은 과학 기술자가 연구 자체에 지는 책임이고, 외적 책임은 연구 결과가 사회에 미칠 영향에 대한 책임이다.

**4 잊힐 권리**

제시문은 잊힐 권리에 관한 내용이다. 잊힐 권리는 온라인상에서 자신과 관련된 모든 정보에 대한 삭제 및 확산 방지를 요구할 수 있는 정보 주체의 자기 결정권 및 통제 권리를 뜻한다. 개인 정보를 비롯하여 자신이 원하지 않는 민감한 정보들이 포털 사이트 등을 통하여 많은 사람에게 공개되지 않아야 한다는 생각이 확산하면서 등장한 권리이다.

선택지 바로 보기

① 정보 자기 결정권과 잊힐 권리를 보장해야 한다. (○)
② 지적 재산에 대한 독점적 소유권을 보장해야 한다. (×)
→ 창작자에게 정보에 대한 배타적 독점권을 부여하는 정보 사유론
③ 개인의 정보를 인류 공동의 자산으로 간주해야 한다. (×)
→ 개인의 정보는 사생활 침해의 문제임
④ 개인의 사생활보다는 알 권리의 보장을 중시해야 한다. (×)
→ 잊힐 권리는 정보 자기 결정권을 강조하는 입장임
⑤ 누구나 평등하게 정보에 접근할 기회를 가질 수 있어야 한다. (×) → 정보에 대한 권리를 공유해야 한다는 정보 공유론

**5 대중 매체의 역기능**

대중 매체의 역기능에는 심리적 긴장이나 공포 유발, 공정성을 상실한 정보 제공, 사회의 다양성과 창의성 저해, 사회적·정치적 문제에 대한 무관심 초래 등이 있다.

오답 피하기

ㄹ은 대중 매체의 순기능이다.

**6** **뉴 미디어**

뉴 미디어는 기존 미디어와는 달리 누구나 정보를 생산·소비하고 정보의 신속한 처리가 이루어지는 것을 특징으로 한다. 또한 뉴 미디어는 시공간의 제약을 벗어나 광범위한 사회적 연결망을 형성하기도 한다.

오답 피하기

ㄴ. 소수가 다수에게 정보를 일방적으로 전달하는 것은 신문, 서적 등의 인쇄 매체나 텔레비전, 라디오 등의 방송 매체에 해당한다.

더 알아보기 + 뉴 미디어

| | |
|---|---|
| 의미 | 정보를 인터넷을 통해 가공·전달·소비하는 포괄적 융합 매체 |
| 특징 | 정보 생산과 소비 주체의 상호 작용화, 광범위한 사회적 연결망, 신속한 정보 수집·전달 속도, 다수의 정보 이용자의 능동화, 정보 교환의 비동시화, 탈대중화 등 |
| 문제점 | 객관성과 신뢰성 부족 |

**7** **인간 중심주의 윤리**

제시문은 인간과 자연의 관계에 대한 다양한 관점 중 인간 중심주의 윤리에 대한 입장이다. 인간 중심주의 윤리는 인간을 자연과 구별되는 유일한 존재로 여기고 인간만이 도덕적 가치를 지닌다고 보는 입장이다.

더 알아보기 + 인간 중심주의 윤리 사상가

| | |
|---|---|
| 베이컨 | 자연 과학적 지식을 활용하여 자연을 정복하고 인간의 물질적 혜택과 복지를 증진해야 함 |
| 데카르트 | 정신을 지닌 존엄한 인간이 의식이 없는 자연을 이용·정복하는 것은 정당함 |
| 칸트 | 인간에 대한 간접적 의무(인간의 자연 보호)가 있지만 인간 상호 간의 의무만이 인간에 대한 직접적 의무(인간 상호 간의 존중)에 해당함 |

**8** **생태 중심주의 윤리**

제시문은 생태 중심주의 윤리의 대표적 사상가인 레오폴드에 대한 설명이다. 생태 중심주의는 동물 중심주의 윤리나 생명 중심주의 윤리가 개별 생명체에 초점을 맞추는 개체론의 성격을 지닌다고 비판하면서 생태계 전체의 상호 의존성을 강조하는 전체론 혹은 전일주의를 주장한다.

선택지 바로 보기

① 레건 (×) → 동물 중심주의 윤리의 대표적 사상가로, '동물 권리론'을 주장함
② 싱어 (×) → 동물 중심주의 윤리의 대표적 사상가로, '동물 해방론'을 주장함
③ 테일러 (×) → 생명 중심주의 윤리의 대표적 사상가로, 모든 생명체가 '목적론적 삶의 중심'이라고 규정함
④ 슈바이처 (×) → 생명 중심주의 윤리의 대표적 사상가로, 생명 외경 사상을 제시함
⑤ 레오폴드 (○)

**9** **대중문화의 윤리적 규제**

제도적 차원의 규제를 찬성하는 입장에서는 대중문화의 폭력성과 선정성의 표현 수위가 높아짐에 따라 미풍양속과 청소년 보호 등을 위해서 유해 요소를 규제해야 한다고 본다. 제도적 차원의 규제를 반대하는 입장에서는 이러한 규제가 표현의 자유와 문화를 향유할 권리를 제한할 수 있다고 본다.

더 알아보기 + 대중문화의 윤리적 문제

| | |
|---|---|
| 제도적 차원 | • 찬성: 미풍양속과 청소년 보호 등을 위해 유해 요소의 규제 필요<br>• 반대: 표현의 자유와 문화 향유권 제한 우려 |
| 개인적 차원 | 생산자, 소비자 모두 개인과 공동체의 삶을 풍요롭게 하는 것이 좋은 문화임을 인식 |

**10** **예술과 윤리의 관계**

제시문은 도덕주의적 관점의 주장이다. 예술 지상주의 관점에서는 도덕주의적 관점이 예술가의 상상력을 제한하는 등 자유로운 예술 활동을 제약하여 예술의 자율성을 해칠 수 있다고 비판한다.

오답 피하기

②, ③, ④, ⑤는 모두 예술 지상주의적 관점에 대해 할 수 있는 비판이다.

더 알아보기 + 예술과 윤리의 관계

| | |
|---|---|
| 도덕주의 | • 도덕적 가치가 미적 가치보다 우위<br>• 예술의 목적은 도덕적 교훈·모범 제공<br>• 예술에 대한 윤리적 규제 찬성<br>• 예술의 사회성 강조 → 참여 예술론 지지<br>• 예술의 독립성과 표현의 자유 침해 우려 |
| 예술 지상주의 | • 도덕적 가치와 미적 가치는 독립적<br>• 예술의 목적은 미적 가치의 구현<br>• 예술에 대한 윤리적 규제 반대<br>• 예술의 자율성 강조 → 순수 예술론 지지<br>• 예술의 사회적 영향력과 책임 간과 |

## 6일 누구나 100점 테스트 2회 48~49쪽

1 ④ 2 ② 3 ② 4 ③ 5 ③ 6 ② 7 ① 8 ② 9 ④ 10 ③

**1** **의복 문화와 윤리적 문제**

제시문은 추위와 질병 때문에 옷을 입기 시작했으므로 신체 보호설에 해당한다.

선택지 바로 보기

① 정숙설 (×) → 알몸을 가리기 위해 의복이 등장했음
② 미용설 (×)
③ 장식설 (×) → 외모를 꾸미기 위해 의복이 등장했음
④ 신체 보호설 (○) → 몸을 보호하기 위해 의복이 등장했음
⑤ 실용적 기능설 (×) → 필요한 물건을 달기 위해 의복이 등장했음

**2 패스트 패션**

제시문은 패스트 패션에 관한 내용이다. 일반 패션 업체가 계절별로 신상품을 선보이는 데 반해 패스트 패션 업체는 유행에 맞춰서 신상품을 빠르게 유통한다. 소비자는 최신 유행의 옷을 저렴하게 살 수 있고, 업체는 빠른 소비를 통해 재고 부담을 줄일 수 있다.

**3 집의 의미**

인간 삶의 중심인 집은 거주자의 특성과 정체성을 반영하고, 개인의 과거와 현재의 정보를 담고 있다.

더 알아보기 + 주거의 윤리적 의미

| 개인적 측면 | 신체적 안전과 정서적 안정, 휴식을 누릴 수 있는 내적 공간 |
|---|---|
| 사회적 측면 | 공동체의 유대감을 형성하고 관계성을 회복하는 공간 |

**4 문화 상대주의**

제시문은 문화 상대주의에서 윤리 상대주의를 도출해 낼 수 있다고 보는 입장이다. 그러나 문화 상대주의는 문화의 다양성과 고유성을 인정해야 한다는 입장이며, 윤리 상대주의는 보편적 윤리 규범은 존재하지 않는다는 입장이다. 예를 들어 장례 문화는 각 나라마다 다를 수 있어도 그 근본 정신은 동일하다. 따라서 문화가 다양하게 나타난다고 해서 보편 윤리(규범)가 존재하지 않는 것은 아니다. 그러므로 인류의 보편적 가치 아래에서 다양한 문화를 바라볼 줄 알아야 한다. 문화 상대주의를 윤리 상대주의로 잘못 이해해서는 안 되며, 문화의 다양성은 인정하되 인간 존엄성, 즉 인류의 보편적 가치를 존중해야 한다.

오답 피하기

ㄴ. 문화 상대주의는 다른 문화를 있는 그대로 존중하는 입장이다.

더 알아보기 + 문화 상대주의와 윤리 상대주의

| 문화 상대주의 | 각 문화를 있는 그대로 인정하고 존중하는 태도 |
|---|---|
| 윤리 상대주의 | • 세상에는 옳은 것도 없고, 그른 것도 없다는 견해<br>• 문화 상대주의를 윤리적 상대주의로 잘못 해석해서는 안 됨 |

**5 종교적 존재**

제시문은 인간의 유한성과 그로 인한 초월성에 대한 열망을 나타낸다. 즉 인간이 '종교적 존재'임을 강조한다.

더 알아보기 + 종교와 윤리의 관계

| 구분 | 종교 | 윤리 |
|---|---|---|
| 차이점 | 초월적 세계, 궁극적 존재에 근거한 종교적 신념이나 교리 제시 | 이성이나 양심, 도덕 감정 등을 근거로 실생활에서 지켜야 하는 규범 제시 |
| 공통점 | 도덕성 중시 → 모든 종교는 보편적 윤리를 포함하고 있음 | |

**6 종교 간 갈등**

종교 간 발생한 갈등은 다수결로 해결할 수 없다. 종교의 자유와 각 종교의 자율성을 인정하고 종교 간 대화와 협력하려는 노력을 해야 한다.

더 알아보기 + 종교 갈등과 공존

| 발생 원인 | • 타 종교에 대한 배타적인 태도<br>• 타 종교에 대한 무지와 편견 |
|---|---|
| 공존 노력 | • 종교적 관용 필요<br>• 종교 간 대화와 협력 |

**7 하버마스의 담론 윤리**

하버머스는 개인의 주관적인 도덕 판단만으로는 규범이 성립될 수 없으므로 대화가 필요하다고 주장한다. 대화의 당사자들이 합의한 결과를 수용하고 그것을 의무로 받아들이기 위해서는 대화가 합리적인 의사소통의 과정을 거쳐야 한다. 합리적인 의사소통이 이루어지기 위해서는 돈이나 권력에 의한 왜곡과 억압이 없어야 하고, 대화 당사자들이 이상적인 담론의 조건인 개방성, 평등성, 호혜성을 지켜야 한다고 본다.

**8 사회 갈등의 유형**

㉠은 이념 갈등, ㉡은 세대 갈등, ㉢은 지역 갈등에 관한 설명이다. 이념 갈등 사례에는 우선순위를 개인의 자유에 두느냐 공동선에 두느냐에 따른 갈등, 경제적 효율성과 구성원의 복지 중 어느 것을 우선하느냐에 따른 갈등 등이 있다. 세대 갈등 사례에는 일자리, 노인 부양 문제를 둘러싼 갈등 등이 있다.

오답 피하기

지역 갈등은 경제적 요인, 특정 지역에 대한 특권 의식이나 차별 의식으로 인해 발생하는 사회 갈등의 한 유형이다.

**9** **공리주의적 입장에서 본 남북통일의 이유**

대화의 마지막 질문은 공리주의적 입장에서 본 남북통일의 이유이다. 즉, 실용적 이익의 측면에서 남북통일이 필요한가에 대한 답변을 요구하고 있는 것이다. 따라서 분단이 가져오는 손실과 통일로 인한 편익을 비교하여, 분단보다 통일이 더 큰 이익을 준다는 점을 답변으로 제시할 수 있다.

오답 피하기

①, ②, ③, ⑤는 모두 통일의 이유를 우리 민족이 마땅히 이행해야 할 의무와 당위에서 찾고 있다. 이는 의무론적 입장에 따른 답변이다.

**10** **롤스의 해외 원조 이론**

해외 원조를 의무의 관점에서 보는 갑은 롤스이고, 을은 해외 원조 무용론을 주장하고 있다. 따라서 갑은 을에게 해외 원조가 정치적·사회적 제도를 개선시키고, 빈곤에서 벗어나 자립할 수 있도록 하는 데 도움이 된다고 주장할 수 있다.

더 알아보기 + 해외 원조의 윤리적 근거

| | |
|---|---|
| 의무의 관점 | • 공리주의적 관점에서 원조의 필요성 강조<br>• 타인을 돕는 것은 보편적인 윤리적 의무<br>• 질서 정연한 사회에 살고 있는 국민들이 불리한 여건에 처해 있는 사회의 국민들을 질서 정연한 사회로 이행하도록 원조해야 함 |
| 자선의 관점 | 해외 원조는 개인의 자유로운 선택의 영역, 즉 의무가 아닌 자선이라고 주장 |

## 6일 서술형·사고력 테스트 / 창의·융합·코딩 테스트 50~53쪽

**1** **과학 기술의 성과와 윤리적 문제**

모범 답안 과학 기술은 인간 삶에 긍정적 영향을 끼치는가?

핵심 단어 과학 기술, 긍정적 영향

| 채점 기준 | 구분 |
|---|---|
| 핵심 단어를 모두 사용하여 토론 주제를 '과학 기술의 긍정적 영향'에 관하여 서술한 경우 | 상 |
| 핵심 단어를 일부 사용하여 토론 주제를 서술한 경우 | 하 |

**2** **요나스의 책임 윤리**

모범 답안 현세대는 과학 기술이 인간의 생존과 다른 생명체를 위협할 수 있는 상황에서 내재적이고 본질적인 가치를 지닌 모든 생명에 대하여 예견적 책임을 져야 하며, 과학 기술이 먼 미래에 끼치게 될 결과를 예측하여 생명에 대한 도덕적 책임을 져야 한다.

핵심 단어 예견적 책임, 결과 예측, 도덕적 책임

| 채점 기준 | 구분 |
|---|---|
| 생명에 대한 책임, 미래 세대에 대한 예견적 책임을 모두 서술한 경우 | 상 |
| 생명에 대한 책임, 미래 세대에 대한 예견적 책임 중 한 가지만 서술한 경우 | 하 |

**3** **과학과 기술의 관계**

상호 작용의 관계이다.

**4** **미디어 리터러시**

모범 답안 비판적 사고를 바탕으로 정보를 올바르게 이해하고 표현할 수 있어야 한다.

핵심 단어 비판적 사고, 이해, 표현

| 채점 기준 | 구분 |
|---|---|
| 미디어 리터러시와 관련하여 비판적 사고 능력이 필요함을 서술한 경우 | 상 |
| 정보의 사실성과 객관성이 중요함을 서술한 경우 | 중 |
| 거짓 정보의 문제점을 서술한 경우 | 하 |

**5** **인간과 자연의 관계에 대한 다양한 관점**

(1) ㉠ 인간 중심주의 윤리 ㉡ 동물 중심주의 윤리 ㉢ 생명 중심주의 윤리 ㉣ 생태 중심주의 윤리

(2) 모범 답안 ㉠ 인간만이 도덕적 가치를 지닌다고 본다. ㉡ 동물과 인간을 동등하게 도덕적으로 고려해야 하고, 인간은 동물을 도덕적으로 배려해야 할 직접적인 의무가 있다고 본다. ㉢ 도덕적 고려의 범위를 모든 생명체로 확대해야 한다고 주장한다. ㉣ 생태계 전체를 도덕적 고려 대상으로 삼는다.

핵심 단어 인간, 동물, 모든 생명체, 생태계

| 채점 기준 | 구분 |
|---|---|
| 핵심 단어를 모두 사용하여 ㉠~㉣를 바르게 서술한 경우 | 상 |
| 핵심 단어 중 한두 가지만 사용하여 ㉠~㉣를 바르게 서술한 경우 | 중 |
| 핵심 단어를 사용하지 않고, ㉠~㉣를 서술한 경우 | 하 |

**6** **생명 중심주의 윤리**

(1) 생명 중심주의 윤리

(2) 모범 답안 생명을 지닌 모든 존재의 내재적 가치를 존중하지 못한 비도덕적인 행위이다.

핵심 단어 생명, 내재적 가치, 비도덕적 행위

| 채점 기준 | 구분 |
|---|---|
| 제시된 사례를 생명 중심주의 윤리의 관점에서 파악하고 문제점을 제시한 경우 | 상 |
| 생명 중심주의 관점이 아닌, 일반적인 도덕적 평가만을 내린 경우 | 하 |

**7** **예술의 의미와 기능**

모범 답안 예술의 사회적 영향력과 책임을 간과하여 천박하고 부도덕한 것까지도 예술로 포장함으로써 사회에 부정적인 영향을 미칠 우려가 있다.

핵심 단어 사회적 영향력, 사회적 책임

| 채점 기준 | 구분 |
|---|---|
| 예술의 사회적 영향력과 책임을 간과할 수 있음을 모두 서술한 경우 | 상 |
| 예술의 사회적 영향력과 책임을 간과할 수 있는 내용 중 일부를 서술한 경우 | 하 |

**8** **합리적 소비와 윤리적 소비**

(1) (가) 윤리적 소비 (나) 합리적 소비

(2) 모범 답안 합리적 소비는 경제적 편익만을 고려한 제품 선택으로 인해 제품 생산자의 인권이 침해되고 착취당할 우려가 있다.

핵심 단어 합리적 소비, 편익, 인권

| 채점 기준 | 구분 |
|---|---|
| 합리적 소비의 문제점을 '인권'이라는 용어를 이용하여 바르게 서술한 경우 | 상 |
| 합리적 소비의 문제점을 서술한 경우 | 중 |
| 합리적 소비의 특징을 서술한 경우 | 하 |

**9** **문화 다양성의 존중**

모범 답안 문화는 지역과 사회 구조, 시대나 역사에 따라 각기 다른 특성을 지닌다는 것을 알고, 각 문화가 나타난 환경과 전통 속에서 그 문화를 이해해야 한다.

핵심 단어 문화, 환경, 전통

| 채점 기준 | 구분 |
|---|---|
| 문화의 특성과 타 문화를 대하는 바람직한 태도를 연결하여 서술한 경우 | 상 |
| 문화의 특성을 언급하지 않고, 타 문화를 대하는 바람직한 태도만 서술한 경우 | 하 |

**10** **다문화 사회의 정책**

㉠ 용광로 이론 ㉡ 샐러드 그릇 이론 ㉢ 국수 대접 이론

더 알아보기 + 다문화 사회의 정책

| | | |
|---|---|---|
| 동화주의 | 용광로 이론 | 소수의 문화를 주류 사회의 문화에 편입시켜야 함 |
| 다문화주의 | 샐러드 그릇 이론 | 다양한 문화가 상호 공존하면서 각각의 색깔을 지니면서도 조화를 이룸 |
| 문화 다원주의 | 국수 대접 이론 | 문화의 다양성은 인정하지만, 주류 사회의 문화를 바탕으로 비주류 문화가 공존해야 한다고 봄 |

**11** **세계화에 대한 찬반 근거**

(1) 세계화

(2) 모범 답안 찬성: 세계적 문제에 공동으로 대처할 수 있다. 각국 경제의 공동 번영이 가능하다. 다양한 문화가 공존할 수 있다. 반대: 서구 선진 자본주의의 시장 확대 과정이다. 개인 간, 국가 간의 빈부 격차가 심화될 것이다. 문화의 독점과 획일화가 이루어질 수 있다.

핵심 단어 공동 대처, 공동 번영, 문화 공존, 시장 확대 과정, 빈부 격차, 획일화

| 채점 기준 | 구분 |
|---|---|
| 핵심 단어를 사용하여 세계화의 찬성 입장과 반대 입장을 두 가지씩 바르게 서술한 경우 | 상 |
| 핵심 단어를 사용하여 세계화의 찬성 입장과 반대 입장을 한 가지씩 바르게 서술한 경우 | 중 |
| 핵심 단어를 사용하지 않고, 세계화의 찬성 입장과 반대 입장을 서술한 경우 | 하 |

**12** **통일 한국의 미래상**

수준 높은 문화 국가, 자주적인 민족 국가, 정의로운 복지 국가, 자유로운 민주 국가

**13** **국제 분쟁의 해결과 평화**

(1) 종교

(2) ㉠ 현실주의 ㉡ 구성주의 ㉢ 이상주의

(3) 영구 평화론

(4) 의무, 자선

더 알아보기 + 국제 분쟁

| | |
|---|---|
| 원인 | 영토 분쟁, 인종·민족 분쟁, 종교 분쟁, 자원 분쟁 등 |
| 특징 | • 다양한 정치적·경제적·종교적 이해관계가 얽혀 복잡하고 다양하게 나타남<br>• 오늘날 국제 평화와 정의를 해치는 반인도적 범죄가 증가하고 있음 |

## 7일 학교시험 기본 테스트 1회　54~57쪽

1 ③　2 ③　3 ㄴ　4 ①　5 ③　6 자율성의 원리, 선행의 원리, 해악 금지의 원리, 정의의 원리　7 ⑤　8 생태 중심주의　9 ㉠ 모방론 ㉡ 형식론　10 ③　11 ⑤　12 주거권　13 ②　14 ②　15 ④　16 ①　17 연대 의식　18 ④　19 ③　20 ④

**1 과학 기술의 가치 중립성**

과학 기술은 가치 판단에서 자유로울 수 없기 때문에, 윤리적 검토나 통제가 필요하다. 관찰과 실험 과정에서는 과학 기술의 가치 중립성이 지켜질 수 있지만, 연구 목적을 설정하거나 연구 결과를 현실에 적용할 때에는 가치 판단이 개입하기 때문이다. 특히, 오늘날 과학 기술이 인간과 자연에 미치는 영향이 더 커졌으므로 과학 기술의 발전 방향에 대한 심사숙고가 필요하다.

오답 피하기

ㄱ. 과거 객관성을 인정받았던 과학 지식이 새로운 이론의 등장으로 객관성 유지의 어려움을 드러내고 있다. ㄹ. 과학 기술 연구 과정에서는 어느 정도의 중립성이 지켜질 수 있으나, 발견과 활용의 맥락에서 가치 중립성 보장은 어렵다.

**2 요나스의 책임 윤리**

제시문은 과학 기술에 대한 책임을 강조하는 요나스의 주장이다. 요나스는 과학자의 책임의 범위를 자연과 미래 세대로 확장하며 과학 기술의 결과에 대한 미래적 책임을 주장한다.

**3 과학 기술 발전에서 윤리적 책임이 커지는 이유**

결과의 모호성이란 과학 기술의 결과에 대한 예측이 분명하지 않음을 말한다. 순수한 학문적 동기의 과학적 발견도 부정적 영향을 미칠 있다. 또 선한 목적으로 사용되는 과학 기술도 장기간 영향력을 행사하는 위협적 요소를 포함한다.

오답 피하기

ㄱ은 적용의 강제성, ㄷ은 시공간적 광역성에 대한 설명이다.

**4 정보 기술 발달에 따른 다양한 문제**

정보 기술 발달에 따른 문제에는 저작권 문제, 사생활 침해의 문제, 표현의 자유, 사이버 폭력(악성 댓글, 허위 사실 유포, 사이버 스토킹, 사이버 따돌림) 등이 있다.

오답 피하기

영토 분쟁은 국가 간 더 넓은 영토를 확보하거나 특정 영토를 차지하려는 다툼을 말한다.

더 알아보기 + 정보 기술 발달과 윤리 문제

| 구분 | 내용 |
|---|---|
| 저작권 문제 | • 저작권 보호 입장: 정보는 사유재, 창작자의 권리를 보호해야 저작물 발전<br>• 정보 공유 입장: 정보는 공공재, 정보를 자유롭게 이용해야 저작물 발전 |
| 사생활 침해 | 개인 정보 유출로 사생활 침해 발생 |
| 사이버 폭력 | 현실 세계의 폭력처럼 타인에게 고통을 주고 사회 혼란을 유발 |
| 표현의 자유 | 표현의 자유에 요구되는 한계에 대한 논쟁 발생 |

**5 뉴 미디어의 바람직한 자세**

제시문에서는 뉴 미디어가 개인적인 소통 영역인 동시에 다수에게 영향을 줄 수 있는 공적 영역임을 지적하면서 정보 윤리의 필요성을 강조하고 있다. 뉴 미디어를 통해 전달되는 정보 중에는 허위 및 왜곡된 정보들을 포함하여 심각한 사회 문제를 일으킬 수 있는 정보들이 있다. 이러한 사회 문제를 예방하기 위해서는 정보의 사실성과 객관성을 점검하고 검토하는 데 주의를 기울일 필요가 있다.

**6 정보 사회의 정보 윤리**

정보 사회의 윤리적 문제를 예방하려면 자율성의 원리, 해악 금지의 원리, 선행의 원리, 정의의 원리 등 정보 윤리가 정립되어야 한다.

더 알아보기 + 정보 윤리의 기본 원칙

| 구분 | 내용 |
|---|---|
| 자율성의 원리 | • 스스로 도덕 원칙을 수립하여 행동하고 타인의 자기 결정 능력을 존중해야 함<br>• 가상 공간에서 만나는 모든 사람의 인권과 자유를 동등하게 존중해야 함 |
| 해악 금지의 원리 | • 남에게 해악을 끼치거나 상해를 입히는 일을 피해야 함<br>• 타인에게 해를 끼치는 행동을 해서는 안 됨 |
| 선행의 원리 | • 타인의 복지를 증진하는 방향으로 행동해야 함<br>• 익명성에 기대어 자신의 잘못을 회피하는 등의 무책임한 언행을 해서는 안 됨 |
| 정의의 원리 | • 공정한 기준에 따라 혜택이나 부담을 공정하게 배분해야 함<br>• 정보로 말미암아 발생하는 부담이나 혜택을 공정하게 배분해야 함 |

**7 인간 중심주의 윤리**

인간 중심주의 윤리는 인간을 자연과 구별되는 유일한 존재로 여기고 인간만이 도덕적 가치를 지닌다고 보는 입장이다. 인간은 이성과 자율성을 지니기 때문에 도덕적으로 대우받아야 하지만, 자연은 인간의 이익에 이바지하는 한에서 가치가 있다.

자료 분석 +

ㄱ. 인간과 동물의 가치를 동등하게 고려해야 한다.
→ 동물 중심주의 윤리
ㄴ. 모든 생명체는 내재적 가치를 지니는 삶의 중심이다.
→ 생명 중심주의 윤리
ㄷ. 인간에게 필요한 삶의 도구로서 자연을 대우해야 한다.
→ 인간 중심주의 윤리
ㄹ. 동물에 대한 잔인성은 인간 자신에 대한 의무에 어긋난다.
→ 인간 중심주의 윤리

**8 생태 중심주의 윤리**

제시문은 생태 중심주의 윤리에 대한 설명이다. 전체로서의 자연환경, 종과 생태계의 보전에 초점을 맞추는 환경 윤리 이론이다.

더 알아보기 + 생태 중심주의 윤리

| | |
|---|---|
| 레오폴드 | 도덕 공동체의 범위를 토양, 물, 식물, 동물 등을 포함한 대지까지 확대하는 '대지의 윤리'를 주장함 |
| 네스 | 당시에 만연하던 인간 중심주의적 환경 보호 운동을 비판하고, '심층 생태주의'를 주장함 |

**9 예술에 대한 다양한 정의**

㉠은 모방론, ㉡은 형식론에 관한 의미이다.

더 알아보기 + 생태 중심주의 윤리

| | |
|---|---|
| 모방론 | 예술은 대상의 아름다움을 돋보이게 하는 능동적인 모방의 의미함 |
| 표현론 | 공감의 유발을 중요하게 생각함 |
| 형식론 | 예술의 본질은 예술 자체의 형식에서 찾아야 한다고 봄 |

**10 도덕주의적 관점**

제시문은 플라톤의 '국가론' 중 일부이다. 플라톤은 모든 예술 작품은 고결한 품성과 올바른 행위를 포함하여 도덕적 교훈이나 본보기를 제공해야 한다고 보았다. 그래서 시가와 같은 예술 교육을 제대로 받으면 훌륭한 사람이 될 수 있다고 하였다. 심미주의적 관점에서는 예술은 다른 어떤 것의 수단이 되어서는 안 되며, 예술 그 자체로 평가받아야 한다고 본다.

오답 피하기

①, ⑤ 플라톤은 예술이 도덕적 완성에 기여할 수 있어야 한다고 본다. ② 플라톤은 예술과 도덕은 서로 분리될 수 없으며, 인간은 예술을 통해 심성을 수련하고 올바른 사람이 될 수 있다고 보았다.

**11 의복의 윤리적 의미**

의복을 과시의 수단으로 이용하는 것은 의복의 윤리적 문제로 지적된다. 의복이 과시의 수단으로 이용되면 사회적 위화감을 조성할 수 있고, 건전한 근로 의욕을 저하시킬 수 있으며, 의복을 만드는 과정에서 환경 파괴, 동물에 대한 비윤리적 대우 등이 나타날 수 있다.

오답 피하기

①, ② 의복은 자신의 개성과 멋을 표현함으로써 자신을 표현하고, 개인의 정체성을 반영하기도 한다. ③ 의복은 예의에 대한 사회적 기준을 표현하기도 한다. ④ 의복은 개인의 선호나 취향 등 개성을 표현한다.

**12 주거와 관련된 윤리적 쟁점**

집이 투기 수단으로 인식되면서 다주택 소유자가 있는 반면 빚을 낸 무리한 내 집 마련으로 경제적 어려움에 처한 사람, 집을 소유하지 못해 자주 이사해야 하는 사람 등 주거의 불안정성이 커지고 있는데, 이는 주거권 보장 문제와 연결된다.

더 알아보기 + 주거의 본질

| | |
|---|---|
| 볼노브 | 집이라는 공간은 인간과 관계 속에서 의미를 지닌다고 봄 |
| 하이데거 | 휴식과 평화를 누리는 내적 공간으로서의 집의 본래적 의미를 찾아야 한다고 주장함 |

**13 윤리적 소비**

제시문에서 윤리적 소비를 중시하는 '나'는 상품의 지속 가능성을 고려할 것이므로 제품의 탄소 배출량을 확인할 것이다.

더 알아보기 + 윤리적 소비의 유형

| | |
|---|---|
| 인권과 정의를 생각하는 소비 | 노동자의 인권과 복지를 보장하는 기업의 상품 구매, 아동 노동 착취 없이 제3 세계 노동자에게 정당한 임금을 지불한 공정 무역 상품 구매 |
| 공동체적 가치를 생각하는 소비 | 지역 공동체의 지속 가능한 발전을 도모하는 소비 |
| 동물 복지를 생각하는 소비 | 동물의 생명을 존중하고 고통을 최소화하는 방식으로 생산된 상품 소비 |
| 환경 보전을 생각하는 소비 | 생태계의 보존과 지속 가능한 소비가 가능하도록 하는 친환경 소비 |

**14 윤리 상대주의에 대한 비판**

제시문에서는 문화 상대주의를 윤리 상대주의로 이해하고 있다. 그러나 문화 상대주의는 문화의 다양성과 고유성을 인정해야 한다는 입장이며, 윤리 상대주의는 보편적 윤리 규범은 존재하지 않는다는 입장이다. 예를 들어 장례 문화는 각 나라마다 다를 수 있어도 그 근본 정신은 동일하다. 따라서 문화가 다양하게 나타난다고 해서 보편 윤리(규범)가 존재하지 않는 것은 아니다. 그러므로 인류의 보편적 가치 아래에서 다양한 문화를 바라볼 줄 알아야 한다. 문화 상대주의를 윤리 상대주의로 잘못 이해해서는 안 되며, 문화의 다양성은 인정하되 인간 존엄성, 즉 인류의 보편적 가치를 존중해야 한다.

오답 피하기

ㄴ. 문화 상대주의는 다른 문화를 있는 그대로 존중하는 입장이다. ㄹ. 문화 절대주의에 대한 설명이다.

더 알아보기 + 문화 상대주의와 윤리 상대주의

| 문화 상대주의 | 각 문화를 있는 그대로 인정하고 존중하는 태도 |
|---|---|
| 윤리 상대주의 | • 세상에는 옳은 것도 없고, 그른 것도 없다는 견해<br>• 문화 상대주의를 윤리적 상대주의로 잘못 해석해서는 안 됨 |

## 15 관용의 의미와 의의

관용은 강자의 덕목으로 여겨져 왔으나, 종교 전쟁 등을 거치면서 사회 전반에 필요한 덕목으로 받아들여졌다. 관용은 싫어하고 거부하는 것에 대해 자발적으로 부정적 행위를 하지 않는 것이며, 이에 대해서는 소극적 의미로 해석하는 경우와 적극적 의미로 해석하는 경우가 있다. 소극적 의미의 관용은 반대나 간섭을 하지 않고 용인하는 것이며, 적극적 의미의 관용은 싫어하는 대상의 권리를 인정해 주는 것, 더 나아가 나와 같은 처지로 만들어 주는 것이다.

오답 피하기

ⓔ 적극적 관용은 인권을 존중하고 평화를 실현하는 데 필요한 조건을 창출하기 위해 책임 있는 행동을 하는 것으로, 남을 나와 같은 상태나 처지로 만들고자 노력하는 것이다.

## 16 종교 간의 갈등

종교 분쟁은 편견과 맹신에서 비롯된 타 종교에 대한 배타적 태도가 원인이 되어 발생한다. 다종교 사회에서 종교 간의 갈등을 해결하기 위해서는 다양한 종교의 특징과 차이점을 이해하고 다양성을 존중하는 것이 중요하다.

오답 피하기

②, ③, ④ 종교의 다양성을 인정해야 한다. ⑤ 단일화를 추구하는 것은 종교의 다양성을 해친다.

## 17 연대 의식

사회 윤리의 기본 원리 중 연대성은 인간은 사회의 일부로서 서로 긴밀하게 연결되어 있으므로 연대 의식이 필요함을 의미한다.

더 알아보기 + 사회 윤리의 기본 원리

| 연대성 | 인간은 사회의 일부로서 연대 의식이 필요함 |
|---|---|
| 공익성 | 사회 구성원은 사익뿐 아니라 공익을 존중할 때 인간으로서의 존엄성을 보장받을 수 있음 |
| 보조성 | 개인이나 소규모 공동체가 제대로 기능하지 못하는 경우에만 국가가 보조적으로 국민을 도와야 함 |

## 18 소통과 담론 과정에서 필요한 윤리적 자세

아펠은 의사소통 공동체의 모든 구성원이 져야 하는 책임은 개개인의 역할 책임과는 근본적으로 다른 도덕적 책임이라고 강조한다. 아펠은 의사소통 공동체의 구성원들은 합의를 하기 위한 담론에 참여해야 할 책임과 의사소통 공동체를 유지해야 할 책임을 동시에 지닌다고 본다.

선택지 바로 보기

① 밀 (×) → 인간을 끊임없이 잘못 판단하고 잘못 행동할 수 있는 존재로 전제하고 인간의 오류 가능성 검증을 위한 토론의 중요성을 강조함
② 원효 (×) → 화쟁 사상에서 포용과 존중의 중요성을 강조함
③ 공자 (×)
④ 아펠 (○) → 담론에 참여해야 할 책임과 의사소통 공동체를 유지해야 할 책임을 강조함
⑤ 하버마스 (×) → 누구나 자유롭게 소통에 참여할 자격이 있음을 강조함

## 19 현실주의와 이상주의

현실주의와 이상주의 모두 단일 세계 정부의 수립을 주장하지 않는다. 다만, 이상주의는 국제기구, 국제법 등 도덕성에 근거한 집단 안보 형성을 통해 분쟁을 해결해야 한다고 주장한다.

## 20 해외 원조의 윤리적 근거

제시문은 해외 원조를 의무 관점으로 바라보는 싱어의 주장이다. 싱어는 고통받는 사람들은 이익 평등 고려의 원칙에 따라 누구나 차별 없이 도움을 받아야 함을 주장하였다. 그는 공리주의 입장에서 빈곤에 따른 개인의 고통을 덜어 주어야 할 의무가 있으며, 이를 위해 해외 원조가 필요하다고 본다.

더 알아보기 + 싱어의 해외 원조 입장

이익 평등 고려의 원칙에서 보면, 고통을 덜어 주어야 할 궁극적이고 도덕적인 이유는 고통은 그 자체로 바람직하지 않기 때문이다. 인종은 이익을 고려하는 데 아무런 상관이 없다. 왜냐하면 중요한 것은 이익 자체이기 때문이다. 어떤 고통에 관하여 그것이 특정한 인종이 겪는 고통이라는 이유로 고려를 덜 한다면 이는 자의적인 차별이 될 것이다.

–싱어, 『실천 윤리학』–

## 7일 학교시험 기본 테스트 2회 58~61쪽

1 ② 2 ① 3 ④ 4 ③ 5 ① 6 ① 7 ㄱ, ㄴ
8 인간 중심주의 9 ⑤ 10 ② 11 ④ 12 ③ 13 ②
14 ① 15 ③ 16 ④ 17 ⑤ 18 국제 비정부 기구 (INGO) 19 ② 20 ②

**1 과학의 가치 중립성**

제시문은 과학의 가치 중립성을 주장하는 입장이다. 이 입장에서는 과학자의 연구는 지적 호기심이 동기가 되어, 순수한 학문적 목적에서 이루어진다고 본다. 그러므로 과학 기술에 대한 도덕적 평가와 비판을 유보해야 한다고 주장한다.

오답 피하기

①, ④, ⑤는 과학 기술에 대한 윤리적 가치 판단을 중시하는 견해이다.

**2 과학 기술의 발달로 인한 문제점**

과학 기술이 가져온 가치관의 변화는 자연을 도구적 가치로 이해하게 하면서 환경 문제를 가져오는 원인이 되었다. 또한, 고도로 발달한 기계 문명은 인간 소외 현상, 기술 지배 현상을 가져왔다. 이뿐만 아니라 정보 통신 기술로 인터넷 공간에서 인권 침해 문제를 발생시키기도 하였다.

자료 분석 +

ㄱ. 무분별한 개발로 인한 자원 고갈 문제
→ 과학 기술 발달 과정에서 발생할 수 있는 문제점
ㄴ. 과학 기술에 종속되는 인간 소외 현상 발생
→ 과학 기술 발달 과정에서 발생할 수 있는 문제점
ㄷ. 자유로운 경쟁 체제로 인한 약육강식의 사회 질서
→ 자유 시장 경쟁 체제에서 나타나는 사회 질서이다.
ㄹ. 정보 통신 기술을 이용한 지방 자치적 권력 체제 확립
→ 정보 통신 기술의 발달은 수평적 사회로의 변화에 이바지했다.

**3 과학 기술의 가치 중립성**

과학 기술의 가치 중립성을 부정하는 입장에서는 과학 기술도 가치 판단에서 자유로울 수 없으므로 윤리적 검토나 통제가 필요하다고 본다. 이 입장은 과학 기술이 그 자체로서 발전하는 것이 아니라 정치, 경제 등 사회적인 요인들과 결합하여 발전하고 내용적 제약을 받는다는 점을 강조한다.

오답 피하기

①, ②, ③, ⑤은 과학 기술의 가치 중립성을 강조하는 입장이다.

**4 기술 영향 평가 제도**

과학 기술이 사회 전반에 미치는 영향을 파악하여 과학 기술의 바람직한 발전 방향을 모색하고 그 부정적 영향을 최소화하려는 시도로서 전문가 중심의 평가와 일반 대중의 토론을 바탕으로 한 시민 참여적 평가 등이 있다.

**5 정보의 자기 결정권 문제**

정보의 자기 결정권은 자신의 개인 정보를 누구에게 어떤 범위까지 얼마동안 어떤 형식으로 공개할 것인가, 언제 폐기할 것인가 등에 관해 정보의 주인인 개인이 알고, 정당한 처리를 요구할 수 있는 권리이다.

오답 피하기

ㄷ. 정보 소유권에 관한 주요 논쟁 주제이다.

**6 사이버 공간의 문제점**

사이버 공간에서 아이디나 아바타를 자신을 감추는 가면으로 활용하면서 일회적인 인간관계에 집착하는 사람은 충동적인 행동 성향을 보이기 쉽다. 또한, 사소한 관심사에 열정적으로 몰두하거나 일시적인 유행에 열광하기 쉬우며, 중독에 빠지게 되는 위험성도 있다.

더 알아보기 + 사이버 폭력의 특징

| | |
|---|---|
| 상시적 · 지속적 | 시공간의 제약 없이 이루어져 피해자가 지속적으로 고통을 받음 |
| 빠르고 광범위한 확산 | 동시에 다수에게 유포되며 게시된 내용이 쉽게 지워지지 않음 |
| 비대면성 | 가해자는 피해자의 고통을 직접 목격하지 못하고 폭력의 심각성을 자각하지 못함 |
| 집단적 가해 | 겉으로 드러나지 않고 은밀하게 전파되며, 가해의 책임을 집단에 전가하기 쉬움 |

**7 저작권 문제**

정보 공유론을 지지하는 입장에서는 지적 창작물은 공공재이므로 공동체의 이익을 위해 사용해야 한다고 주장한다. 특정한 개인이나 집단의 정보 독점은 정보의 지속적 발전을 어렵게 한다고 본다.

오답 피하기

ㄷ, ㄹ은 저작권 보호 입장으로 정보는 사유재이므로 창작자에게 경제적 이익을 보장해야 한다고 본다.

더 알아보기 + 저작권 보호 vs 정보 공유

| 저작권 보호 (copyright) | 정보 공유 (copyleft) |
| --- | --- |
| • 정보는 사유재<br>• 창작자 권리 보호 → 저작물 발전<br>• 비판: 정보의 자유로운 교류 방해 | • 정보는 공유재<br>• 정보의 자유 이용 → 저작물 발전<br>• 비판: 창작자의 노력을 고려하지 못함 |

**8** 인간 중심주의 자연관

인간만이 도덕적 권리를 지닌다고 보는 자연관이 인간 중심주의이다. 자연을 인간의 이익과 욕구 충족의 수단으로 삼는 도구적 자연관은 환경 문제의 근본 원인이 되기도 한다.

**9** 예술의 윤리적 의미

예술의 윤리적 의미에 대한 문제이다. 예술은 억압된 욕구를 승화시켜 공격성, 분노 등을 적절히 표출하게 함으로써 건강한 개인과 사회가 되도록 한다.

더 알아보기 + 예술과 윤리의 관계

| | | |
| --- | --- | --- |
| 도덕주의 | 특징 | • 예술이 가치가 있는 것은 예술이 지닌 윤리적 가치 때문임<br>• 예술의 사회성 강조 → 예술 작품의 도덕적 가치를 중시함 |
| | 문제점 | • 미적 요소가 경시될 수 있음<br>• 예술적 표현의 자유나 상상력을 제한하여 예술의 자율성을 침해할 수 있음 |
| 심미주의 | 특징 | • 예술의 목적은 미적 가치를 구현하는 데 있고, 미적 경험은 그 자체로 가치가 있음<br>• 예술의 자율성 강조 → 예술 작품의 가치는 도덕적 가치와 무관하다고 봄 |
| | 문제점 | • 예술이 인간의 삶과 무관한 것이 될 수 있음<br>• 미풍 양속을 해쳐 사회 질서를 어지럽힐 수 있음 → 예술의 사회적 영향을 고려하여 책임 있는 예술 활동이 되도록 해야 함 |

**10** 심미주의와 도덕주의

갑은 대표적인 심미주의자인 오스카 와일드로, 예술은 도덕적 평가로부터 자유로워야 한다고 본다. 을은 플라톤으로, 예술은 도덕적 본보기나 교훈을 제공해야 한다고 본다.

오답 피하기

ㄴ. 갑은 예술 작품이 도덕적 성품을 형성하는 데 기여해야 한다고 보지 않는다. ㄹ. 갑에 대한 설명이다.

**11** 대중문화의 윤리적 문제

대중문화는 선정성이나 폭력성 등으로 대중에게 부정적 영향을 줄 수 있다.

선택지 바로 보기

① 폭력성이나 성의 상품화를 예방한다. (×) → 대중문화는 지나친 폭력성이나 성의 상품화를 조장한다.
② 짧은 시간에 많은 사람에게 전파된다. (×) → 대중문화의 긍정적인 영향에 해당한다.
③ 대중에게 다양한 문화를 접할 기회를 준다. (×) → 대중문화의 특징
④ 대중의 정서에 부정적 영향을 미칠 수 있다. (○)
⑤ 문화를 대량으로 생산하고 소비하는 대중 지향적 문화이다. (×) → 대중문화의 특징

**12** 의복의 윤리적 문제

의복에는 사회적 예절을 표현하는 등 윤리적 의미가 담겨 있다. 특히, 결혼식장, 장례식장에서의 의복은 예절과 관련이 깊다.

오답 피하기

①, ④ 제시된 대화와 관련이 없다. ②, ⑤ 의복의 기능이지만, 제시된 상황과는 관련이 없다.

**13** 현대 소비문화의 문제점

현대의 소비문화는 소비주의, 상징 소비, 과시 소비, 물질주의의 특징을 보이고 있다. 상품의 상징을 구매하고자 하며, 이러한 소비문화로 인해 자원의 고갈, 환경오염, 사회적 위화감, 인간 소외 등 많은 문제가 발생한다.

선택지 바로 보기

① 자원 고갈 및 환경 파괴를 가속화한다 (×) → 무분별한 소비, 대량 생산으로 환경 파괴가 가속화되고 있음
② 자신의 개성과 정체성을 표현하고자 한다. (○)
③ 가격을 낮추기 위해서 노동력을 착취한다. (×) → 생산 과정에서 이윤 극대화를 위해 노동 환경을 제대로 제공하지 못하는 등의 인권 유린이 자행되기도 함
④ 물질적 가치를 최우선으로 하는 행태를 보인다. (×) → 물질의 소유와 소비를 삶의 목표로 삼기도 하는 등 황금 만능주의 행태를 보이기도 함
⑤ 개인의 무분별한 과소비로 사회적 위화감이 발생한다. (×) → 과소비는 명품 소비 현상, 유행 동조 현상에서 나타나며, 사회적 위화감을 조장하는 문제가 있음

**14** 문화 다양성의 이해

제시문은 문화 다양성 선언의 일부이다. 문화 상대주의는 각 문화는 서로 다른 자연환경과 사회적 상황 등에서 나오게 된 것이

정답

므로 동등한 가치를 지닌다고 본다. 따라서 문화에 대해 우열을 가리지 않아야 한다고 본다. 문화 다양성의 입장을 옹호하는 문화 상대주의는 ㄱ, ㄴ이다.

오답 피하기

ㄷ. 자문화 중심주의에 대한 설명이다. ㄹ. 문화 제국주의의 입장이다.

### 15 윤리 상대주의의 문제점

윤리 상대주의는 문화가 상대적이듯이 윤리 규범도 문화에 따라 다양하다는 관점을 취한다. 즉, 어떤 사회에서 적용되는 행위 규칙의 타당성은 해당 문화의 승인 여부에 의해 결정된다는 것이다. 그러나 문화가 상대적인 것과 윤리가 상대적인 것은 별개의 문제이다. 문화가 상대적인 것은 '사실'에 해당하며, 처한 상황에 따라 달라질 수 있지만 근본 규범, 즉 윤리는 보편적이다. 윤리 상대주의에 따라 문화를 이해하는 입장은 구체적 규범과 근본 규범을 혼동하는 것이다.

선택지 바로 보기

① 각기 다른 문화적 차이를 인정해야 한다. (×) → 문화 상대주의
② 도덕적 옳음과 그름은 사회에 따라 다양하다. (×) → 윤리 상대주의
③ 구체적 규범은 다양하지만, 기본 원리는 보편적이다. (○)
④ 문화는 자연환경, 사회 상황 등을 고려하여 형성되었다. (×) → 문화의 다양성
⑤ 다른 사회의 문화에 대해 평가하고 우열을 가릴 수 있어야 한다. (×) → 문화 절대주의

### 16 종교의 역할

제시문은 칸트의 종교 철학이다. 칸트는 종교가 도덕의 완성에 기여할 수 있다고 본 만큼, 선악의 기준을 제시하고 종교가 인간에게 선한 동기를 제공한다고 보았다.

오답 피하기

①, ②, ③ 일반적인 종교의 기능이다. ⑤ 종교의 부정적 측면에 해당한다.

### 17 열린 민족주의

배타적 민족주의는 자기 민족의 이익 추구를 우선시하는 반면, 열린 민족주의는 다른 민족과 자기 민족을 동등하게 존중한다. 또한, 열린 민족주의는 국가와 민족을 부정하는 극단적 세계주의와도 구별되며, 세계 시민주의와 통한다.

### 18 국제 비정부 기구(INGO)

국제 비정부 기구의 대표적 사례에는 국제 사면 위원회가 있는데 모든 사람의 인권을 보호하고 양심수의 사면을 위해 활동한다. 또는 국경 없는 의사회는 의료 혜택의 확대를 위해 활동한다.

### 19 해외 원조의 의무적 성격

싱어는 인류 전체의 고통을 감소시키고 쾌락을 증진시켜야 한다는 공리주의적 원칙에 입각하여 해외 원조를 의무로 규정한다. 한편, 롤스는 시민들의 기본적인 정치적 권리가 보장되는 '질서 정연한 사회'에 살고 있는 국민들이, 불리한 여건으로 고통받는 다른 국가의 국민들을 돕는 것은 윤리적 '의무'라고 주장한다.

오답 피하기

㉡ 칸트는 의무론의 관점에서 타인의 곤경에 관심을 기울여야 할 도덕적 의무를 주장하였다, ㉣ 노직은 약소국에 대한 지원을 의무가 아닌 자선의 관점으로 파악한 사상가이다. 그는 개인의 재산권 사용은 자율적 선택의 영역이므로, 해외 원조 또한 의무로 규정할 수 없다고 보았다.

### 20 전쟁에 대한 다양한 입장

평화주의와 정의 전쟁론은 전쟁에 대한 도덕적 제한 조치를 수용한다는 점에서 현실주의와 구별되는 공통점을 지닌다. 그러나 평화주의는 모든 전쟁은 부도덕하므로 금지되어야 한다고 주장하며, 정의 전쟁론은 정의를 수행하기 위한 전쟁은 용인될 수 있다고 주장한다.

선택지 바로 보기

① 국가 간에 도덕적 관계는 성립할 수 없다. (×) → 현실주의
② 전쟁에 대한 도덕적 제한 조치를 수용한다. (○)
③ 무력 사용은 도덕적으로 정당화될 수 없다. (×) → 평화주의
④ 침입 방어를 위한 자국의 무력 사용은 가능하다. (×) → 정의 전쟁론
⑤ 전쟁은 불가피한 경우에 도덕적으로 정당화될 수 있다. (×) → 정의 전쟁론

7일 끝!

# 핵심 용어 풀이

### 핵심 용어 풀이 활용 안내

- 쉽고 재미있는 문제로 단원별 필수 어휘 익히기!
- 교과서에서 뽑은 예시 문장으로 내용 학습에, 개념 학습까지 한 번 더!

# 핵심 용어 풀이

## 01 러다이트 운동 | Luddite

러다이트 운동은 18~19세기에 노동자들이 산업 혁명의 결과 발명된 새로운 기계의 보급을 실업의 원인으로 파악하여 ❶ ______ 을/를 파괴한 운동

답 ❶ 기계

예 1 러다이트 운동은 과학 기술 혐오주의의 대표적인 사례이다.

## 02 잊힐 권리 | 권세 權, 이로울 利

온라인상에서 자신과 관련된 모든 정보에 대한 삭제 및 확산 방지를 요구할 수 있는 정보 주체의 ❶ ______ 및 통제 권리

> 정보통신망이용촉진 및 정보보호등에 관한 법률 제44조의2(정보의 삭제 요청 등)
>
> ① …… 정보 통신 서비스 제공자에게 침해 사실을 소명하여 그 정보의 삭제 또는 반박 내용의 게재를 요청할 수 있다.

답 ❶ 자기 결정권

예 1 개인 정보를 비롯하여 자신이 원하지 않는 민감한 정보들이 포털 사이트 등을 통하여 많은 사람에게 공개되지 않아야 한다는 생각이 확산하면서 잊힐 권리가 등장하였다.

## 03 뉴 미디어 | new media

❶ ______ 을/를 인터넷을 통해 가공·전달·소비하는 포괄적 융합 매체

답 ❶ 정보

예 1 정보 통신 기술의 발전으로 다양한 유형의 뉴 미디어가 개발되어 누구나 정보를 주체적으로 생산하고 소비할 수 있게 되었다.

## 04 데이터 스모그 | data smog

인터넷의 급속한 발달로 쏟아져 나오는 많은 정보 중 필요 없는 정보나 허위 정보들이 마치 ❶ ______ 처럼 가상 공간을 어지럽힌다는 뜻에서 유래된 용어

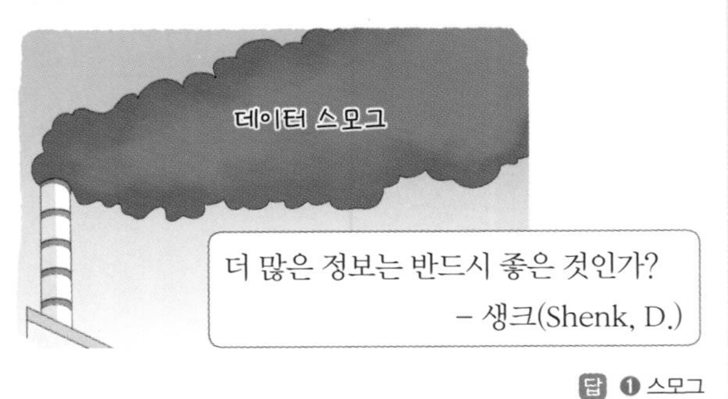


답 ❶ 스모그

예 1 데이터 스모그라고 부를 정도로 정보 과잉 시대에 반드시 필요한 것은 올바른 정보를 찾을 수 있는 능력이다.

## 05 미디어 리터러시 | media literacy

❶ [　　　　]에서 매체를 사용하고 이해하는 데 필요한 기본적인 읽기, 쓰기 능력

답 ❶ 정보 사회

예 1 포괄적으로 보면 미디어 리터러시는 다양한 형태의 커뮤니케이션에 접근하고 분석하고 평가하고 발신하는 능력을 의미한다.

## 06 쾌고 감수 능력 | 쾌할 快, 쓸 苦

어떤 존재를 도덕적으로 고려할지를 결정하는 유일한 ❶ [　　　　]

싱어

답 ❶ 기준

예 1 동물도 인간과 마찬가지로 쾌락과 고통을 느끼는 능력인 쾌고 감수 능력을 가지고 있다.

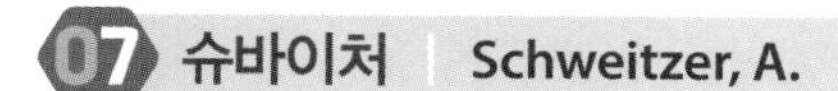

## 07 슈바이처 | Schweitzer, A.

독일의 신학자이자 의사로, ❶ [　　　　] 사상을 바탕으로 인류의 형제애를 고무한 공로로 노벨 평화상을 수상하였음

답 ❶ 생명 외경

예 1 슈바이처는 생명의 신비를 두려워하고 존경하는 마음으로 모든 생명을 소중히 여겨야 한다는 생명 외경 사상을 제시하였다.

## 08 레오폴드 | Leopold, A.

미국의 생태학자로서 근대 ❶ [　　　　]의 아버지라고 불림

답 ❶ 환경 윤리

예 1 레오폴드는 도덕 공동체의 범위를 대지까지 확대하는 '대지의 윤리'를 주장하였다.

## 핵심 용어 풀이

### 09 유불도 자연관 | 스스로 自, 그럴 然, 볼 觀

자연 친화적인 삶을 바탕으로 인간과 ❶ [    ]의 조화를 강조하는 자세

| | |
|---|---|
| 유교 | • 만물이 본래의 가치를 지님<br>• 인간과 자연이 조화를 이루는 천인합일(天人合一)의 경지 지향 |
| 불교 | 만물의 상호 의존성을 강조하는 연기론 주장 |
| 도교 | • 무위자연(無爲自然)을 추구<br>• 인간이 자연에 조작과 통제를 가하는 것에 반대함 |

답 ❶ 자연

예 1 유불도 자연관은 자연에 순응하는 소극적인 삶의 자세라는 한계를 가진다.

### 10 탄소 배출권 거래제

교토 의정서 가입 국가와 해당 국가의 기업들이 탄소 배출량을 목표보다 많이 줄이면 그렇지 못한 국가나 기업에 ❶ [    ]을/를 판매할 수 있게 한 제도

답 ❶ 탄소 배출권

예 1 교토 의정서는 온실가스를 많이 배출하고 있는 선진국에 온실가스 배출 감축량을 설정하고, 탄소 배출권 거래제를 만들었다.

### 11 지구 온난화 | 따뜻할 溫, 따뜻할 暖, 될 化

대기 중에 존재하는 ❶ [    ]의 작용으로 지구 표면의 기온이 상승하는 것

답 ❶ 온실가스

예 1 지구 온난화는 극지방 해빙과 해수면 상승으로 인한 저지대 침수 외에 이상 기후, 사막화 등을 야기해 질병 발생 증가와 곡물 수확량 감소와 같은 피해를 가져올 수 있다.

예 2 지구 온난화는 인류의 생존을 위협하고 지구 생태계를 파괴한다.

### 12 람사르 협약 | 화합할 協, 맺을 約

1971년 ❶ [    ]의 보호와 지속 가능한 이용에 관한 협약

답 ❶ 습지

예 1 환경 문제에 대한 국제 공조 체제 마련을 위한 활동에는 람사르 협약, 생물 다양성 협약, 사막화 방지 협약 등이 있다.

## 13 톨스토이 | Tolstoy, L. N.

러시아의 작가이자 사상가로, 세계적인 ❶ [ ] 임

답 ❶ 문호

예 1 톨스토이는 "예술은 개인의 감정을 표현하여 다른 사람에게 전하는 모든 것이다."라고 하였다.

## 14 패스트 패션 | fast fashion

최신 ❶ [ ] (이)나 소비자의 취향 변화에 맞춰 빠르게 생산되고 소비되는 의류

답 ❶ 유행

예 1 일반 패션 업체가 계절별로 신상품을 선보이는 데 반해 패스트 패션 업체는 유행에 맞춰서 신상품을 빠르게 유통하는 특징이 있다.

## 15 유전자 조작 식품 | GMO

유전자 조작 기술로 재배되고 생산된 농산물을 ❶ [ ] (으)로 만든 식품

답 ❶ 원료

예 1 유전자 조작 식품의 유해성 논란 등 식품의 안정성 문제가 사회적 차원의 윤리 문제로 제기된다.

## 16 젠트리피케이션 | gentrification

낙후된 구도심이 활성화되어 ❶ [ ] 이상의 계층이 유입됨으로써 기존의 저소득층 원주민을 대체하는 현상

답 ❶ 중산층

예 1 도시 재개발로 원주민이 외곽으로 밀려나는 젠트리피케이션 현상은 주거와 관련된 정의의 문제라 할 수 있다.

## 핵심 용어 풀이

### 17 윤리적 소비 | 사라질 消, 쓸 費

소비자의 영향력 확대와 다양한 사회 문제에 대한 관심 속에서 ❶ [ ]에 따라 재화나 서비스를 구매하고 사용하며 처리하는 소비

답 ❶ 도덕적 가치

예 1 합리적 소비의 한계를 인식하고 이를 보완하는 과정에서 윤리적 소비가 등장하였다.

### 18 사회적 기업 | 꾀할 企, 업 業

사회적 가치를 우위에 두고 ❶ [ ]을/를 수행하며, 이를 통해 창출된 수익을 사회적 목적을 위해 환원하는 기업

| 사회 통합형 | 취약 계층에게 다양한 사회 서비스 제공 |
|---|---|
| 노동 통합형 | 취약 계층에게 일자리 제공 |
| 혼합 방식형 | 취약 계층에게 일자리와 사회 서비스를 함께 제공 |
| 지역 사회 공헌형 | 지역 주민의 삶의 질 향상과 사회 서비스 및 일자리 제공 |

답 ❶ 생산 활동

예 1 사회적 기업은 취약 계층의 고용 및 복지 문제를 해결하는 과정에서 등장하였다.

### 19 레건 | Regan, T.

미국 철학자로, ❶ [ ] 윤리의 권위자임.

답 ❶ 동물

예 1 레건은 동물이 자기의 삶을 영위하는 삶의 주체이므로 그 자체로 본래적 가치를 지닌 목적적 존재라고 여겼다.

### 20 데카르트 | Descartes, R.

프랑스의 철학자이자 수학자로, ❶ [ ]을/를 주장한 근대 철학의 아버지로 불림

답 ❶ 합리론

예 1 데카르트는 인간의 정신이 물질로 환원할 수 없는 존엄한 것이지만, 자연은 의식이 없는 단순한 물질이므로 기계와 같다고 여겼다.

## 21 의복 | 옷 衣, 옷 服

몸을 싸서 가리거나 ❶ [　　　] 하기 위하여 만들어 입는 물건

답 ❶ 보호

예1 의복은 다양한 의미와 기능을 지니기 때문에 '무언의 언어'라고 볼 수 있다.

## 22 황금률 | 누를 黃, 쇠 金, 법칙 律

❶ [　　　] 의 마태복음에 나오는 "너희는 남에게서 바라는 대로 남에게 해 주어라."라는 가르침에서 유래된 규칙

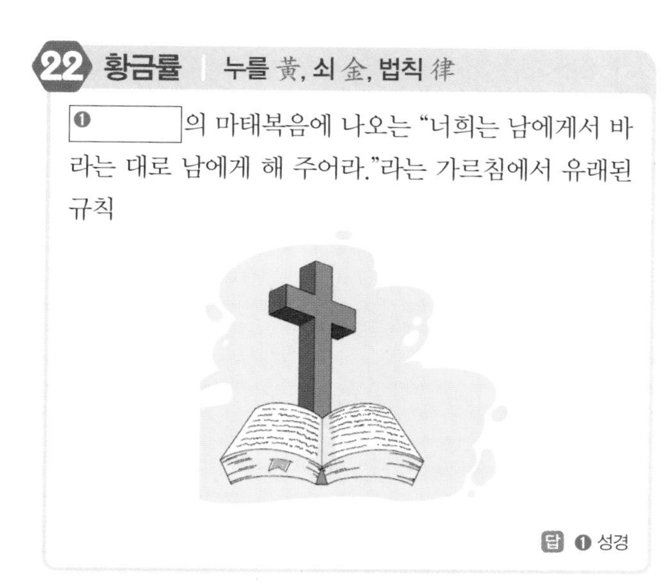

답 ❶ 성경

예1 "네가 싫어하는 것을 남에게 시키지 마라."라는 공자의 가르침이 소극적 황금률이라면, "남에게 대접받고자 하는 대로 남을 대접하라."라는 예수의 가르침은 적극적 황금률이라고 할 수 있다.

## 23 지역감정 | 땅 地, 지경 域, 느낄 感, 뜻 情

특정한 지역에 살고 있거나 그 지역 출신인 사람에게 다른 지역 사람이 갖는 좋지 않은 생각이나 ❶ [　　　]

답 ❶ 편견

예1 특정 지역에 대한 차별 의식이나 특권 의식은 지역감정으로 드러나기도 한다.

## 24 원효 | 元曉

신라의 승려로, 불교의 ❶ [　　　] 에 힘썼음.

답 ❶ 대중화

예1 원효의 일심 사상은 여러 교리와 사상이 있다고 하더라도 그것이 목적으로 하는 바는 모두 깨달음이라는 점에서 한 마음이라는 사상이다.

## 핵심 용어 풀이

### 25 하버마스 | Habermas, J.

독일의 대표적인 담론 윤리학자로, ❶ [ ] 의 합리성을 강조함

답 ❶ 의사소통

예 1 하버마스는 합리적인 의사소통이 이루어지기 위해서는 돈이나 권력에 의한 왜곡과 억압이 없어야 하고, 대화 당사자들이 이상적인 담론의 조건인 개방성, 평등성, 호혜성을 지켜야 한다고 본다.

### 26 아펠 | Apel, K. O.

독일의 사회학자이자 철학자로, 보편적인 윤리 규범은 ❶ [ ] 을/를 통해 합리적으로 조정하는 과정에서 만들어진다고 봄

답 ❶ 토론

예 1 아펠은 의사소통 공동체의 모든 구성원이 져야 하는 숙고적인 책임을 강조한다.

### 27 분단 비용 | 나눌 分, 끊을 斷, 쓸 費, 쓸 用

남북한 분단의 결과인 대결과 갈등 때문에 ❶ [ ] 되는 유·무형의 비용

답 ❶ 지출

예 1 남북통일이 된다면 분단 비용을 지출하지 않아도 되고, 남북 경제 통합으로 시너지 효과가 발생하는 등 장기적으로는 더 큰 통일 편익을 기대할 수 있다.

### 28 갈퉁 | Galtung, J.

노르웨이의 평화학자로, 진정한 ❶ [ ] 을/를 이루기 위한 적극적 평화를 강조함

답 ❶ 평화

예 1 갈퉁은 직접적인 폭력뿐만 아니라 구조적·문화적 폭력을 제거하여 적극적인 평화를 이루어야 한다고 주장한다.

## 핵심 개념 01 과학 기술 가치 중립성 논쟁

| | | |
|---|---|---|
| 과학 기술에 대한 관점 | 과학 기술 지상주의 | · 과학 기술을 이용하여 모든 문제 해결 가능<br>· 문제점: 과학 기술의 부정적 측면 간과, 반성적 ❶ ( ) 훼손 |
| | 과학 기술 혐오주의 | · 과학 기술의 비인간적·비윤리적 측면 부각, 과학의 합리성 자체에 대한 회의<br>· 문제점: 과학 기술이 영향을 미치는 현실을 반영 못함 |
| 가치 중립성에 대한 입장 | 강조 | · 과학 기술 연구의 자유 보장<br>· 과학 기술의 사실성 판단 시 가치 개입 안 됨<br>· 윤리적 규제는 과학 기술 발달을 저해함 |
| | 부정 | · 과학 기술에 대한 윤리적 검토나 ❷ ( ) 필요<br>· 과학 기술과 도덕적 가치의 분리 불가능 |

답 ❶ 사고 능력 ❷ 통제

## 핵심 개념 02 과학 기술의 사회적 책임

1. 과학 기술과 윤리적 책임
· 과학 기술의 발전에서 윤리적 책임이 커지는 까닭: 결과의 모호성, 적용의 강제성, 시공간적 광역성
· 요나스의 ❶ ( ): 윤리적 책임의 범위 확대 → 자연·미래 세대 등까지 확대, 과거 지향적인 사후 책임 부과에서 행위되어야 할 것에 대한 책임 제시

2. 과학 기술에 대한 책임

| | |
|---|---|
| 과학 기술자의 내적 책임 | 연구 자체에 대한 책임 → ❷ ( ) 준수 |
| 과학 기술자의 외적 책임 | 연구 결과의 사회적 영향에 대한 책임 |

3. 과학 기술에 관한 사회 제도
· 과학 기술의 연구 개발 과정과 결과를 평가·감시·통제할 기관이나 윤리 위원회 등의 활동 강화
· 기술 영향 평가 제도 시행

답 ❶ 책임 윤리 ❷ 연구 윤리

## 핵심 개념 03 정보 사회의 윤리 문제

1. 윤리 문제

| | |
|---|---|
| 저작권 문제 | · 저작권 보호 입장: 정보는 ❶ ( ), 창작자의 권리를 보호해야 저작물 발전<br>· 정보 공유 입장: 정보는 공공재, 정보를 자유롭게 이용해야 저작물 발전 |
| 사생활 침해 | 개인 정보 유출로 사생활 침해 발생 → 개인 정보 보호, 정보 자기 결정권과 잊힐 권리 강조 |
| 사이버 폭력 | 현실 세계의 폭력처럼 타인에게 고통을 주고 사회 혼란을 유발 |
| 표현의 자유 | 표현의 자유에 요구되는 한계에 대한 논쟁 발생 |

2. 정보 윤리
· 허위 정보를 구별할 수 있도록 정보 분석 능력 함양
· 자율성의 원리, 해악 금지의 원리, 선행의 원리, 정의의 원리 등 정보 윤리의 기본 원칙 준수
· ❷ ( )의 태도, 사회적 책임, 공동체 의식 등 윤리적 태도 함양

답 ❶ 사유재 ❷ 인간 존중

## 핵심 개념 04 정보 사회에서의 매체 윤리

1. 뉴 미디어
· 의미: 정보를 ❶ ( )을/를 통해 가공·전달·소비하는 포괄적 융합 매체
· 특징: 정보 생산과 소비 주체의 상호 작용화, 광범위한 사회적 연결망, 신속한 정보 수집·전달 속도, 다수의 정보 이용자의 능동화, 정보 교환의 비동시화, 탈대중화 등
· 문제점: 객관성과 신뢰성 부족

2. 매체 윤리

| | |
|---|---|
| 정보 생산과 유통 윤리 | · 배려<br>· 표절 금지<br>· 진실한 태도<br>· 개인의 인격권 보호<br>· 이해관계 조정 제도<br>· 표현의 자유의 한계 인식 |
| 정보 소비 윤리 | · ❷ ( ) 함양<br>· 정보의 비판적·능동적 수용<br>· 사용자 상호 간의 소통 및 시민 의식 |

답 ❶ 인터넷 ❷ 미디어 리터러시

자르는 선

## 01

예제 갑, 을의 입장에 대한 설명으로 가장 적절한 것은?

> 갑: 과학 기술은 인류에게 무한한 행복을 줄 수 있어.
> 을: 아니야. 과학 기술은 비인간화를 초래해.

① 갑은 과학 기술의 가치를 인정하지 않는다.
② 갑은 과학 기술의 비윤리적 측면을 강조한다.
③ 을은 과학 기술로 사회 문제를 해결할 수 있다고 본다.
④ 을은 과학 기술이 인간성 훼손과 무관하지 않다고 본다.
⑤ 갑, 을은 모두 과학 기술의 사회적 유용성을 강조한다.

답 ④

★기억해요!

과학 기술을 바라보는 관점에는 과학 기술 지상주의와 과학 기술 ______ 이/가 있다.

답 혐오주의

## 02

예제 다음 사상가의 입장만을 〈보기〉에서 있는 대로 고른 것은?

> 새롭게 요구되는 윤리는 과학 기술로 인한 상황을 적극적으로 반성하는 책임 윤리로서 두려움, 겸손, 검소, 절제, 성스러운 것에 대한 외경심의 덕목들이다.

보기

ㄱ. 미래 세대에까지 책임의 범위를 확장해야 한다.
ㄴ. 인간 종족의 존속을 위해 자연을 보호해야 한다.
ㄷ. 행위 결과와 무관하게 도덕 판단을 내려야 한다.
ㄹ. 현세대에게 미래에 대한 책임을 부과해야 한다.

① ㄱ, ㄹ ② ㄴ, ㄷ ③ ㄴ, ㄹ
④ ㄱ, ㄴ, ㄹ ⑤ ㄱ, ㄷ, ㄹ

답 ④

★기억해요!

요나스는 윤리적 ______ 의 범위를 현세대에서 자연과 미래 세대 등까지 확대할 것을 주장하였다.

답 책임

## 03

예제 ㉠에 들어갈 내용으로 가장 적절한 것은?

> 영화, 음악, 소프트웨어 등과 같은 디지털 콘텐츠를 무단으로 다운로드하거나 복제하는 행위는 저작자의 창작 활동 동기를 약화시키고 궁극적으로 국가 경제에 큰 손실을 가져올 수 있다. 이렇게 볼 때 ______㉠______ 점을 잊지 말아야 할 것이다.

① 모든 정보는 공유될 때 그 가치가 증대된다는
② 특정 개인의 저작권 소유를 인정해서는 안 된다는
③ 인격권 보장을 위해 잊힐 권리를 인정해야 한다는
④ 정보를 이해하는 개개인의 능력을 중시해야 한다는
⑤ 저작권을 보호해야 양질의 정보를 생산할 수 있다는

답 ⑤

★기억해요!

저작권 보호를 주장하는 입장은 정보 ______ 의 노력에 대한 경제적 이익을 보장함으로써 창작 의욕을 높일 수 있다고 본다.

답 창작자

## 04

예제 A에 대한 설명으로 가장 적절한 것은?

> 갑: A의 특징을 설명해 봅시다.
> 을: 정보의 생산, 소비, 유통이 동시 다발적으로 이루어질 수 있습니다.
> 병: 시공간적인 제약 없이 상호 작용을 할 수 있습니다.

① 정보가 전달되고 수용되는 과정이 일방적이다.
② 정보를 제공하는 통로가 제한되어 확산되기 어렵다.
③ 의견을 반영해 정보를 즉각적으로 수정할 수 있다.
④ 정보의 생산·유통·소비가 전문가만을 통해 이루어진다.
⑤ 전달 과정에서 허위 정보나 유해 정보가 자동으로 걸러진다.

답 ③

★기억해요!

______ 은/는 쌍방향적 의사소통이 가능하고 다양한 의견을 반영한 즉각적 정보 수정이 가능하다.

답 뉴 미디어

자르는 선

## 핵심 개념 05 인간과 자연에 대한 다양한 관점

1. 서양의 자연관

| | |
|---|---|
| 인간 중심주의 | · 인간만이 도덕적 권리의 주체<br>· 대표적 사상가: 베이컨, 데카르트, 칸트 |
| 동물 중심주의 | · 동물은 도덕적 고려의 대상<br>· 대표적 사상가: 싱어, 레건 |
| 생명 중심주의 | · ❶ ______ 이/가 있으면 도덕적 고려의 대상<br>· 대표적 사상가: 슈바이처, 테일러 |
| 생태 중심주의 | · 생태계 전체가 도덕적 고려의 대상<br>· 대표적 사상가: 레오폴드, 네스 |

2. 동양의 자연관

| | |
|---|---|
| 유교 | 만물은 본래의 가치를 지님, 하늘은 덕의 근원 |
| 불교 | 자연은 원인과 조건으로 연결된 그물 |
| 도교 | ❷ ______ 을/를 추구해야 하고 자연에 통제나 조작을 가해서는 안 됨 |

답 ❶ 생명 ❷ 무위자연

## 핵심 개념 06 환경 문제에 대한 윤리적 쟁점

1. 기후 변화
- 기후 정의 문제: 기후 변화의 책임은 ❶ ______ 에 있지만 개발 도상국과 후진국이 피해를 보고 경제 성장 속도 조절을 요구받음
- 국제적 노력: 기후 변화 협약(1992), 교토 의정서(1997), 파리 협정(2015)

2. 미래 세대에 대한 책임
- ❷ ______ 의 책임 윤리: 인류가 지구상에 계속 존재해야 한다는 당위적 요청에 근거해 현세대는 미래 세대에 대한 책임을 져야 함
- 책임의 근거: 인류는 하나의 연속적 세대로 이루어진 도덕 공동체

3. **생태적 지속 가능성:** 생태계의 본질적인 기능과 과정을 유지하고 생태계의 생명 다양성을 보존할 수 있는 생태계의 능력

답 ❶ 선진국 ❷ 요나스

## 핵심 개념 07 미적 가치와 윤리적 가치

1. 예술과 윤리의 관계

| | |
|---|---|
| 도덕주의 | · 도덕적 가치가 미적 가치보다 우위<br>· 예술의 목적은 도덕적 교훈·모범 제공<br>· 예술에 대한 윤리적 규제 찬성<br>· 예술의 ❶ ______ 강조 → 참여 예술론 지지<br>· 예술의 독립성과 표현의 자유 침해 우려 |
| 심미주의 | · 도덕적 가치와 미적 가치는 독립적<br>· 예술의 목적은 미적 가치의 구현<br>· 예술에 대한 윤리적 규제 반대<br>· 예술의 자율성 강조 → 순수 예술론 지지<br>· 예술의 사회적 영향력과 책임 간과 |

2. 예술의 상업화
- 긍정적 측면: 예술에 대한 대중의 ❷ ______ 확대, 예술가의 안정적 창작 활동 기반 제공
- 부정적 측면: 예술의 본질 왜곡, 예술의 질적 저하

답 ❶ 사회성 ❷ 접근성

## 핵심 개념 08 대중문화의 윤리적 문제

1. 대중문화
- 의미: 대중 사회를 기반으로 형성되어 다수가 소비하고 향유하는 문화
- 특징: 대량 소비, 대중성, 상업성 등

2. 윤리적 문제
- 선정성과 폭력성: 인간의 육체와 성, 폭력에 대한 그릇된 인식 생성 우려
- ❶ ______ 에의 종속: '자본'이 대중문화 주도 → 예술가의 자율성, 독립성 제약 → 대중문화의 획일화, 규격화, 몰개성화

3. 윤리적 규제

| | |
|---|---|
| 제도적 차원 | · 찬성: 미풍양속과 청소년 보호 등을 위해 유해 요소의 규제 필요<br>· 반대: 표현의 자유와 문화 향유권 제한 우려 |
| 개인적 차원 | 생산자, 소비자 모두 개인과 공동체의 삶을 풍요롭게 하는 것이 좋은 ❷ ______ 임을 인식 |

답 ❶ 자본 ❷ 문화

자르는 선

## 05

예제 다음 주장들이 가진 한계로 가장 적절한 것은?

> • 식물은 동물의 생존을 위해서 존재하고, 동물은 인간의 생존을 위해서 존재한다.
> • 야수를 죽이는 것이 죄라고 주장하는 사람은 오류를 범하고 있다.

① 인간과 자연의 내재적 가치를 인정한다.
② 인간의 이익 관심의 질을 고려하지 못한다.
③ 인간의 행복을 위한 자연 파괴를 정당화한다.
④ 생태계 보전을 위해 인간 생존에 위협을 가져온다.
⑤ 자연 보전을 위한 인간의 어떤 개입도 인정하지 않는다.

답 ③

★기억해요!

______ 윤리는 이성을 지닌 인간만을 도덕의 주체로 규정하고 인간의 필요 충족을 위해 자연을 도구화한다.

답 인간 중심주의

## 06

예제 ㉠~㉤ 중 옳은 내용만을 있는대로 고른 것은?

> [학습 주제] 환경 문제의 특징
> (1) 생태계의 자정 능력 향상 ··········· ㉠
> (2) 책임 소재를 분명히 가릴 수 있음 ··········· ㉡
> (3) 특정 지역을 벗어나 전 지구적 영향 ··········· ㉢
> (4) 사회·경제적 약자에게 더 큰 피해로 나타남 ··········· ㉣
> (5) 세대가 초래한 환경 문제가 미래 세대의 삶의 터전 위협 ··········· ㉤

① ㉠, ㉡　② ㉡, ㉢　③ ㉠, ㉡, ㉢
④ ㉡, ㉢, ㉣　⑤ ㉢, ㉣, ㉤

답 ⑤

★기억해요!

______ 은/는 전 지구적 영향을 주는 것으로, 불특정 다수에게 광범위한 피해를 주며, 연쇄적으로 영향을 끼친다.

답 환경 문제

## 07

예제 다음 내용이 예술에 대해 공통으로 강조하는 바를 〈보기〉에서 고른 것은?

> • 예에서 사람이 서고, 악에서 사람이 완성된다.
> • 인간은 칠정이 있어 마음이 고르지 못한 까닭에 음을 듣고 마음을 씻어 평온해져야 한다.

보기

> ㄱ. 도덕의 수단이 될 수 없다.
> ㄴ. 도덕적 본보기를 제공해야 한다.
> ㄷ. 도덕적 평가에서 자유로워야 한다.
> ㄹ. 고결한 품성을 형성하는 데 기여해야 한다.

① ㄱ, ㄴ　② ㄱ, ㄷ　③ ㄴ, ㄷ
④ ㄴ, ㄹ　⑤ ㄷ, ㄹ

답 ④

★기억해요!

공자의 예악 사상, 정약용의 ______ 은/는 모두 예술이 도덕성과 관련이 있으며, 도덕성 형성에 기여해야 한다는 입장이다.

답 예악론

## 08

예제 대중문화의 긍정적 영향을 바르게 말한 사람끼리 짝지은 것은?

> 현아: 대중이 사회에 관심을 가지고 참여하도록 기회를 제공하기도 해.
> 유찬: 폭력적이거나 선정적인 대중문화로 인해 이를 모방하는 경우도 있어.
> 라희: 누구나 쉽게 문화에 접근할 수 있게 하여 문화적 삶을 향유할 수 있어.
> 주원: 거대 자본에 종속됨으로써 개인을 문화 산업의 도구로 전락시키기도 해.

① 현아, 유찬　② 현아, 라희　③ 유찬, 라희
④ 유찬, 주원　⑤ 라희, 주원

답 ②

★기억해요!

문화의 ______ 확대, 대중의 사회 참여 활성화 등 대중문화의 긍정적 효과가 있다.

답 접근성

자르는 선

## 핵심개념 09 의식주의 윤리

1. 의복 문화와 윤리

| | |
|---|---|
| 윤리적 쟁점 | · 동조 소비: 유행 추구 현상, 패스트 패션<br>· ❶ [ ]: 명품 선호 현상, 사치 풍조 |
| 해결 노력 | · 사람과 환경을 생각하는 윤리 경영 실천<br>· 비판적 소비 |

2. 음식 문화와 윤리

| | |
|---|---|
| 윤리적 쟁점 | 식품 안전성 문제, 환경 문제, 동물 복지 문제, 식량 불평등 문제 |
| 해결 노력 | · 로컬푸드 운동, 슬로푸드 운동 등<br>· 안전한 먹거리 인증, 성분 표시 의무화 등 |

3. 주거 문화와 윤리

| | |
|---|---|
| 윤리적 쟁점 | 주거의 불안정성과 불평등 문제, 주거 형태의 획일화·규격화 문제 |
| 해결 노력 | 주거 환경의 균형적 발전과 ❷ [ ] 추구, 공동체를 고려하는 주거 문화 형성 |

답 ❶ 과시 소비 ❷ 주거 정의

## 핵심개념 10 윤리적 소비문화

1. 소비 유형

| | |
|---|---|
| 합리적 소비 | 최소의 비용으로 최대의 ❶ [ ]을/를 얻기 위한 소비 → 인권 침해, 동물 학대, 환경 오염 등 유발 |
| 윤리적 소비 | 도덕적 가치 판단에 따른 소비 → 가격 외 인권, 사회 정의, 환경 등도 고려함 |

2. 윤리적 소비

| | |
|---|---|
| 유형 | · 인권과 정의를 생각하는 소비<br>· 공동체적 가치를 생각하는 소비<br>· 동물 복지를 생각하는 소비<br>· 환경 보전을 생각하는 소비 |
| 실천 노력 | ❷ [ ] 상품 구매, 공정 여행, 로컬푸드 운동, 일회용품 구매 자제 등 |

답 ❶ 만족 ❷ 공정 무역

## 핵심개념 11 문화 다양성과 존중

1. 문화 이해 태도

| | |
|---|---|
| 자문화 중심주의 | 자국 문화를 기준으로 다른 문화를 무조건 낮게 평가하는 태도 |
| 문화 사대주의 | 자국 문화를 열등하게 여겨 다른 문화를 숭배하고 추종하는 태도 |
| 문화 상대주의 | 각 문화가 지닌 ❶ [ ]과/와 상대적 가치를 이해하고 존중하는 태도 |

2. 다문화 정책

| | |
|---|---|
| 동화주의 | 주류 문화가 비주류 문화를 흡수 → 용광로 모형 |
| 다문화주의 | 다양한 문화가 공존하면서 각각의 색깔이 조화를 이룸 → ❷ [ ] |
| 문화 다원주의 | 문화 다양성을 인정하지만, 주류 문화를 바탕으로 비주류 문화가 공존 → 국수 대접 모형 |

답 ❶ 고유성 ❷ 샐러드 그릇 모형

## 핵심개념 12 종교의 공존과 관용

1. 종교의 구성 요소

| | |
|---|---|
| 내용적 측면 | 성스러움의 주관적 체험과 믿음 |
| 형식적 측면 | 경전과 교리, 의례와 형식, 교단 |

2. 종교와 윤리의 관계

| | |
|---|---|
| 차이점 | · 종교: 초월적 세계, 궁극적 존재에 근거한 종교적 신념이나 교리 제시<br>· 윤리: 이성, 양심, 도덕 감정 등에 근거한 실생활 규범 제시 |
| 공통점 | ❶ [ ] 중시 |

3. 종교 갈등과 공존

· 종교 갈등 발생 원인: 타 종교에 대한 배타적인 태도, 타 종교에 대한 무지와 편견

· 공존 노력: 종교적 ❷ [ ] 필요, 종교 간 대화와 협력

답 ❶ 도덕성 ❷ 관용

자르는 선

## 10

예제 윤리적 소비를 위해 고려해야 할 사항만을 〈보기〉에서 있는 대로 고른 것은?

보기

ㄱ. 노동자에게 정당한 몫을 주는지 살핀다.
ㄴ. 주어진 예산 범위 안에서 가장 큰 효용을 추구한다.
ㄷ. 환경에 미치는 영향 등 지속 가능한 발전을 고려한다.
ㄹ. 생산 과정에서 아동 노동력을 사용했거나, 열악한 노동 환경에서 제조되지 않았는지 살핀다.

① ㄱ, ㄴ ② ㄷ, ㄹ ③ ㄱ, ㄴ, ㄷ
④ ㄱ, ㄴ, ㄹ ⑤ ㄱ, ㄷ, ㄹ

답 ⑤

★기억해요!

평화, 인권, 사회 정의, 환경 등 인류의 보편적 가치를 소중히 생각하며 일상생활에서 이러한 가치를 실현하고자 하는 것을 ______(이)라 한다.

답 윤리적 소비

## 09

예제 다음에서 나타나고 있는 문제점을 해결하기 위한 방안으로 가장 적절한 것은?

도시 재개발 과정에서 원주민은 철거민으로 쫓겨나고, 집값 상승 때문에 재개발된 곳으로 다시 돌아오기가 어렵다.

① 생태적으로 건강한 주거 환경을 회복한다.
② 공간에 대한 편리성과 효율성을 중시한다.
③ 집의 본질적 가치보다 경제적 가치를 중시한다.
④ 서양식 주거 형태보다 전통식 주거 형태를 선호한다.
⑤ 공간 정의를 추구하고, 주거권이 인권의 한 요소임을 인식한다.

답 ⑤

★기억해요!

주거 문제를 해결하기 위해서는 주거 정의를 추구하고, 주거권을 ______(으)로 인식해야 한다.

답 인권

## 12

예제 다음 글에 나타난 갈등의 해결 방안을 〈보기〉에서 고른 것은?

진화론이 등장한 뒤 신의 존재, 영혼 불멸 등을 둘러싼 갈등은 더욱더 골이 깊어져 가고 있다.

보기

ㄱ. 과학적인 방법으로 종교 교리를 설명해 낸다.
ㄴ. 종교인들의 단합으로 종교 교리를 지켜 낸다.
ㄷ. 종교와 과학이 상보적인 관계임을 인식한다.
ㄹ. 종교와 과학이 각자의 영역이 있음을 인정하고, 서로의 영역을 존중한다.

① ㄱ, ㄴ ② ㄱ, ㄷ ③ ㄴ, ㄷ
④ ㄴ, ㄹ ⑤ ㄷ, ㄹ

답 ⑤

★기억해요!

종교와 과학 간의 갈등 해결 방안은 양자의 ______을/를 추구하는 것이다.

답 조화

## 11

예제 ㉠에 들어갈 말로 가장 적절한 것은?

교사: ( ㉠ )에는 어떤 것들이 있나요?
갑: 자문화와 타 문화를 비판적으로 보지 못합니다.
을: 노예 제도, 명예 살인을 정당화할 수도 있습니다.

① 다문화 사회의 문제점
② 윤리 상대주의의 문제점
③ 문화 상대주의의 문제점
④ 자문화 중심주의의 문제점
⑤ 보편 윤리적 관점의 문제점

답 ②

★기억해요!

______은/는 세상에는 절대적으로 옳은 것도 없고, 그른 것도 없다는 견해로, 문화 상대주의와는 다른 개념이다.

답 윤리 상대주의

자르는 선

## 핵심개념 13 사회 갈등과 사회 통합

1. 사회 갈등

| | |
|---|---|
| 유형 | · ❶ [ ]: 가치관, 믿음, 견해 등이 다를 경우 발생함<br>· 지역 갈등: 특정 지역에 대한 특권 의식이나 차별 의식으로 인해 발생함<br>· 세대 갈등: 연령과 시대별 경험의 차이로 나타남 |
| 원인 | · 생각이나 가치관의 차이<br>· 이해관계의 대립<br>· 원활한 소통의 부재 |

2. 사회 통합

| | |
|---|---|
| 원리 | 연대성, 공익성, ❷ [ ] |
| 주체별 역할 | · 개인: 열린 자세, 개인선과 공동선의 조화<br>· 시민 사회: 소통과 상호 존중을 통한 신뢰 형성<br>· 국가: 통합의 정치 지향, 민주적 절차 마련 |

답 ❶ 이념 갈등 ❷ 보조성

## 핵심개념 14 민족 통합의 윤리

1. 통일 문제에 대한 쟁점

| | |
|---|---|
| 입장 차이 | · 반대: 무관심, 남북 간 ❶ [ ], 통일 비용 부담<br>· 찬성: 민족 공동체 건설, 보편적 가치(평화, 인권, 인도주의)의 실현, 분단 비용 해소 및 통일 편익 향유 |
| 비용 | · 통일 비용: 통일 이후 남북한 간 격차 해소 및 통합에 필요한 비용 → 생산적 투자 비용<br>· 분단 비용: 분단으로 인해 남북한이 부담하는 유·무형의 모든 비용 → 소모성 지출 비용<br>· 통일 편익: 남북통일로 얻을 수 있는 경제적·비경제적 편익 |

2. 통일 한국이 지향해야 할 가치

· 보편적 가치: ❷ [ ], 자유, 인권, 정의 등

· 통일 한국의 미래상: 수준 높은 문화 국가, 자주적인 민족 국가, 정의로운 복지 국가, 자유로운 민주 국가

답 ❶ 이질화 ❷ 평화

## 핵심개념 15 국제 분쟁의 해결

1. 국제 분쟁 해결 방안: 문명의 다양성과 차이 존중, 국제적 ❶ [ ] 실현, 형사적 정의 실현

2. 국제 분쟁 해결론

| | |
|---|---|
| 현실주의 | · 국가의 이익 > 도덕성<br>· 분쟁 해결 방법: ❷ [ ] |
| 이상주의 | · 국가의 이익 < 도덕성<br>· 분쟁 해결 방법: 집단 안보 형성 |
| 구성주의 | · 국가 간 상호 작용이 국익 좌우<br>· 분쟁 해결 방법: 긍정적 상호 작용 |

3. 국제 평화의 중요성

· 칸트의 영구 평화론: 국제법을 적용받는 평화 연맹 구성 요구

· 갈퉁의 적극적 평화론: 적극적 평화의 실현 주장

답 ❶ 분배 정의 ❷ 세력 균형

## 핵심개념 16 국제 사회에 대한 책임과 기여

1. 세계화의 영향

| | |
|---|---|
| 긍정적 영향 | · 판매 시장 및 소비 선택의 기회 증가<br>· ❶ [ ]과/와 교류 확대로 인류의 공동 번영 여건 조성<br>· 다양한 교류로 문화 공존 기대 상승 |
| 부정적 영향 | · 남북문제 심화<br>· 국가 간 경제 의존도 심화로 경제 위기 연대<br>· 각국의 정체성 약화 및 문화의 획일화 |

2. 해외 원조의 윤리적 근거

| | |
|---|---|
| 싱어 | 가난한 사람들을 돕는 것은 윤리적 의무 |
| 롤스 | 빈곤국의 질서 정연한 사회로의 이행을 돕는 것은 정의 실현을 위한 의무 |
| 노직 | 원조나 기부는 ❷ [ ] |

답 ❶ 자유 경쟁 ❷ 자선 행위

자르는 선

## 14

예제 다음 글을 통해 파악할 수 있는 통일 문제의 시사점으로 타당하지 않은 것은?

> 통일 이후, 많은 서독 사람이 동독을 살리기 위해 일을 한다고 말하곤 해요. 우리는 이런 통일을 바라지 않았어요.

① 상대적 박탈감을 최소화해야 한다.
② 민족적 일체감 강화가 선행되어야 한다.
③ 암묵적인 갈등 요소까지 고려해야 한다.
④ 서로 다른 정치적·경제적 가치관을 존중해야 한다.
⑤ 통합보다는 정치적 통일을 우선적으로 지향해야 한다.

답 ⑤

★기억해요!

통일을 위해 이해하기 쉽고 친밀감을 가질 수 있는 교류부터 시작해 범위를 단계적으로 넓혀 감으로써 [　　　] 회복을 모색하는 것이 중요하다.

답 동질성

## 13

예제 다음 대화 내용 중 사회 통합에 대해 옳지 않은 의견을 말한 학생은?

> 갑: 사회가 통합되면 국가 경쟁력을 강화시킬 수 있지.
> 을: 사회 통합은 경제 성장과 복지를 확대시킬 수 있어.
> 병: 사회가 통합되면 국민을 위한 정책의 효과가 상승될 거야.
> 정: 사회 통합은 개인의 행복을 희생하더라도 한 사회의 공동 목표를 추구하는 거야.
> 무: 사회 통합이란 사회 내 개인이나 집단이 상호 작용을 통해 하나로 통합되는 과정을 말해.

① 갑　② 을　③ 병　④ 정　⑤ 무

답 ④

★기억해요!

[　　　]은/는 개인의 행복한 삶, 사회 발전 및 국가 경쟁력 강화에 필요하다.

답 사회 통합

## 16

예제 다음 대화에서 을의 주장을 뒷받침하는 근거로 가장 적절한 것은?

> 갑: 세계화로 인해 국가 간 상호 협력과 교류의 범위가 확대되고 있습니다.
> 을: 저의 생각은 다릅니다. 세계화는 서구 선진 자본주의 국가들의 시장 확대 과정에 불과합니다.

① 다양한 문화의 공존이 가능해진다.
② 개인 간, 국가 간 빈부 격차가 완화된다.
③ 개별 국가나 민족의 고유성과 지역성이 보존된다.
④ 경제적 측면에서 시장과 자본의 독점이 가속화된다.
⑤ 경제적 창의성과 효율성의 증대로 공동의 번영이 가능해진다.

답 ④

★기억해요!

세계화에 대한 부정적 입장은 세계화를 서구 선진 자본주의 국가의 [　　　] 과정에 불과하다고 평가한다.

답 시장 확대

## 15

예제 ㉠에 들어갈 알맞은 것을 〈보기〉에서 고른 것은?

> 갈퉁(Galtung, J.)은 적극적 평화에 대해 강조하였는데, 적극적 평화란 ___㉠___ 상태이다.

보기

ㄱ. 직접적 폭력이 없는
ㄴ. 전쟁, 테러, 폭행, 범죄 등이 발생하지 않은
ㄷ. 물리적 폭력뿐만 아니라 구조적 폭력까지 제거된
ㄹ. 전쟁, 빈곤, 기아, 정치적 억압, 종교와 사상의 차별 등이 없는

① ㄱ, ㄴ　② ㄱ, ㄷ　③ ㄴ, ㄷ
④ ㄴ, ㄹ　⑤ ㄷ, ㄹ

답 ⑤

★기억해요!

적극적 평화란 물리적 폭력은 물론 구조적·문화적 폭력까지 모두 사라져 [　　　]을/를 영위할 수 있는 상태이다.

답 인간다운 삶

자르는 선